令和6年版教科書対応

板書で見る 全単元の授業のすべて 国語

小学校2年 下

中村和弘 監修
大村幸子・土屋晴裕 編著

東洋館出版社

まえがき

令和２年に全面実施となった小学校の学習指導要領では、これからの時代に求められる資質・能力や教育内容が示されました。

この改訂を受け、これからの国語科では、

- 言語活動を通して「言葉による見方・考え方」を働かせながら学習に取り組むことができるようにする。
- 単元の目標／評価を、〔知識及び技能〕と〔思考力、判断力、表現力等〕のそれぞれの指導事項を結び付けて設定し、それらの資質・能力が確実に身に付くよう学習過程を工夫する。
- 「主体的・対話的で深い学び」の視点から、単元の構成や教材の扱い、言語活動の設定などを工夫する授業改善を行う。

などのことが求められています。

一方で、こうした授業が全国の教室で実現するには、いくつかの難しさを抱えているように思います。例えば、言語活動が重視されるあまり、「国語科の授業で肝心なのは、言葉や言葉の使い方などを学ぶことである」という共通認識が薄れているように感じています。

あるいは、活動には取り組めているけれども、「今日の学習で、どのような言葉の力が付いたのか」が、子供たちだけでなく教師においても、ややもすると自覚的でない授業を見ることもあります。

国語科の授業を通して「どんな力が付けばよいのか」「何を教えればよいのか」という肝心な部分で、困っている先生方が多いのではないかと思います。

＊　　　＊

さて、『板書で見る全単元の授業のすべて 小学校国語』（本シリーズ）は、平成29年の学習指導要領の改訂を受け、令和２年の全面実施に合わせて初版が刊行されました。このたび、令和６年版の教科書改訂に合わせて、本シリーズも改訂することになりました。

GIGA スクール構想に加え、新型コロナウイルス感染症の猛威などにより、教室での ICT 活用が急速に進み、この４年間で授業の在り方、学び方も大きく変わりました。改訂に当たっては、単元配列や教材の入れ替えなど新教科書に対応するだけでなく、ICT の効果的な活用方法や、個別最適な学びと協働的な学びを充実させるための手立てなど、今求められる授業づくりを発問と子供の反応例、板書案などを通して具体的に提案しています。

＊　　　＊

日々教室で子供たちと向き合う先生に、「この単元はこんなふうに授業を進めていけばよいのか」「国語の授業はこんなところがポイントなのか」と、国語科の授業づくりの楽しさを感じながらご活用いただければ幸いです。

令和６年４月

中村　和弘

本書活用のポイント―単元構想ページ―

本書は、各学年の全単元について、単元全体の構想と各時間の板書のイメージを中心とした本時案を紹介しています。各単元の冒頭にある単元構想ページの活用のポイントは次のとおりです。

教材名と指導事項、関連する言語活動例

本書の編集に当たっては、令和6年発行の光村図書出版の国語教科書を参考にしています。まずは、各単元で扱う教材とその時数、さらにその下段に示した学習指導要領に即した指導事項や関連する言語活動例を確かめましょう。

単元の目標

単元の目標を示しています。各単元で身に付けさせたい資質・能力の全体像を押さえておきましょう。

評価規準

ここでは、指導要録などの記録に残すための評価を取り上げています。本書では、記録に残すための評価は❶❷のように色付きの丸数字で統一して示しています。本時案の評価で色付きの丸数字が登場したときには、本ページの評価規準と併せて確認することで、より単元全体を意識した授業づくりができるようになります。

同じ読み方の漢字 （2時間扱い）

単元の目標

知識及び技能	・第5学年までに配当されている漢字を読むことができる。第4学年までに配当されている漢字を書き、文や文章の中で使うとともに、第5学年に配当されている漢字を漸次書き、文や文章の中で使うことができる。((1)エ)
学びに向かう力、人間性等	・言葉がもつよさを認識するとともに、進んで読書をし、国語の大切さを自覚して思いや考えを伝え合おうとする。

評価規準

知識・技能	❶第5学年までに配当されている漢字を読んでいる。第4学年までに配当されている漢字を書き、文や文章の中で使うとともに、第5学年に配当されている漢字を漸次書き、文や文章の中で使っている。((知識及び技能)(1)エ)
主体的に学習に取り組む態度	❷同じ読み方の漢字の使い分けに関心をもち、同訓異字や同音異義語について進んで調べたり使ったりして、学習課題に沿って、それらを理解しようとしている。

単元の流れ

時	主な学習活動	評価
1	学習の見通しをもつ 同訓異字を扱ったメールのやり取りを見て、気付いたことを発表する。 同訓異字と同音異義語について調べるという見通しをもち、学習課題を設定する。 同じ読み方の漢字について調べ、使い分けられるようになろう。 教科書の問題を解き、同訓異字や同音異義語を集める。 〈課外〉・同訓異字や同音異義語を集める。 ・集めた言葉を教室に掲示し、共有する。	❶
2	集めた同訓異字や同音異義語から調べる言葉を選び、意味や使い方を調べ、ワークシートにまとめる。 調べたことを生かして、例文やクイズを作って紹介し合い、同訓異字や同音異義語の意味や使い方について理解する。 学習を振り返る 学んだことを振り返り、今後に生かしていきたいことを発表する。	❷

授業づくりのポイント

〈単元で育てたい資質・能力〉

本単元のねらいは、同じ読み方の漢字の理解を深め、正しく使うことができるようにすることである。

同じ読み方の漢字
156

単元の流れ

単元の目標や評価規準を押さえた上で、授業をどのように展開していくのかの大枠をここで押さえます。各展開例は学習活動ごとに構成し、それぞれに対応する評価をその右側の欄に示しています。

ここでは、「評価規準」で挙げた記録に残すための評価のみを取り上げていますが、本時案では必ずしも記録には残さない、指導に生かす評価も示しています。本時案での詳細かつ具体的な評価の記述と併せて確認することで、指導と評価の一体化を意識することが大切です。

また、学習の見通しをもつ 学習を振り返る という見出しが含まれる単元があります。見通しをもたせる場面と振り返りを行う場面を示すことで、教師が子供の学びに向かう姿を見取ったり、子供自身が自己評価を行う機会を保障したりすることに活用できるようにしています。

そのためには、どのような同訓異字や同音異義語があるか、国語辞典や漢字辞典などを使って進んで集めたり意味を調べたりすることに加えて、実際に使われている場面を想像する力が必要となる。
選んだ言葉の意味や使い方を調べ、例文やクイズを作ることで、漢字の意味を捉えたり、場面に応じて使い分けたりする力を育む。

[具体例]
○教科書に取り上げられている「熱い」「暑い」「厚い」を国語辞典で調べると、その言葉の意味とともに、熟語や対義語、例文が掲載されている。それらを使って、どう説明したら意味が似通っているときでも正しく使い分けることができるかを考え、理解を深めることができる。

〈教材・題材の特徴〉
教科書で扱われている同訓異字や同音異義語は、子どもに身に付けさせたい漢字や言葉ばかりであるが、ともすれば練習問題的な扱いになりがちである。子ども一人一人に応じた配慮をしながら、主体的に考えて取り組める活動にすることが大切である。
本教材での学習を通して、同訓異字や同音異義語が多いという日本語の特色とともに、一文字で意味をもち、使い分けることができる漢字の豊かさに気付かせたい。そのことが、漢字に対する興味・関心や学習への意欲を高めることになる。

[具体例]
○導入では、同訓異字によってすれ違いが起こる事例を提示する。生活の中で起こりそうな場面を設定することで、これから学習することへの興味・関心を高めるとともに、その事例の内容から課題を見つけ、学習の見通しをもたせることができる。

〈言語活動の工夫〉
数多くある同訓異字や同音異義語を区別して正しく使えるようになることを目標に、集めた言葉を付箋紙またはホワイトボードアプリにまとめる。言葉を集める際は、「自分たちが使い分けられるようになりたい漢字」という視点で集めることで、主体的に学習に取り組めるようにする。
さらに、例文やクイズを作成する過程では、使い分けができるような内容になっているかどうか、友達と互いにアドバイスし合いながら対話的に学習を進められるようにする。自分が理解するだけでなく、友達に自分が調べたことを分かりやすく伝えたいという相手意識を大切にしたい。

〈ICT の効果的な活用〉
調査：言葉集めの際は、国語辞典や漢字辞典を用いたい。しかし、辞典の扱いが厳しい児童にはインターネットでの検索を用いてもよいこととし、意味や例文の確認のために辞典を活用するよう声を掛ける。
記録：集めた言葉をホワイトボードアプリに記録していくことで、どんな言葉が集まったのかをクラスで共有することができる。
共有：端末のプレゼンテーションソフトなどを用いて例文を作り、同訓異字や同音異義語の部分を空欄にしたり、選択問題にしたりすることで、もっとクイズを作りたい、友達と解き合いたいという意欲につなげたい。

157

授業づくりのポイント

ここでは、各単元の授業づくりのポイントを取り上げています。
全ての単元において〈単元で育てたい資質・能力〉を解説しています。単元で育てたい資質・能力を確実に身に付けさせるために、気を付けたいポイントや留意点に触れています。授業づくりに欠かせないポイントを押さえておきましょう。
他にも、単元や教材文の特性に合わせて〈教材・題材の特徴〉〈言語活動の工夫〉〈他教材や他教科との関連〉〈子供の作品やノート例〉〈並行読書リスト〉などの内容を適宜解説しています。これらの解説を参考にして、学級の実態に応じた工夫を図ることが大切です。各項目では解説に加え、具体例も挙げていますので、併せてご確認ください。

ICT の効果的な活用

1人1台端末の導入・活用状況を踏まえ、本単元における ICT 端末の効果的な活用について、「調査」「共有」「記録」「分類」「整理」「表現」などの機能ごとに解説しています。活用に当たっては、学年の発達段階や、学級の子供の実態に応じて取捨選択し、アレンジすることが大切です。
本ページ、また本時案ページを通して、具体的なソフト名は使用せず、原則、下記のとおり用語を統一しています。ただし、アプリ固有の機能などについて説明したい場合はアプリ名を記載することとしています。
〈ICT ソフト：統一用語〉
Safari、Chrome、Edge →ウェブブラウザ ／ Pages、ドキュメント、Word →文書作成ソフト
Numbers、スプレッドシート、Excel →表計算ソフト ／ Keynote、スライド、PowerPoint →プレゼンテーションソフト ／ クラスルーム、Google Classroom、Teams →学習支援ソフト

本書活用のポイント―本時案ページ―

単元の各時間の授業案は、板書のイメージを中心に、目標や評価、学習の進め方などを合わせて見開きで構成しています。各単元の本時案ページの活用のポイントは次のとおりです。

本時の目標

本時の目標を示しています。単元構想ページとは異なり、各時間の内容により即した目標を示していますので、「授業の流れ」などと併せてご確認ください。

本時の主な評価

ここでは、各時間における評価について2種類に分類して示しています。それぞれの意味は次のとおりです。

○❶❷などの色付き丸数字が付いている評価

指導要録などの記録に残すための評価を表しています。単元構想ページにある「単元の流れ」の表に示された評価と対応しています。各時間の内容に即した形で示していますので、具体的な評価のポイントを確認することができます。

○「・」の付いている評価

必ずしも記録に残さない、指導に生かす評価を表しています。以降の指導に反映するための教師の見取りとして大切な視点です。指導との関連性を高めるためにご活用ください。

本時案

同じ読み方の漢字 1/2

本時の目標

・同訓異字と同音異義語について知り、言葉や漢字への興味を高めることができる。

本時の主な評価

❶同訓異字や同音異義語を集めて、それぞれの意味を調べている。【知・技】

・漢字や言葉の読みと意味の関係に興味をもち、進んで調べたり考えたりしている。

資料等の準備

・メールのやりとりを表す掲示物
・国語辞典
・漢字辞典
・関連図書（『ことばの使い分け辞典』学研プラス、『同音異義語・同訓異字①②』童心社、『のびーる国語 使い分け漢字』KADOKAWA）

3 同じ読み方の漢字について調べ、使い分けられるようになろう。

公園 公演　負う 追う　照明 証明　付く 着く

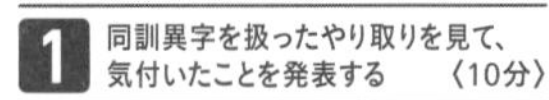

授業の流れ ▷▷▷

1 同訓異字を扱ったやり取りを見て、気付いたことを発表する 〈10分〉

T　今から、あるやり取りを見せます。どんな学習をするのか、考えながら見てください。
○「移す」と「写す」を使ったやり取りを見せることで、同訓異字の存在に気付いてその特徴を知り、興味・関心を高められるようにする。
・「移す」と「写す」で意味の行き違いが生まれてしまいました。
・同じ読み方でも、意味が違う漢字の学習をするのだと思います。
・自分も、どの漢字を使えばよいのか迷った経験があります。

ICT端末の活用ポイント

メールのやり取りは、掲示物ではなく、プレゼンテーションソフトで作成し、アニメーションで示すと、より生活経験に近づく。

2 学習のめあてを確認し、同訓異字と同音異義語について知る 〈10分〉

T　教科書p.84の「あつい」について、合う言葉を線で結びましょう。
・「熱い」と「暑い」は意味が似ているから、間違えやすいな。
T　このように、同じ訓の漢字や同じ音の熟語が日本語にはたくさんあります。それらの言葉を集めて、どんな使い方をするのか調べてみましょう。
○「同じ訓の漢字（同訓異字）」と「同じ音の熟語（同音異義語）」を押さえ、訓読みと音読みの違いを理解できるようにする。

同じ読み方の漢字
158

資料等の準備

ここでは、板書をつくる際に準備するとよいと思われる絵やカード等について、箇条書きで示しています。なお、[↓]の付いている付録資料については、巻末にダウンロード方法を示しています。

ICT端末の活用ポイント／ICT等活用アイデア

必要に応じて、活動の流れの中でのICT端末の活用の具体例や、本時におけるICT活用の効果などを解説しています。

学級の子供の実態に応じて取り入れ、それぞれの考えや意見を瞬時に共有したり、分類することで思考を整理したり、記録に残して見返すことで振り返りに活用したりなど、学びを深めるための手立てとして活用しましょう。

3 教科書の問題を解き、同訓異字や同音異義語を集める 〈25分〉

T 同じ訓の漢字や同じ音の熟語は、意味を考えて、どの漢字を使うのが適切かを考えなければなりません。教科書の問題を解いて、練習してみましょう。

○初めから辞典で調べるのではなく、まずは子ども自身で意味を考えさせたい。難しい子どもには、ヒントとなるような助言をする。

T これまで習った漢字の中から、自分たちが使い分けられるようになりたい同じ訓の漢字や、同じ音の熟語を集めてみましょう。

○漢字辞典や国語辞典だけでなく、関連図書を準備しておくとよい。

T 次時は、理解を深めたい字の使い分け方について調べて、友達に伝えましょう。

ICT 等活用アイデア

調査活動を広げる工夫

第1時と第2時の間の課外で、同訓異字・同音異義語を集める活動を行う。辞典だけでなく、経験やインタビュー、さらにインターネットなどを活用するとよい。

また、集めた言葉を「同じ訓の字」と「同じ音の熟語」に分けてホワイトボードアプリに記録していくことで、友達がどんな言葉を見つけたのか、どのくらい集まったのかをクラスで共有することができる。

第1時
159

本時の板書例

子供たちの学びを活性化させ、授業の成果を視覚的に確認するための板書例を示しています。学習活動に関する項立てだけでなく、子供の発言例なども示すことで、板書全体の構成をつかみやすくなっています。

板書に示されている1 2などの色付きの数字は、「授業の流れ」の各展開と対応しています。どのタイミングで何を提示していくのかを確認し、板書を効果的に活用することを心掛けましょう。

色付きの吹き出しは、板書をする際の留意点です。実際の板書では、テンポよくまとめる必要がある部分があったり、反対に子供の発言を丁寧に記していく必要がある部分があったりします。留意点を参考にすることで、メリハリをつけて板書を作ることができるようになります。

その他、色付きの文字で示された部分は実際の板書には反映されない部分です。黒板に貼る掲示物などが当たります。

これらの要素をしっかりと把握することで、授業展開と一体となった板書を作り上げることができます。

よりよい授業へのステップ

ここでは、本時の指導についてポイントを絞って解説しています。授業を行うに当たって、子供がつまずきやすいポイントやさらに深めたい内容について、各時間の内容に即して実践的に示しています。よりよい授業づくりのために必要な視点を押さえましょう。

授業の流れ

1時間の授業をどのように展開していくのかについて示しています。

各展開例について、主な学習活動とともに目安となる時間を示しています。導入に時間を割きすぎたり、主となる学習活動に時間を取れなかったりすることを避けるために、時間配分もしっかりと確認しておきましょう。

各展開は、T：教師の発問や指示等、・：予想される子供の反応例、〇：留意点等の3つの内容で構成されています。この展開例を参考に、各学級の実態に合わせてアレンジを加え、より効果的な授業展開を図ることが大切です。

板書で見る全単元の授業のすべて

国語 小学校２年下 —令和６年版教科書対応—

もくじ

1

第 2 学年における授業づくりのポイント

「主体的・対話的で深い学び」を目指す授業づくりのポイント

1 国語科における「主体的・対話的で深い学び」の実現

平成29年告示の学習指導要領では、国語科の内容は育成を目指す資質・能力の３つの柱の整理を踏まえ、〔知識及び技能〕と〔思考力、判断力、表現力等〕から編成されている。これらの資質・能力は、国語科の場合は言語活動を通して育成される。

つまり、子供の取り組む言語活動が充実したものであれば、その活動を通して、教師の意図した資質・能力は効果的に身に付くということになる。逆に、子供にとって言語活動がつまらなかったり気が乗らなかったりすると、資質・能力も身に付きにくいということになる。

ただ、どんなに言語活動が魅力的であったとしても、あるいは子供が熱中して取り組んだとしても、それらを通して肝心の国語科としての資質・能力が身に付かなければ、本末転倒ということになってしまう。

このように、国語科における学習活動すなわち言語活動は、きわめて重要な役割を担っている。その言語活動の質を向上させていくための視点が、「主体的・対話的で深い学び」ということになる。学習指導要領の「指導計画の作成と内容の取扱い」では、次のように示されている。

> 単元など内容や時間のまとまりを見通して、その中で育む資質・能力の育成に向けて、児童の主体的・対話的で深い学びの実現を図るようにすること。その際、言葉による見方・考え方を働かせ、言語活動を通して、言葉の特徴や使い方などを理解し自分の思いや考えを深める学習の充実を図ること。

ここにあるように、「主体的・対話的で深い学び」の実現は、「資質・能力の育成に向けて」工夫されなければならない点を確認しておきたい。

2 主体的な学びを生み出す

例えば、「読むこと」の学習では、子供の読む力は、何度も文章を読むことを通して高まる。ただし、「読みましょう」と教師に指示されて読むよりも、「どうしてだろう」と問いをもって読んだり、「こんな点を考えてみよう」と目的をもって読んだりした方が、ずっと効果的である。問いや目的は、子供の自発的な読みを促してくれる。

教師からの「○場面の人物の気持ちを考えましょう」という指示的な学習課題だけでは、こうした自発的な読みが生まれにくい。「○場面の人物の気持ちは、前の場面と比べてどうか」「なぜ、変化したのか」「AとBと、どちらの気持ちだと考えられるか」など、子供の問いや目的につながる課題や発問を工夫することが、主体的な学びの実現へとつながる。

この点は、「話すこと・聞くこと」や「書くこと」の授業でも同じである。「まず、こう書きましょう」「書けましたか。次はこう書きましょう」という指示の繰り返しで書かせていくと、活動がいつの間にか作業になってしまう。それだけではなく、「どう書けばいいと思う？」「前にどんな書き方を習った？」「どう工夫して書けばいい文章になるだろう？」などのように、子供に問いかけ、考えさせながら書かせていくことで、主体的な学びも生まれやすくなる。

3 対話的な学びを生み出す

対話的な学びとして、グループで話し合う活動を取り入れても、子供たちに話し合いたいことがなければ、形だけの活動になってしまう。活動そのものが大切なのではなく、何かを解決したり考えたりする際に、１人で取り組むだけではなく、近くの友達や教師などの様々な相手に、相談したり自分の考えを聞いてもらったりすることに意味がある。

そのためには、例えば、「疑問（○○って、どうなのだろうね？）」「共感や共有（ねえ、聞いてほしいんだけど……）」「目的（いっしょに、○○しよう！）」「相談（○○をどうしたらいいのかな）」などをもたせることが有用である。その上で、何分で話し合うのか（時間）、誰と話し合うのか（相手）、どのように話し合うのか（方法や形態）といったことを工夫するのである。

また、国語における対話的な学びでは、相手や対象に「耳を傾ける」ことが大切である。相手の言っていることにしっかり耳を傾け、「何を言おうとしているのか」という意図など考えながら聞くということである。

大人でもそうだが、思っていることや考えていることなど、頭の中の全てを言葉で言い表すことはできない。だからこそ、聞き手は、相手の言葉を手がかりにしながら、その人がうまく言葉にできていない思いや考え、意図を汲み取って聞くことが大切になってくる。

聞くとは、受け止めることであり、フォローすることである。聞き手がそのように受け止めてくれることで、話し手の方も、うまく言葉にできなくても口を開くことができる。対話的な学びとは、話し手と聞き手とが、互いの思いや考えをフォローし合いながら言語化する共同作業である。対話することを通して、思いや考えが言葉になり、そのことが思考を深めることにつながる。

国語における対話的な学びの場面では、こうした言葉の役割や対話をすることの意味などに気付いていくことも、言葉を学ぶ教科だからこそ、大切にしていきたい。

4 深い学びを生み出す

深い学びを実現するには、言葉による見方・考え方を働かせ、言語活動を通して国語科としての資質・能力を身に付けることが欠かせない（「言葉による見方・考え方」については、次ページを参照）。授業を通して、子供の中に、言葉や言葉の使い方についての発見や更新が生まれるということである。

国語の授業は、言語活動を通して行われるため、どうしても活動することが目的化しがちである。だからこそ、読むことでも書くことでも、「どのような言葉や言葉の使い方を学習するために、この活動を行っているのか」を、常に意識して授業を考えていくことが最も大切である。

そのためには、例えば、学習指導案の本時の目標と評価を、できる限り明確に書くようにすることが考えられる。「○場面を読んで、人物の気持ちを想像する」という目標では、どのような語句や表現に着目し、どのように想像させるのかがはっきりしない。教材研究などを通して、この場面で深く考えさせたい叙述や表現はどこなのかを明確にすると、学習する内容も焦点化される。つまり、本時の場面の中で、どの語句や表現に時間をかけて学習すればよいかが見えてくる。全部は教えられないので、扱う内容の焦点化を図るのである。焦点化した内容について、課題の設定や言語活動を工夫して、子供の学びを深めていく。言葉や言葉の使い方についての、発見や更新を促していく。評価についても同様で、何がどのように読めればよいのかを、子供の姿で考えることでより具体的になる。

このように、授業のねらいが明確になり、扱う内容が焦点化されると、その部分の学習が難しい子供への手立ても、具体的に用意することができる。どのように助言したり、考え方を示したりすればその子供の学習が深まるのかを、個別に具体的に考えていくのである。

「言葉による見方・考え方」を働かせる授業づくりのポイント

1 「言葉を学ぶ」教科としての国語科の授業

国語科は「言葉を学ぶ」教科である。

物語を読んで登場人物の気持ちについて話し合っても、説明文を読んで分かったことを新聞にまとめても、その言語活動のさなかに、「言葉を学ぶ」ことが子供の中に起きていなければ、国語科の学習に取り組んだとは言いがたい。

「言葉を学ぶ」とは、普段は意識することのない「言葉」を学習の対象とすることであり、これもまたあまり意識することのない「言葉の使い方」（話したり聞いたり書いたり読んだりすること）について、意識的によりよい使い方を考えたり向上させたりしていくことである。

例えば、国語科で「ありの行列」という説明的文章を読むのは、アリの生態や体の仕組みについて詳しくなるためではない。その文章が、どのように書かれているかを学ぶために読む。だから、文章の構成を考えたり、説明の順序を表す接続語に着目したりする。あるいは、「問い」の部分と「答え」の部分を、文章全体から見つけたりする。

つまり、国語科の授業では、例えば、文章の内容を読み取るだけでなく、文章中の「言葉」の意味や使い方、効果などに着目しながら、筆者の書き方の工夫を考えることなどが必要である。また、文章を書く際にも、構成や表現などを工夫し、試行錯誤しながら相手や目的に応じた文章を書き進めていくことなどが必要となってくる。

2 言葉による見方・考え方を働かせるとは

平成29年告示の学習指導要領では、小学校国語科の教科の目標として「言葉による見方・考え方を働かせ、言語活動を通して、国語で正確に理解し適切に表現する資質・能力を次のとおり育成することを目指す」とある。その「言葉による見方・考え方を働かせる」ということついて、『小学校学習指導要領解説　国語編』では、次のように説明されている。

> 言葉による見方・考え方を働かせるとは、児童が学習の中で、対象と言葉、言葉と言葉との関係を、言葉の意味、働き、使い方等に着目して捉えたり問い直したりして、言葉への自覚を高めることであると考えられる。様々な事象の内容を自然科学や社会科学等の視点から理解することを直接の学習目的としない国語科においては、言葉を通じた理解や表現及びそこで用いられる言葉そのものを学習対象としている。このため、「言葉による見方・考え方」を働かせることが、国語科において育成を目指す資質・能力をよりよく身に付けることにつながることとなる。

一言でいえば、言葉による見方・考え方を働かせるとは、「言葉」に着目し、読んだり書いたりする活動の中で、「言葉」の意味や働き、その使い方に目を向け、意識化していくことである。

前に述べたように、「ありの行列」という教材を読む場合、文章の内容の理解のみを授業のねらいとすると、理科の授業に近くなってしまう。もちろん、言葉を通して内容を正しく読み取ることは、国語科の学習として必要なことである。しかし、接続語に着目したり段落と段落の関係を考えたりと、文章中に様々に使われている「言葉」を捉え、その意味や働き、使い方などを検討していくことが、言葉による見方・考え方を働かせることにつながる。子供たちに、文章の内容への興味をもたせるとともに、書かれている「言葉」を意識させ、「言葉そのもの」に関心をもたせることが、国語科の授業では大切となる。

3 〔知識及び技能〕と〔思考力、判断力、表現力等〕

言葉による見方・考え方を働かせながら、文章を読んだり書いたりさせるためには、〔知識及び技能〕の事項と〔思考力、判断力、表現力等〕の事項とを組み合わせて、授業を構成していくことが必要となる。文章の内容ではなく、接続語の使い方や文末表現への着目、文章構成の工夫や比喩表現の効果など、文章の書き方に目を向けて考えていくためには、そもそもそういった種類の「言葉の知識」が必要である。それらは主に〔知識及び技能〕の事項として編成されている。

一方で、そうした知識は、ただ知っているだけでは、読んだり書いたりするときに生かされてこない。例えば、文章構成に関する知識を使って、今読んでいる文章について、構成に着目してその特徴や筆者の工夫を考えてみる。あるいは、これから書こうとしている文章について、様々な構成の仕方を検討し、相手や目的に合った書き方を工夫してみる。これらの「読むこと」や「書くこと」などの領域は、〔思考力、判断力、表現力等〕の事項として示されているので、どう読むか、どう書くかを考えたり判断したりする言語活動を組み込むことが求められている。

このように、言葉による見方・考え方を働かせながら読んだり書いたりするには、「言葉」に関する知識・技能と、それらをどう駆使して読んだり書いたりすればいいのかという思考力や判断力などの、両方の資質・能力が必要となる。単元においても、〔知識及び技能〕の事項と〔思考力、判断力、表現力等〕の事項とを両輪のように組み合わせて、目標／評価を考えていくことになる。先に引用した『解説』の最後に、「『言葉による見方・考え方』を働かせることが、国語科において育成を目指す資質・能力をよりよく身に付けることにつながる」としているのも、こうした理由からである。

4 他教科等の学習を深めるために

もう１つ大切なことは、言葉による見方・考え方を働かせることが、各教科等の学習にもつながってくる点である。一般的に、学習指導要領で使われている「見方・考え方」とは、その教科の学びの本質に当たるものであり、教科固有のものであるとして説明されている。ところが、言葉による見方・考え方は、他教科等の学習を深めることとも関係してくる。

これまで述べてきたように、国語科で文章を読むときには、書かれている内容だけでなく、どう書いてあるかという「言葉」の面にも着目して読んだり考えたりしていくことが大切である。

この「言葉」に着目し、意味を深く考えたり、使い方について検討したりすることは、社会科や理科の教科書や資料集を読んでいく際にも、当然つながっていくものである。例えば、言葉による見方・考え方が働くということは、社会の資料集や理科の教科書を読んでいるときにも、「この言葉の意味は何だろう、何を表しているのだろう」と、言葉と対象の関係を考えようとしたり、「この用語と前に出てきた用語とは似ているが何が違うのだろう」と言葉どうしを比較して検討しようとしたりするということである。

教師が、「その言葉の意味を調べてみよう」「用語同士を比べてみよう」と言わなくても、子供自身が言葉による見方・考え方を働かせることで、そうした学びを自発的にスタートさせることができる。国語科で、言葉による見方・考え方を働かせながら学習を重ねてきた子供たちは、「言葉」を意識的に捉えられる「構え」が生まれている。それが他の教科の学習の際にも働くのである。

言語活動に取り組ませる際に、どんな「言葉」に着目させて、読ませたり書かせたりするのかを、教材研究などを通してしっかり捉えておくことが大切である。

1 国語科における評価の観点

各教科等における評価は、平成29年告示の学習指導要領に沿った授業づくりにおいても、観点別の目標準拠評価の方式である。学習指導要領に示される各教科等の目標や内容に照らして、子供の学習状況を評価するということであり、評価の在り方としてはこれまでと大きく変わることはない。

ただし、その学習指導要領そのものが、「知識及び技能」「思考力、判断力、表現力等」「学びに向かう力、人間性等」の資質・能力の3つの柱で、目標や内容が構成されている。そのため、観点別学習状況の評価についても、この3つの柱に基づいた観点で行われることとなる。

国語科の評価観点も、これまでの5観点から次の3観点へと変更される。

「(国語への)関心・意欲・態度」 「話す・聞く能力」 「書く能力」 「読む能力」 「(言語についての)知識・理解(・技能)」	→	「知識・技能」 「思考・判断・表現」 「主体的に学習に取り組む態度」

2 「知識・技能」「思考・判断・表現」の評価規準

国語科の評価観点のうち、「知識・技能」と「思考・判断・表現」については、それぞれ学習指導要領に示されている〔知識及び技能〕と〔思考力、判断力、表現力等〕と対応している。

例えば、低学年の「話すこと・聞くこと」の領域で、夏休みにあったことを紹介する単元があり、次の2つの指導事項を身に付けることになっていたとする。

- 音節と文字との関係、アクセントによる語の意味の違いなどに気付くとともに、姿勢や口形、発声や発音に注意して話すこと。 〔知識及び技能〕(1)イ
- 相手に伝わるように、行動したことや経験したことに基づいて、話す事柄の順序を考えること。 〔思考力、判断力、表現力等〕A話すこと・聞くことイ

この単元の学習評価を考えるには、これらの指導事項が身に付いた状態を示すことが必要である。したがって、評価規準は次のように設定される。

「知識・技能」	姿勢や口形、発声や発音に注意して話している。
「思考・判断・表現」	「話すこと・聞くこと」において、相手に伝わるように、行動したことや経験したことに基づいて、話す事柄の順序を考えている。

このように、「知識・技能」と「思考・判断・表現」の評価については、単元で扱う指導事項の文末を「〜こと」から「〜している」として置き換えると、評価規準を作成することができる。その際、単元で育成したい資質・能力に照らして、指導事項の文言の一部を用いて評価規準を作成する場合もあることに気を付けたい。また、「思考・判断・表現」の評価を書くにあたっては、例のように、冒頭に「『話すこと・聞くこと』において」といった領域名を明記すること(「書くこと」「読む

こと」も同様）も必要である。

3 「主体的に学習に取り組む態度」の評価規準

一方で、「主体的に学習に取り組む態度」の評価については、指導事項の文言をそのまま使うということができない。学習指導要領では、「学びに向かう力、人間性等」については教科の目標や学年の目標に示されてはいるが、指導事項としては記載されていないからである。そこで、「主体的に学習に取り組む態度」の評価規準は、それぞれの単元で、育成する資質・能力と言語活動に応じて、次のように作成する必要がある。

「主体的に学習に取り組む態度」の評価規準は、次の①～④の内容で構成される（〈　〉内は当該内容の学習上の例示）。

①粘り強さ〈積極的に、進んで、粘り強く等〉
②自らの学習の調整〈学習の見通しをもって、学習課題に沿って、今までの学習を生かして等〉
③他の２観点において重点とする内容（特に、粘り強さを発揮してほしい内容）
④当該単元（や題材）の具体的な言語活動（自らの学習の調整が必要となる具体的な言語活動）

先の低学年の「話すこと・聞くこと」の単元の場合でいえば、この①～④の要素に当てはめてみると、例えば、①は「進んで」、②は「今までの学習を生かして」、③は「相手に伝わるように話す事柄の順序を考え」、④は「夏休みの出来事を紹介している」とすることができる。

この①～④の文言を、語順などを入れ替えて自然な文とすると、この単元での「主体的に学習に取り組む態度」の評価規準は、

「主体的に学習に取り組む態度」	進んで相手に伝わるように話す事柄の順序を考え、今までの学習を生かして、夏休みの出来事を紹介しようとしている。

と設定することができる。

4 評価の計画を工夫して

学習指導案を作る際には、「単元の指導計画」などの欄に、単元のどの時間にどのような言語活動を行い、どのような資質・能力の育成をして、どう評価するのかといったことを位置付けていく必要がある。評価規準に示した子供の姿を、単元のどの時間でどのように把握し記録に残すかを、計画段階から考えておかなければならない。

ただし、毎時間、全員の学習状況を把握して記録していくということは、現実的には難しい。そこで、ABC といった記録に残す評価活動をする場合と、記録には残さないが、子供の学習の様子を捉え指導に生かす評価活動をする場合との、２つの学習評価の在り方を考えるとよい。

記録に残す評価は、評価規準に示した子供の学習状況を、原則として言語活動のまとまりごとに評価していく。そのため、単元のどのタイミングで、どのような方法で評価するかを、あらかじめ計画しておく必要がある。一方、指導に生かす評価は、毎時間の授業の目標などに照らして、子供の学習の様子をそのつど把握し、日々の指導の工夫につなげていくことがポイントである。

こうした２つの学習評価の在り方をうまく使い分けながら、子供の学習の様子を捉えられるようにしたい。

板書づくりのポイント

1 縦書き板書の意義

国語科の板書のポイントの１つは、「縦書き」ということである。教科書も縦書き、ノートも縦書き、板書も縦書きが基本となる。

また、学習者が小学生であることから、板書が子供たちに与える影響が大きい点も見過ごすことができない。整わない板書、見にくい板書では子供たちもノートが取りにくい。また、子供の字は教師の字の書き方に似てくると言われることもある。

教師の側では、ICT 端末や電子黒板、デジタル教科書を活用し、いわば「書かないで済む板書」の工夫ができるが、子供たちのノートは基本的に手書きである。教師の書く縦書きの板書は、子供たちにとっては縦書きで字を書いたりノートを作ったりするときの、欠かすことのできない手がかりとなる。

デジタル機器を上手に使いこなしながら、手書きで板書を構成することのよさを再確認したい。

2 板書の構成

基本的には、黒板の右側から書き始め、授業の展開とともに左向きに書き進め、左端に最後のまとめなどがくるように構成していく。板書は45分の授業を終えたときに、今日はどのような学習に取り組んだのかが、子供たちが一目で分かるように書き進めていくことが原則である。

黒板の右側　授業の始めに、学習日、単元名や教材名、本時の学習課題などを書く。学習課題は、色チョークで目立つように書く。

黒板の中央　授業の展開や学習内容に合わせて、レイアウトを工夫しながら書く。上下二段に分けて書いたり、教材文の拡大コピーや写真や挿絵のコピーも貼ったりしながら、原則として左に向かって書き進める。チョークの色を決めておいたり（白色を基本として、課題や大切な用語は赤色で、目立たせたい言葉は黄色で囲むなど）、矢印や囲みなども工夫したりして、視覚的にメリハリのある板書を構成していく。

黒板の左側　授業も終わりに近付き、まとめを書いたり、今日の学習の大切なところを確認したりする。

3 教具を使って

⑴ 短冊など

画用紙などを縦長に切ってつなげ、学習課題や大切なポイント、キーワードとなる教材文の一部などを事前に用意しておくことができる。チョークで書かずに短冊を貼ることで、効率的に授業を進めることができる。ただ、子供たちが短冊をノートに書き写すのに時間がかかったりするなど、配慮が必要なこともあることを知っておきたい。

⑵ ミニホワイトボード

グループで話し合ったことなどを、ミニホワイトボードに短く書かせて黒板に貼っていくと、それらを見ながら、意見を仲間分けをしたり新たな考えを生み出したりすることができる。専用のものでなくても、100円ショップなどに売っている家庭用ホワイトボードの裏に、板磁石を両面テープで貼るなどして作ることもできる。

⑶ 挿絵や写真など

物語や説明文を読む学習の際に、場面で使われている挿絵をコピーしたり、文章中に出てくる写真や図表を拡大したりして、黒板に貼っていく。物語の場面の展開を確かめたり、文章と図表との関係を考えたりと、いろいろな場面で活用できる。

⑷ ネーム磁石

クラス全体で話合いをするときなど、子供の発言を教師が短くまとめ、板書していくことが多い。そのとき、板書した意見の上や下に、子供の名前を書いた磁石も一緒に貼っていく。そうすると、誰の意見かが一目で分かる。子供たちも「前に出た○○さんに付け加えだけど……」のように、黒板を見ながら発言をしたり、意見をつなげたりしやすくなる。

4 黒板の左右に

⑴ 単元の学習計画や本時の学習の流れ

単元の指導計画を子供向けに書き直したものを提示することで、この先、何のためにどのように学習を進めるのかという見通しを、子供たちももつことができる。また、今日の学習が全体の何時間目に当たるのかも、一目で分かる。本時の授業の進め方も、黒板の左右の端や、ミニホワイトボードなどに書いておくこともできる。

⑵ スクリーンや電子黒板

黒板の上に広げるロール状のスクリーンを使用する場合は、当然その分だけ、板書のスペースが少なくなる。電子黒板などがある場合には、教材文などは拡大してそちらに映し、黒板のほうは学習課題や子供の発言などを書いていくことができる。いずれも、黒板とスクリーン（電子黒板）という２つをどう使い分け、どちらにどのような役割をもたせるかなど、意図的に工夫すると互いをより効果的に使うことができる。

⑶ 教室掲示を工夫して

教材文を拡大コピーしてそこに書き込んだり、挿絵などをコピーしたりしたものは、その時間の学習の記録として、教室の背面や側面などに掲示していくことができる。前の時間にどんなことを勉強したのか、それらを見ると一目で振り返ることができる。また、いわゆる学習用語などは、そのつど色画用紙などに書いて掲示していくと、学習の中で子供たちが使える言葉が増えてくる。

5 上達に向けて

⑴ 板書計画を考える

本時の学習指導案を作るときには、板書計画も合わせて考えることが大切である。本時の学習内容や活動の進め方とどう連動しながら、どのように板書を構成していくのかを具体的にイメージすることができる。

⑵ 自分の板書を撮影しておく

自分の授業を記録に取るのは大変だが、「今日は、よい板書ができた」というときには、板書だけ写真に残しておくとよい。自分の記録になるとともに、印刷して次の授業のときに配れば、前時の学習を振り返る教材として活用することもできる。

⑶ 同僚の板書を参考にする

最初から板書をうまく構成することは、難しい。誰もが見よう見まねで始め、工夫しながら少しずつ上達していく。校内でできるだけ同僚の授業を見せてもらい、板書の工夫を学ばせてもらうとよい。時間が取れないときも、通りがかりに廊下から黒板を見させてもらうだけでも勉強になる。

ICT活用のポイント

1 ICTを活用した国語の授業をつくる

GIGAスクール構想による1人1台端末の整備が進み、教室の学習環境は様々に変化している。子供たちの手元にはタブレットなどのICT端末があり、教室には大型のモニターやスクリーンが用意されるようになった。また、校内のネットワーク環境も整備されて、かつては学校図書館やパソコンルームで行っていた調べ学習も、教室の自分の席に座ったままでいろいろな情報にアクセスできるようになった。

一方、子供たちの机の上には、これまでと同じく教科書やノートもあり、前面には黒板もあって様々に活用されている。紙の本やノート、黒板などを使って手で書いたり読んだりする学習と、ICTを活用して情報を集めたり共有したりする学習との、いわば「ハイブリッドな学び」が生まれている。

それぞれの学習方法のメリットを生かし、学年の発達段階や学習の内容に合わせて、活用の仕方を工夫していきたい。

2 国語の授業でのICT活用例

ICTの活用によって、国語の授業でも次のような学習活動が可能になっている。本書でも、単元ごとに様々な活用例を示している。

共有する

文章を読んだ意見や感想、また書いた作文などをアップロードして、その場で互いに読み合うことができる。また、付箋機能などを使って、考えを整理したり、意見を視覚化して共有しながら話合いを行ったりすることもできる。ICTを活用した共有や交流は、国語の授業の様々な場面で工夫することができる。

書く

書いたり消したり直したりすることがしやすい点が、原稿用紙に書くこととの違いである。字を書くことへの抵抗感を減らす点もメリットであり、音声入力からまずテキスト化して、それを推敲しながら文章を作っていくという支援が可能になる。同時に、思考の速度に入力の速度が追いつかないと、かえって書きにくいという面もあり、また国語科は縦書きが多いので、その点のカスタマイズが必要な場合もある。

発表資料を作る

プレゼンテーションソフトを使って、調べたことなどをスライドにまとめることができる。写真や図表などの視覚資料も活用しやすく、文章と視覚資料を組み合わせたまとめを作りやすいというメリットがある。また、調べる活動もインターネットを活用する他、アンケートフォームを使うことでクラス内や学年内の様々な調査活動が簡単に行えるようになり、それらの調査結果を生かした意見文や発表資料を作ることが可能になった。

録音・録画する

話合いの単元などでは、グループで話し合っている様子を自分たちで録画し、それを見返しながら学習を進めることができる。また、音読・朗読の学習でも、自分の声を録音しそれを聞きながら、読み方の工夫へとつなげることができ、家庭学習でも活用することができる。一方、教材作成の面からも利便性が高い。例えば、教師がよい話合いの例とそうでない例を演じた動画教材を作って授業中に効果的に使うなど、様々な工夫が可能である。

蓄積する

自分の学習履歴を残したり、見返すことがしやすくなったりする点がメリットである。例えば、毎時の学習感想を書き残していくことで、単元の中の自分の考えの変化に気付きやすくなる。あるいは書いた作文を蓄積することで、以前の「書くこと」の単元でどのような書き方を工夫していたかをすぐに調べることができる。それらによって、自分の学びの成長を実感したり、前に学習したことを今の学習に生かしたりしやすくなる。

3 ICT 活用の留意点

(1) 指導事項に照らして活用する

例えば、「読むこと」には「共有」の指導事項がある。先に述べたように、ICT の活用によって、感想や意見はその場で共有できるようになった。一方で、そうした活動を行えば、それで「共有」の事項を指導したということにはならない点に気を付ける必要がある。

高学年では「文章を読んでまとめた意見や感想を共有し、自分の考えを広げること」(「読むこと」カ）とあるので、「自分の考えを広げること」につながるように意見や感想を共有させるにはどうすればよいか、そうした視点からの指導の工夫が欠かせない。

(2) 学びの土俵から思考の土俵へ

ICT は子供の学習意欲を高める側面がある。同時に、例えば、調べたことをプレゼンテーションソフトを使ってスライドにまとめる際に、字体やレイアウトのほうに気が向いてしまい、「元の資料をきちんと要約できているか」「使う図表は効果的か」など、国語科の学習として大切な思考がおろそかになりやすい、そうした一面もある。

ICT の活用で「学びの土俵」にのった子供たちが、国語科としての学習が深められる「思考の土俵」にのって、様々な言語活動に取り組めるような指導の工夫が必要である。

(3)「参照する力」を育てる

ICT を活用することで、クラス内で意見や感想、作品が瞬時に共有できるようになり、例えば、書き方に困っているときには、教師に助言を求めるだけでなく、友達の文章を見て書き方のコツを学ぶことも可能になった。

その際に大切なのは、どのように「参照するか」である。見ているだけは自分の文章に生かせないし、まねをするだけでは学習にならない。自分の周りにある情報をどのように取り込んで、自分の学習に生かすか。そうした力も意識して育てることで、子供自身が ICT 活用の幅を広げることにもつながっていく。

(4) 子供が選択できるように

ICT を活用した様々な学習活動を体験することで、子供たちの中に多様な学習方法が蓄積されていく。これまでのノートやワークシートを使った学習に加えて、新たな「学びの引き出し」が増えていくということである。その結果、それぞれの学習方法の特性を生かして、どのように学んでいくのかを子供たちが選択できるようになる。例えば、文章を書くときにも、原稿用紙に手で書く、ICT 端末を使ってキーボードで入力する、あるいは下書きは画面上の操作で推敲を繰り返し、最後は手書きで残すなど、いろいろな組み合わせが可能になった。

「今日は、こう使うよ」と教師から指示するだけでなく、「これまで ICT をどんなふうに使ってきた？」「今回の単元ではどう使っていくとよいだろうね？」など、子供たちにも方法を問いかけ、学び方を選択しながら活用していくことも大切になってくる。

〈第１学年及び第２学年　指導事項／言語活動一覧表〉

教科の目標

	言葉による見方・考え方を働かせ、言語活動を通して、国語で正確に理解し適切に表現する資質・能力を次のとおり育成することを目指す。
知識及び技能	(1)　日常生活に必要な国語について、その特質を理解し適切に使うことができるようにする。
思考力、判断力、表現力等	(2)　日常生活における人との関わりの中で伝え合う力を高め、思考力や想像力を養う。
学びに向かう力、人間性等	(3)　言葉がもつよさを認識するとともに、言語感覚を養い、国語の大切さを自覚し、国語を尊重してその能力の向上を図る態度を養う。

学年の目標

知識及び技能	(1)　日常生活に必要な国語の知識や技能を身に付けるとともに、我が国の言語文化に親しんだり理解したりすることができるようにする。
思考力、判断力、表現力等	(2)　順序立てて考える力や感じたり想像したりする力を養い、日常生活における人との関わりの中で伝え合う力を高め、自分の思いや考えをもつことができるようにする。
学びに向かう力、人間性等	(3)　言葉がもつよさを感じるとともに、楽しんで読書をし、国語を大切にして、思いや考えを伝え合おうとする態度を養う。

〔知識及び技能〕

（１）言葉の特徴や使い方に関する事項

(1)　言葉の特徴や使い方に関する次の事項を身に付けることができるよう指導する。	
言葉の働き	ア　言葉には、事物の内容を表す働きや、経験したことを伝える働きがあることに気付くこと。
話し言葉と書き言葉	イ　音節と文字との関係、アクセントによる語の意味の違いなどに気付くとともに、姿勢や口形、発声や発音に注意して話すこと。 ウ　長音、拗（よう）音、促音、撥（はつ）音などの表記、助詞の「は」、「へ」及び「を」の使い方、句読点の打ち方、かぎ（「 」）の使い方を理解して文や文章の中で使うこと。また、平仮名及び片仮名を読み、書くとともに、片仮名で書く語の種類を知り、文や文章の中で使うこと。
漢字	エ　第１学年においては、別表の学年別漢字配当表*（以下「学年別漢字配当表」という。）の第１学年に配当されている漢字を読み、漸次書き、文や文章の中で使うこと。第２学年においては、学年別漢字配当表の第２学年までに配当されている漢字を読むこと。また、第１学年に配当されている漢字を書き、文や文章の中で使うとともに、第２学年に配当されている漢字を漸次書き、文や文章の中で使うこと。
語彙	オ　身近なことを表す語句の量を増し、話や文章の中で使うとともに、言葉には意味による語句のまとまりがあることに気付き、語彙を豊かにすること。
文や文章	カ　文の中における主語と述語との関係に気付くこと。
言葉遣い	キ　丁寧な言葉と普通の言葉との違いに気を付けて使うとともに、敬体で書かれた文章に慣れること。
表現の技法	（第５学年及び第６学年に記載あり）
音読、朗読	ク　語のまとまりや言葉の響きなどに気を付けて音読すること。

＊…学年別漢字配当表は、『小学校学習指導要領（平成29年告示）』（文部科学省）を参照のこと

（２）情報の扱い方に関する事項

(2)　話や文章に含まれている情報の扱い方に関する次の事項を身に付けることができるよう指導する。	
情報と情報との関係	ア　共通、相違、事柄の順序など情報と情報との関係について理解すること。
情報の整理	（第３学年以上に記載あり）

（３）我が国の言語文化に関する事項

(3)　我が国の言語文化に関する次の事項を身に付けることができるよう指導する。	
伝統的な言語文化	ア　昔話や神話・伝承などの読み聞かせを聞くなどして、我が国の伝統的な言語文化に親しむこと。 イ　長く親しまれている言葉遊びを通して、言葉の豊かさに気付くこと。
言葉の由来や変化	（第３学年以上に記載あり）
書写	ウ　書写に関する次の事項を理解し使うこと。 (ア)姿勢や筆記具の持ち方を正しくして書くこと。 (イ)点画の書き方や文字の形に注意しながら、筆順に従って丁寧に書くこと。 (ウ)点画相互の接し方や交わり方、長短や方向などに注意して、文字を正しく書くこと。
読書	エ　読書に親しみ、いろいろな本があることを知ること。

〔思考力、判断力、表現力等〕

A　話すこと・聞くこと

	(1)　話すこと・聞くことに関する次の事項を身に付けることができるよう指導する。	
話すこと	話題の設定	ア　身近なことや経験したことなどから話題を決め、伝え合うために必要な事柄を選ぶこと。
	情報の収集	
	内容の検討	
	構成の検討	イ　相手に伝わるように、行動したことや経験したことに基づいて、話す事柄の順序を考えること。
	考えの形成	
	表現	ウ　伝えたい事柄や相手に応じて、声の大きさや速さなどを工夫すること。
	共有	
聞くこと	話題の設定	【再掲】ア　身近なことや経験したことなどから話題を決め、伝え合うために必要な事柄を選ぶこと。
	情報の収集	
	構造と内容の把握	エ　話し手が知らせたいことや自分が聞きたいことを落とさないように集中して聞き、話の内容を捉えて感想をもつこと。
	精査・解釈	
	考えの形成	
	共有	
話し合うこと	話題の設定	【再掲】ア　身近なことや経験したことなどから話題を決め、伝え合うために必要な事柄を選ぶこと。
	情報の収集	
	内容の検討	
	話合いの進め方の検討	オ　互いの話に関心をもち、相手の発言を受けて話をつなぐこと。
	考えの形成	
	共有	
(2)　(1)に示す事項については、例えば、次のような言語活動を通して指導するものとする。		
	言語活動例	ア　紹介や説明、報告など伝えたいことを話したり、それらを聞いて声に出して確かめたり感想を述べたりする活動。 イ　尋ねたり応答したりするなどして、少人数で話し合う活動。

B　書くこと

(1)　書くことに関する次の事項を身に付けることができるよう指導する。	
題材の設定	ア　経験したことや想像したことなどから書くことを見付け、必要な事柄を集めたり確かめたりして、伝えたいことを明確にすること。
情報の収集	
内容の検討	
構成の検討	イ　自分の思いや考えが明確になるように、事柄の順序に沿って簡単な構成を考えること。
考えの形成	ウ　語と語や文と文との続き方に注意しながら、内容のまとまりが分かるように書き表し方を工夫すること。
記述	
推敲	エ　文章を読み返す習慣を付けるとともに、間違いを正したり、語と語や文と文との続き方を確かめたりすること。
共有	オ　文章に対する感想を伝え合い、自分の文章の内容や表現のよいところを見付けること。
(2)　(1)に示す事項については、例えば、次のような言語活動を通して指導するものとする。	
言語活動例	ア　身近なことや経験したことを報告したり、観察したことを記録したりするなど、見聞きしたことを書く活動。 イ　日記や手紙を書くなど、思ったことや伝えたいことを書く活動。 ウ　簡単な物語をつくるなど、感じたことや想像したことを書く活動。

C　読むこと

(1)　読むことに関する次の事項を身に付けることができるよう指導する。	
構造と内容の把握	ア　時間的な順序や事柄の順序などを考えながら、内容の大体を捉えること。 イ　場面の様子や登場人物の行動など、内容の大体を捉えること。
精査・解釈	ウ　文章の中の重要な語や文を考えて選び出すこと。 エ　場面の様子に着目して、登場人物の行動を具体的に想像すること。
考えの形成	オ　文章の内容と自分の体験とを結び付けて、感想をもつこと。
共有	カ　文章を読んで感じたことや分かったことを共有すること。
(2)　(1)に示す事項については、例えば、次のような言語活動を通して指導するものとする。	
言語活動例	ア　事物の仕組みを説明した文章などを読み、分かったことや考えたことを述べる活動。 イ　読み聞かせを聞いたり物語などを読んだりして、内容や感想などを伝え合ったり、演じたりする活動。 ウ　学校図書館などを利用し、図鑑や科学的なことについて書いた本などを読み、分かったことなどを説明する活動。

第２学年の指導内容と身に付けたい国語力

1 第２学年の国語力の特色

学習指導要領では、教科の目標に示す⑴〔知識及び技能〕に関する目標、⑵〔思考力、判断力、表現力等〕に関する目標、⑶「学びに向かう力、人間性等」に関する目標に対応して、「第１学年及び第２学年」のように、２学年のまとまりごとに示されている。第２学年においては、子供や学校の実態に応じて、指導内容を重点化し、十分な定着を図るとともに、その目標の最終的到達が求められる。

第２学年の学習内容のキーワードは、「順序立てて考えて」話すこと・聞くこと・書くこと・読むことであろう。そうした資質・能力の育成を支えるものとして、「言葉がもつよさを感じる」「楽しんで読書をする」「国語を大切にする」「思いや考えを伝え合おうとする」態度を併せて育成することが重要となる。

2 第２学年の学習指導内容（p.20、21参照）

〔知識及び技能〕

〔知識及び技能〕の内容は、

⑴　言葉の特徴や使い方に関する事項

⑵　情報の扱い方に関する事項

⑶　我が国の言語文化に関する事項

から構成されている。

「⑴言葉の特徴や使い方に関する事項」は、「言葉の働き」「話し言葉と書き言葉」「漢字」「語彙」「文や文章」「言葉遣い」「表現の技法」「音読、朗読」に整理されている。これらの内容は、言語活動の基盤をなすものであり、小単元として取り上げて指導することも多い。その際には、ある一部の〔知識・技能〕を学びの文脈から切り離して、繰り返し練習をして習得させるのではなく、なぜそれが必要なのか、どういった場面で活用していくのかといったことを考えさせながら指導することが重要である。また、正確性や具体性といった正誤や適否で子供の学びを評価してしまいがちであるが、そうした学びに終始しない、質的な高まりを意識して指導することも大切である。

このことに関して、学習指導要領では、資質・能力の３つの柱は相互に関連し合い、一体となって働くことが重要であるとし、〔知識及び技能〕と〔思考力、判断力、表現力等〕を別々に分けて育成したり、〔知識及び技能〕を習得してから〔思考力、判断力、表現力等〕を身に付けるといった順序性をもって育成したりするものではないと明記している。本書では、〔知識及び技能〕を学びの文脈の中にいかに位置付けるのかを工夫するとともに、教え込みではなく、子供自らが主体的に学びの質を高めていけるような学習過程について提案する。

「⑵情報の扱い方に関する事項」は、話や文章に含まれている情報の扱い方に関する事項である。「共通」「相違」「事柄の順序」という３つのキーワードを念頭に置くようにする。これらは、話や文章を正確に理解するときにも、話や文章で適切に表現したりするときにも必要となる資質・能力であることから、国語科において育成すべき重要な資質・能力の１つであるといえる。教科書にある情報に関するトピックページや巻末資料などを活用しながら指導していくことも効果的である。また、情報と情報との関係を整理する際には、思考ツールが有効であるとされている。本書ではそうした手立てについても、紹介をしていく。

「⑶我が国の言語文化に関する事項」は、「伝統的な言語文化」「言葉の由来や変化」「書写」「読書」

に関する内容で構成されている。第１学年及び第２学年においては、「言語文化に親しみ」「言葉の豊かさに気付く」「読書に親しみ」の文言にあるように、そのよさを十分に楽しむということが重要である。子供自身がよさや楽しさに気付き、我が国の言語文化に親しみをもてるよう指導の充実を図っていきたい。

〔思考力、判断力、表現力等〕

①Ａ話すこと・聞くこと

「話すこと・聞くこと」に関する指導は、年間35単位時間程度と示され、紹介や説明、報告など伝えたいことを話したり、それらを聞いて感想を述べたりする活動、尋ねたり応答したりしながら、少人数で話し合う活動を通して、指導事項を指導することが求められている。

「話すこと」では、「身近なことや経験したこと」から話題を設定し、「相手に伝わるように」「話す事柄の順序を考えること」が示されている。「身近なことや経験したこと」とは、例えば、学校や家庭、地域における身近な出来事や自分が経験したことなどが考えられる。これらのことから話題を決め、伝えるために必要な事柄を集めるためには、体験したことを思い出したり、対象物の特徴を考えたりすることができるように、写真や具体物などを手掛かりとして与えることも有効である。また、「相手に伝わるように」話す事柄の順序を考える、「相手に応じて」話し方を工夫するのように、目の前にいる相手を具体的に意識することが求められている。そのためには、教師や同級生、家族や地域の人など、様々な相手と話す場面を設定し、そうした経験を重ねさせることが大切である。

「聞くこと」では、「話の内容を捉える」だけでなく「感想をもつ」ことも求められている。そのためには、「話し手が知らせたいこと」は何かを考えながら聞いたり、「自分が聞きたいこと」は何かを明確にして話を聞いたりするなど、集中して聞くことができるように手立てを工夫することが大切である。

「話し合うこと」では、「互いの話に関心をもつ」ことが示されている。低学年の子供はとかく自分の思いや考えを伝えることに夢中になってしまい、相手の話を聞くことがおろそかになりがちである。まずは、相手の言葉を受け止めることを丁寧に指導していきたい。そのことが、教室における学びは、自分だけで完結するのではなく、友達とつくっていくものであるという対話的な学びの基となるのである。「話をつなぐこと」の具体化に当たっては、子供の話したい、知らせたいという思いや願いを大事にした身近な話題を設定し、話がつながることの楽しさやよさを実感できるようにすることが大切である。

②Ｂ書くこと

「書くこと」に関する指導は、年間100単位時間程度とされ、実際に文章を書く活動を多く行うことが求められている。言語活動例としては、身近なことや経験したことを報告したり、観察したことを記録したりする活動、日記や手紙を書くなど、思ったことや伝えたいことを書く活動、簡単な物語を作るなど、感じたことや想像したことを書く活動が示されている。

学習指導要領では、書くという行為における思考の流れを重視し、学習過程に沿って指導事項が整理されている。まずは、「題材の設定、情報の収集、内容の検討」である。「経験したことや想像したことなどから書くことを見つけ」る際には、学校での生活や生活科での体験など身近な出来事が対象として考えられる。低学年の子供は、頭に浮かんだことをそのまま書こうとしがちなため、１番書きたいと思うことをはっきりさせるなど、伝えたいことは何かを明確にさせてから書かせることが大切である。

「構成の検討」にある「事柄の順序に沿って」文章構成の指導を行うものであり、論理的な思考力の育成と関わる内容を扱う。第２学年では、経験した順序、ものを作ったり作業したりする手順、事物や対象を説明する際の具体的内容の順序など、時間の順序や事柄の順序を考えることから、徐々に、読み手への伝わりやすさを意識した構成を意識できるようにすることが重要である。

「考えの形成、記述」では、「語と語や文と文との続き方に注意する」とあるが、これは、〔知識及び技能〕の指導事項と関連させながら指導していくことが必要である。文章を書くにあたって必要となる語彙や言葉、言葉に関するきまりなどを前もって指導し、それを実際の文章で活用していくという学習過程をとることで、子供自身に生きて働く学びを実感させることができるであろう。

「推敲」では、文章を読み返す行為の習慣化が重要事項となっている。また、「共有」では、「自分の文章の内容や表現のよいところ」を見つけることを求めている。低学年なりに自分の文章を俯瞰し、課題を見いだしたり、よさを見つけ出すということが、中学年以降のメタ認知の高まりにつながっていく。子供に自覚的な学びを促す具体的な手立てについては、本書で紹介していきたい。

③ C 読むこと

「読むこと」に関する指導は、内容を理解するだけでなく、内容に対して自分の考えをもつことも重視されている。また、「読むこと」の指導を通して、子供の読書意欲を高め、日常生活における活発な読書活動につながるような指導が求められている。

「読むこと」もまた、読むという行為における思考の流れに沿って、指導事項が整理されている。

「構造と内容の把握」では、文章の構造を大づかみに捉え，それを手掛かりに内容を正確に理解することが求められている。全文を読み、お気に入りの箇所を見つけたり、読みの問いを立てたりする活動が考えられる。このような学習を通して、内容の大体を捉えた上で、「精査・解釈」として、叙述に即した理解と解釈を進めていくという流れで示されている。叙述を手掛かりに読むということを十分に経験させたい。

「考えの形成」では、「文章の内容と自分の体験を結び付けて、感想をもつ」とある。その際は、子供の体験と結び付けて考えさせることが重要である。読み手の体験は一人一人異なるので、どのような体験と結び付けて読むかによって、感想も異なってくる。実際の経験を十分に想起できるようにすることが大切である。

そうした違いを「共有」する際には、互いの感想を尊重し合う態度をもって行えるよう、場や雰囲気づくりをしていきたいものである。互いの思いを分かち合ったり、感じ方や考え方を認め合ったりすることによって、読みの世界を広げたり深めたりすることにつながるであろう。

物語文の指導では、場面の様子に着目して、登場人物の行動や会話について、何をしたのか、なぜしたのかなどを具体的に思い描きながら、その世界を豊かに想像させることが重要である。物語は通常複数の場面によって構成され、展開に即して時間や場所、周囲の風景、登場人物などの様子が変化しながら描かれている。場面の様子に着目するとは、登場人物の行動を具体的に想像する上で、物語の中のどの場面のどのような様子と結び付けて読むかを明らかにすることである。一方、登場人物の行動を具体的に想像するとは、着目した場面の様子などの叙述を基に、主人公などの登場人物について、何をしたのか、どのような表情・口調・様子だったのかなどを具体的にイメージしたり、行動の理由を想像したりすることである。このように物語の世界を豊かに想像して楽しむことが、中学年以降の文学作品の読みの学習を支える基となるのである。

説明文の指導では、「順序」を考えながら「内容の大体捉えること」が、第２学年の指導事項の中心となる。「順序」とは、時間の経過に基づいた順序、事物の作り方の手順など文章の内容に関わる順序、文章表現上の順序、説明の順序などの論理的思考を意味する。第２学年の学習で扱う教材は『たんぽぽのちえ』『どうぶつえんのじゅうい』『おにごっこ』である。教材の特性として、『たんぽぽのちえ』では様子とそのわけ、『どうぶつえんのじゅうい』では仕事とそのわけ、『おにごっこ』では遊びのルールとそのわけといった論理的思考に基づいて書かれていることが挙げられよう。しかも、徐々に抽象度が上がっていることも指導する際には意識したいところである。このように、説明文の指導においては、教材の特性をつかみ、系統的に指導していくということが重要である。

3 第2学年における国語科の学習指導の工夫

学習指導要領において、国語科では、目標や内容が「第1学年及び第2学年」と2学年単位になっている。それは、2学年の中で指導事項を全て扱うようにするという意味合いもあるが、子供の成長を鑑み、第1学年で学習したことを第2学年でも繰り返し学習し、レベルアップするという位置付けもあるということを理解しておきたい。

子供たちの中にも、「レベルアップ」ということに敏感で、1年生よりはお兄さん・お姉さんになったという自負がある。そのため、生活科の学習で学校探検を扱えば「1年生に校舎内を教えてあげたい」という思いが湧いてきたり、ペア遠足をすれば1年生の子の手を引いて安全に歩こうとしたりする。

とはいえ、まだまだ小学校生活の中では序盤戦であり、基礎・基本の定着が求められる。その上で、少し学校生活に慣れてきた子供たちなので、少し発展的な指導をしてもよいと考える。

①〔知識及び技能〕習得における工夫について

【家庭との連携を図る音読学習】物語文の学習における言語活動として「音読発表会」を設定して、学校で音読練習を行うことがある。グループで取り組むことが多いと思われるが、なかなか一人一人の音読チェックが難しい。指導事項〔知識及び技能〕(1)イにあるような「姿勢」「口形」「発声」「発音」を適切に見取り、子供たちのよりよい成長を促すために、家庭学習に「音読」を取り入れて、日頃から家庭でも音読を習慣化し、家庭での様子をカードに記入してもらい、情報交換を密にしていく。

【既習漢字を意識させるための学級掲示】1年生で80字の漢字を学習した子供たちは、その漢字を使っていきながら、2年生でも160字の漢字を学習する。数字上でも倍の数になっているが、子供たちにとっては、2年のスタート時には80字で済んだものが、2年終了時には240字を扱えるようにならなくてはならない。そのため、これまでに学習した漢字を教室内に掲示して、常に意識させるような環境づくりをすると、生活科の観察カードをかく際にも、その掲示物を見ながら、適切に漢字を使って文を書けるようになる。

【事柄の正しい順序を身に付けるための説明文学習の一助】説明的文章の学習で、「はじめに」「次に」「最後に」など、順序を表す言葉をヒントに読んだり、内容をよく読んで順序を考えたりする学習を通して、順序よく話したり書いたりすることのよさを身に付けさせたい。その際に、文章全体を段落ごとにばらばらにして並べ替える学習を取り入れると、言葉に注目したり内容をよく読んだりして考え、「順序」を意識できる子供を育成することができる。

②〔思考力、判断力、表現力等〕育成に向けての工夫について

【A話すこと・聞くこと：少人数での話し合い活動】言語活動例にも取り上げられているが、「話し合い」として機能させるために、「司会者」「記録者」「発表者」など役割を与えて話し合わせるとよい。また、その役割は固定することなく、同じグループで話し合わせるときでも、交代制でいろいろな役割を経験させる。中学年以上になると、学級委員などリーダーを学級内で決めることが求められる。そうしたときに備え、教科学習の中でもリーダーを育成する素地を設けていきたい。

【A 話すこと・聞くこと：「相手」意識を大切にした原稿作成・発表会】 指導事項には、「伝え合うために」「相手に伝わるように」「相手に応じて」「互いの話に関心をもち」「相手の発言を受けて話をつなぐ」とある。自分だけが分かったり頑張ったりするのではなく、「相手」すなわち友達と一緒に学んでいることを自覚し、友達に分かってもらえるように、そして友達と共に頑張るように授業展開を考えていきたい。そのために、原稿作成段階では、「○○のことを知っていますか」と問い掛けの文を入れたり、「◇◇を一緒にやってみませんか」と呼び掛ける文を入れたりする。また、本発表会の前に、グループでプレ発表会を設定するといったことが考えられる。

【B 書くこと：日記や生活作文で自分の思いを表現させる】 日記を書いたり、または行事の作文を書いたりするときには、出来事を順序よく書くことが基本であるが、その中に、自分の思いを適切に挿入して書けるようにしていきたい。「気持ちを表す語句の量を増す」という指導事項は中学年に位置付いているが、文学的文章中に表れている言葉や子供たちが生活体験の中から使っている言葉の中で気持ちを表すものを取り上げて、短冊に書いて掲示するなどして、自分の思いを表現する言葉を日常的に獲得させるようにするとよい。その上で、日記や作文で使うことができた子供を褒めて、豊かな文章を書くことができる子供を育てたい。

【C 読むこと：司書との連携】 文学的文章の学習で関連読書を行うため、あるいは説明的文章の学習で並行読書を行うためなど、様々な学習活動で学校図書館を活用することが求められる。その際に、その単元の学習が始まってから図書館に行って使えそうな図書を探すのではなく、その単元を始める1か月前くらいに司書に相談してみるとよい。それによって、学校図書館にある図書を探してもらえるだけでなく、地域の公共図書館に団体貸出しなどの制度を利用して、多くの図書を準備してもらうことが期待できる。準備のためだけでなく、文学的文章の学習や昔話や神話・伝承の学習をするときに、図書館で読み聞かせを実際にしてもらうといった連携の方法もある。

③〔学びに向かう力、人間性等〕の成長を促す工夫について

【座席の型を工夫するなどして、友達の意見を聞く姿勢を徹底する】 2年生は、まだまだ「自分」中心で、友達の意見になかなか耳を傾けられない子が多い。そのため、前向きの座席だけでなく、向かい合わせになるように机・椅子を動かしたり、机・椅子をコの字型に配置したりして、しっかりと発表者の顔を見て発言を聞かせるように環境を整える。また、友達の考えに「付け足し」したり、「反対」の意見を言ったりしながら、考えを深めていくように促す。その際に、必要に応じてハンドサイン（「付け足し」は手をピースに、「反対」は手をグーにして上げる）を取り入れてもよい。

【「見通し」をもって学習に臨み、学習を「振り返る」ことを習慣化する】 国語科に限ったことではないが、子供たちが主体的に学習に取り組むことができるように、単元の始めや、各時間の始めに学習計画を立てたり、今日考える学習問題を共有したりする時間を取るようにしたい。それらを、板書したり掲示したりして明確化することも、2年生の学習にとって大切なことである。また、学習の後半では、自分の学びを振り返る時間を確保する。その際、2年生段階では、単に学習感想を書かせるだけでなく、「今日の学習でがんばったことを書こう」「今日、友達と話して分かったことを書こう」など、振り返る視点を設定して子供たちに書かせることも有効である。さらに、その振り返りを次時や次単元の始めに取り上げるようにすると、「振り返り」活動そのものへの子供たちのやる気も向上し、学習がとても豊かになる。

2

第 2 学年の授業展開

自分とくらべて読み、とうじょうじんぶつに手紙を書こう

お手紙 (12時間扱い)

単元の目標

知識及び技能	・身近なことを表す語句の量を増し、話や文章の中で使うことで、語彙を豊かにすることができる。((1)オ) ・文の中における主語と述語との関係に気付くことができる。((1)カ)
思考力、判断力、表現力等	・文章の内容と自分の体験とを結び付けて、感想をもつことができる。(C オ) ・場面の様子に着目して、登場人物の行動を具体的に想像することができる。(C エ)
学びに向かう力、人間性等	・言葉がもつよさを感じるとともに、楽しんで読書をし、国語を大切にして、思いや考えを伝え合おうとする。

評価規準

知識・技能	❶身近なことを表す語句の量を増し、話や文章の中で使うことで、語彙を豊かにしている。(〔知識及び技能〕(1)オ) ❷文の中における主語と述語との関係に気付いている。(〔知識及び技能〕(1)カ)
思考・判断・表現	❸「読むこと」において、文章の内容と自分の体験とを結び付けて、感想をもっている。(C〔思考力、判断力、表現力等〕オ) ❹「読むこと」において、場面の様子に着目して、登場人物の行動を具体的に想像している。(C〔思考力、判断力、表現力等〕エ)
主体的に学習に取り組む態度	❺進んで文章の内容と自分の体験とを結び付けて感想をもち、学習課題に沿って、登場人物に手紙を書こうとしている。

単元の流れ

次	時	主な学習活動	評価
一	1 2	学習の見通しをもつ p.13を見て、登場人物に何が起こるか考える。 教材文を読み、学習課題を設定し、学習計画を立てる。 自分とくらべて読み、とうじょうじんぶつに手紙を書こう。	
二	3	教材文を読み、物語の大体を捉える。 各場面での登場人物の様子や行動を、言葉や挿絵を手がかりにしてつかむ。	
	4 ~ 8	それぞれの場面の様子を思い浮かべ、登場人物の行動を具体的に想像する。 言葉に着目して、場面の様子について話し合う。 登場人物がしたことや話したことから、行動を具体的に想像してまとめる。	❶❹
三	9	それぞれの登場人物を自分と比べてみる。	❸
	10	自分の体験を思い出し、お話と結び付けて感想をもつ。 登場人物に手紙を書く。	❷❸

	11	書いた手紙を読み合って、いいなと思ったところを伝え合う。	
	12	学習を振り返る 学習を振り返り、身に付いた力についてまとめる。 「この本、読もう」で読書への意欲をもつ。	❺

授業づくりのポイント

〈単元で育てたい資質・能力〉

本単元の主なねらいは、文章の内容と自分の体験を結び付けて、感想をもつ力を育むことである。そのためには、場面の様子に着目して、登場人物の行動を具体的に想像していくことが大切である。具体的に想像することで、登場人物と自分の接点を見いだしやすくなるからだ。具体的に想像できるよう、音読や劇化を取り入れていくことは有効な手立てとなるだろう。

また、具体的に想像した上で、自分の体験を思い出したり語ったりする場も必要となる。そのような場を経ることで、文章の内容と自分の体験を結び付けていけると考えられる。

〈教材・題材の特徴〉

本教材は、お手紙をもらったことのないがまくんと、その親友であるかえるくんの会話が中心となって物語が展開するところに特徴がある。

会話が中心になっていることは、役割を決めて声に出して読む楽しさにつながる。必要に応じて動作化を取り入れ、簡単な劇化をすることにも取り組むとよい。そのような活動を行うことによって、より作品の世界を具体的に想像できるだろう。

一方で、地の文では登場人物の行動が簡潔な言葉で表されている。登場人物の行動を具体的に想像する上で、このような簡潔に示された描写に着目することも有効だろう。

[具体例]

地の文に着目する例を挙げれば、冒頭の「がまくんは、げんかんの前に すわっていました」という一文に着目し、がまくんがどんなふうに座っていたかを子供たちに実際にやってもらう活動が考えられる。あとに続く会話の内容を押さえ、がまくんになって実際に座ってもらうことで、子供たちはより作品の世界を想像しやすくなるだろう。

〈言語活動の工夫〉

文章の内容と自分の体験を結び付けて、感想をもつ力を育めるように、登場人物に手紙を書く、という言語活動を設定する。〈教材・題材の特徴〉で示したように、「お手紙」という教材は作品の内容を想像しやすい。また、作品で描かれている手紙をもらう経験、手紙を書く経験、友達のために行動しようとする経験等は、子供たちにとって、身近な経験と言えるだろう。これらの点を踏まえ、本言語活動を通して自分と登場人物を比べながら、感想をもつことができるようにしたい。

〈ICT の効果的な活用〉

共有：子供たちの体験を共有するためのツールとしての活用が考えられる。例えば、子供たちに、実際にもらった手紙を写真に撮って共有してもらう。実際の手紙を見ることで、そのときの気持ちを思い起こしやすくなり、文章の内容と結び付けやすくなるだろう。

本時案

お手紙

本時の目標

・作品を読んで、初発の感想をまとめることができる。

本時の主な評価

・作品と自分を結び付けて初発の感想をまとめようとしている。

資料等の準備

・教科書 p.13扉ページを大きくしたもの（拡大投影でもよい）

どんな話

・かえるくんが　がまくんに
　お手紙をあげる

・ふたりで　お手紙がくるのを　まつ

3

かんそう

・心にのこったところ

・思い出した体けん

授業の流れ ▷▷▷

1 扉ページや題名から、どんなお話か想像を広げる 〈10分〉

T　皆さんは、手紙やはがきを出したりもらったりしたことはありますか。

・おじいちゃんに手紙を出したことがあります。「ありがとう」とお返事が来てうれしかったです。

・年賀状を書きました。

T　手紙をもらえるとうれしいですね。教科書のこの絵（扉絵）を見てください。この「お手紙」はどんなお手紙なのでしょう。

・「がまくん」と「かえるくん」のどちらかがお手紙を書くのかな。

・どんなお手紙を書くのかな。

・２人は一緒にお茶を飲んでいて、仲がよさそうだよ。

2 「お手紙」の範読を聞き、登場人物を確かめる 〈20分〉

T　これから「お手紙」を読みます。誰が出てくるのか、どんなことが起こるのか、聞いてくださいね。

○「だれ」「どんな話」「かんそう」と書いた短冊を黒板に貼って、聞くときの視点を明示する。挿絵も活用するとよい。

○教師が範読する。

T　誰が出てきましたか。

・がまくん・かえるくん・かたつむりくん

T　どんなお話でしたか。

・最初、がまくんがお手紙を待っているよ。

・がまくんは一度もお手紙をもらってない。

・かえるくんががまくんにお手紙を書くよ。

・そのお手紙をかたつむりくんに託すよ。

・それから２人で手紙を待つね。

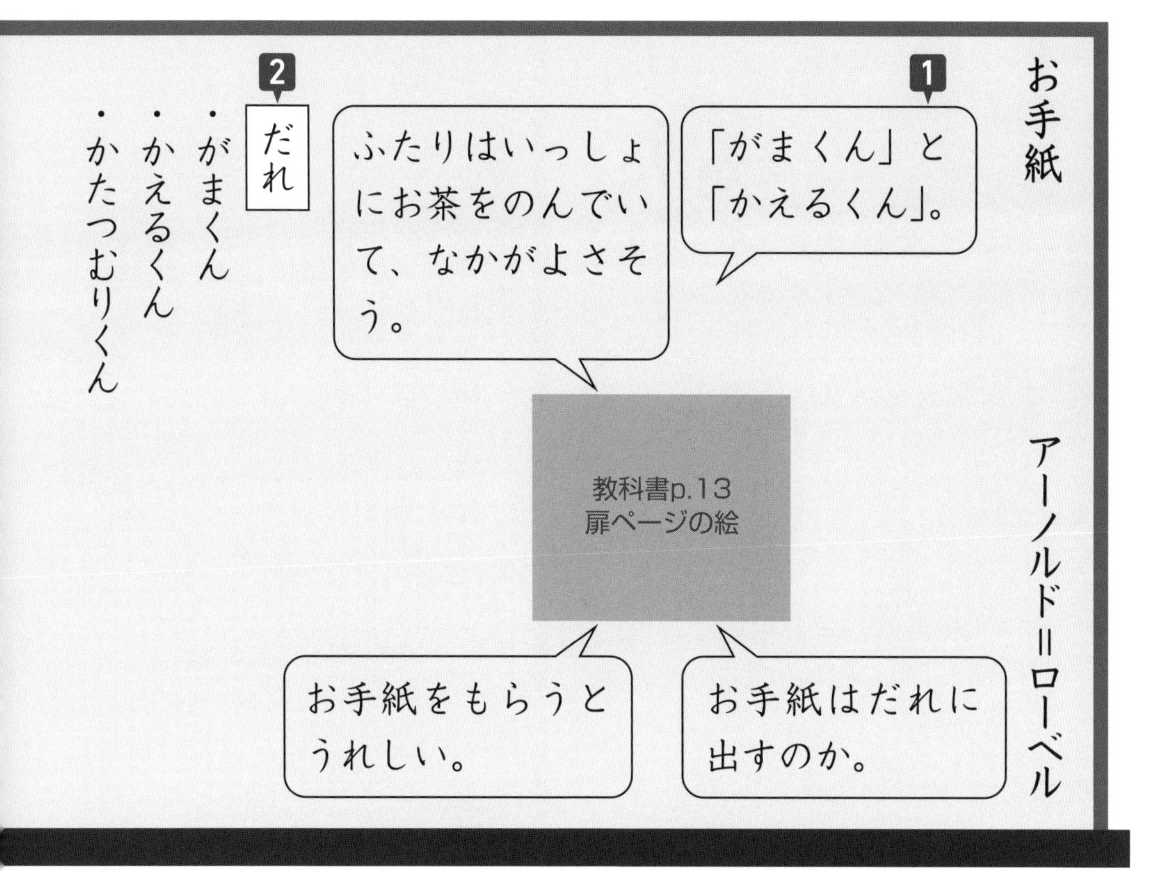

3 初発の感想を書く 〈15分〉

T お話の中でどんなところが心に残りましたか。心に残った場面について、感想をノートに書きましょう。読んで思い出した体験があれば、それも書きましょう。

○感想の書き方を次のように示すとよい。

・心に残った場面は、〜です。なぜかというと…だからです。
・○○が〜したのがいいなと思いました。なぜかというと、…だからです。
・○○が〜したときの気持ちをみんなで考えたいと思いました。

T 次の時間に、クラスの友達がどんな感想を書いたか、伝え合いましょう。

よりよい授業へのステップアップ

扉ページや題名から想像を膨らませる工夫

扉ページを大きくしたものを用意すると、それを見ながら話をしやすくなるだろう。発言をする際には、見つけたものと、そこから想像したことを話していくとよい。気付きを板書していくことで、これから読むお話に対して、わくわくするような気持ちがもてるだろう。

また絵だけではなく、「お手紙」という題名からも想像を広げたい。物語の展開だけではなく、お手紙を書いたりもらったりした経験を想起させるとよい。

本時案

お手紙

本時の目標

・初発の感想を交流して、それぞれ心に残った場面から、学習課題を設定している。

本時の主な評価

・初発の感想を交流して、学習課題を設定しようとしている。

資料等の準備

・特になし

・手紙を四日間まっていて何してすごしてたのかな

とうじょうじんぶつと、おなじようなことが自分にもある

3

自分とくらべて読み、とうじょうじんぶつに手紙を書こう。

授業の流れ

1 前時を振り返り、本時のめあてを確認する 〈15分〉

○お話の内容や前時の学習の内容を振り返る。

T　前の時間はどのようなことをしましたか。

・「お手紙」を読みました。

・心に残ったことをノートに書きました。

・友達がどんなことを書いたか、知りたいなと思いました。

T　では、今日は、みなさんが、前の時間にどのような感想を書いたか、伝え合いましょう。

感想を伝え合いながら、学習課題を立てていけるとよいですね。

○本時のめあてを板書する。

T　まずは、「お手紙」を読んでみましょう。

○教師が範読をしてもよいが、全体での「まる読み」や1人ずつ微音読させてもよい。

2 感想を伝え合う 〈20分〉

T　では、ノートに書いた感想を発表してください。

・かえるくんが、がまくんのために手紙を書いてあげるところがすてきだなと思いました。

・私も友達に手紙をもらったことがあるけど、とてもうれしかったので、がまくんもうれしかったと思います。

・お手紙じゃないけど、僕も友達のために折り紙で手裏剣を作ったことがあります。

○感想を交流する際には、自分がお手紙を書いたりもらったりした経験や友達のために何かした経験を書いている子供を取り上げるようにするとよい。

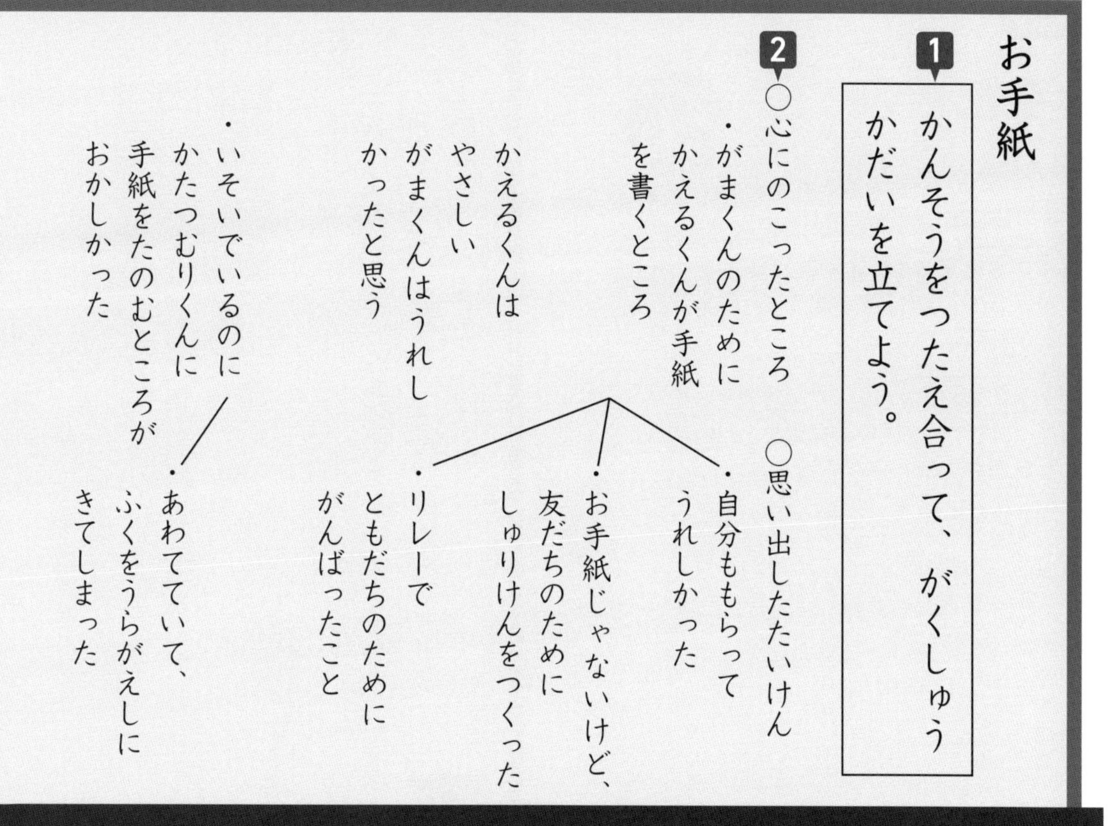

3 学習課題を設定する 〈10分〉

T　友達と感想を伝え合って、気付いたことや感じたことはありますか。

・友達のために何かをすることって、これまでもあったなと思いました。
・かえるくんはとってもやさしくて、自分もそんな人になりたいなと思いました。
・がまくんとかえるくんみたいに、お互いのことを考えているってとてもすてきだなと思いました。
・友達のことを考えてみたくなりました。

T　そうですね。登場人物と自分を比べて読むとお話の世界をより楽しむことができそうですね。この学習では、自分と比べて読んで、最後に登場人物にお手紙を書くことにしましょう。

よりよい授業へのステップアップ

登場人物と自分を結び付ける学習場面の設定

本単元の学習のめあてを立てる上で、登場人物と自分を結び付けられるようにすることは重要である。そのために、本時では、心に残った場面に加え、思い出した体験を子供たちから引き出す場面を設定した。

このことは物語を読んで自分の考えをもつための手立てとなるだろう。お互いの体験を聞き合うことで、登場人物を身近に感じられるようにできるとよい。

本時案

お手紙

本時の目標

・４つの場面があることを確かめ、それぞれの場面でどんな出来事が起こったかまとめることができる。

本時の主な評価

・場面の様子や登場人物の行動など、内容の大体を捉えている。

資料等の準備

・場面ごとの挿絵を大きくしたもの

二人で手紙をまつ場めん

p.24～25 挿絵

二人でまっているときの気もち

かたつむりくんにどんなことを言ったか

（傍線部が問い）

3 ☆がくしゅうかんそう

・友だちと話したら、お話のせかいがよくわかった

・みんなで考えたいといを立てられたのでよかった。

話し合っていきたい。

授業の流れ

1 本時のめあてを確認する 〈５分〉

T　前の時間は、学習課題を立てましたね。「登場人物にお手紙を書く」ために、今日は、「お手紙」がどんなお話か、大まかなあらすじをつかみましょう。

○本時のめあてを板書する。

T　「お手紙」というお話は、いくつかのまとまりでお話ができていましたね。場面ごとにみてみましょう。どのような場面がありましたか。

・がまくんの家でがまくんが手紙を待っている場面

・かえるくんが家に戻って手紙を書く場面

・がまくんの家に戻ってきて、かえるくんががまくんに手紙の話をする場面

・がまくんの家で２人で手紙を待っている場面

2 それぞれの場面の出来事についてまとめる 〈30分〉

T　最初、がまくんの家ではどんなことがありましたか。がまくんがお手紙を待っている場面ですね。教科書 p.14～p.16 l. 9 を読んでみましょう。

○音読の後、発表させる。

・がまくんがお手紙を待っている。

・一度もお手紙をもらったことがないんだよ。

・がまくんはとても悲しそうな顔をしている。

・がまくんがどんな気持ちかを考えたい。

・かえるくんはどんな気持ちかを考えたい。

T　次の場面ではどうでしょう。かえるくんが家にかえって手紙を書く場面ですね。教科書 p.16 l.10～p.19 l. 2 です。読んでみましょう。

・かえるくんはどんな気持ちで手紙を書いたのだろう。

お手紙

自分とくらべて読んで、とうじょうじんぶつにお手紙を書こう。

1 どんなお話か、場めんごとにまとめよう。

2

p.14 挿絵

がまくんが手紙をまっている場めん
がまくんがお手紙をまっている
がまくんは手紙をもらったことがない
がまくんはどんな気もちだったのだろう

p.17 挿絵

かえるくんが家にもどって手紙をかく場めん
かえるくんが大いそぎで家にかえった
がまくんに手紙を書いている
お手紙をかたつむりくんにたのんだ
かえるくんはどんな気もちだったのだろう

p.22 挿絵

かえるくんががまくんに手紙のことを話す場めん
がまくんはまつのにあきている
なんども外を見るかえるくんの気もち
がまくんの「ああ」「とてもいいお手紙だ」はどのように言ったのか

T　その後はどうなりましたか。がまくんの家に戻ってきたかえるくんが、がまくんに手紙のことを話してしまう場面ですね。教科書p.19 l. 3～p.24 l. 3ですね。読んでみましょう。

・かえるくんは何度も外を見るんだけど、そのときの気持ちを考えたい。

・がまくんは、どのように「ああ。」「とてもいい手紙だ。」と言ったのだろう。

T　最後は、2人で玄関で手紙を待つ場面ですね。p.24 l. 4～p.25 l. 9を読んでみましょう。

・2人とも幸せそうです。

・最初の場面の挿絵と同じだけど、表情が違います。

・2人はもっと仲よしになったんじゃないのかな。

○感想を出し合う中で、問いをもたせ、次時以降の読みのめあてとして、共有する。

3 考えたいことを確認し、次時の見通しをもつ 〈10分〉

T　今日は、「お手紙」がどんなお話かを学習しました。それぞれの場面において、みんなで考えたいこと（問い）がいくつか出てきましたね。次回は、その問いを基に、お話を読み進めていきましょう。

T　今日の学習の感想をノートに書きましょう。

・がまくんの気持ちをみんなで考えていきたいと思った。最後は、がまくんにお手紙を書こうと思う。

・最初の場面と最後の場面の挿絵は似ているけれど、2人の顔が違うことに気付いた。友達と話し合うと、お話のことがよく分かっておもしろい。たくさん話し合いたい。

本時案

お手紙

本時の目標

・身近なことを表す語句の量を増し、話や文章の中で使うことで、語彙を豊かにすることができる。
・場面の様子に着目して、登場人物の行動を具体的に想像することができる。

本時の主な評価

❶身近なことを表す語句の量を増し、話や文章の中で使うことで、語彙を豊かにしている。【知・技】
❹場面の様子に着目して、登場人物の行動を具体的に想像している。【思・判・表】

資料等の準備

・p.14や p.16の挿絵を大きくしたもの

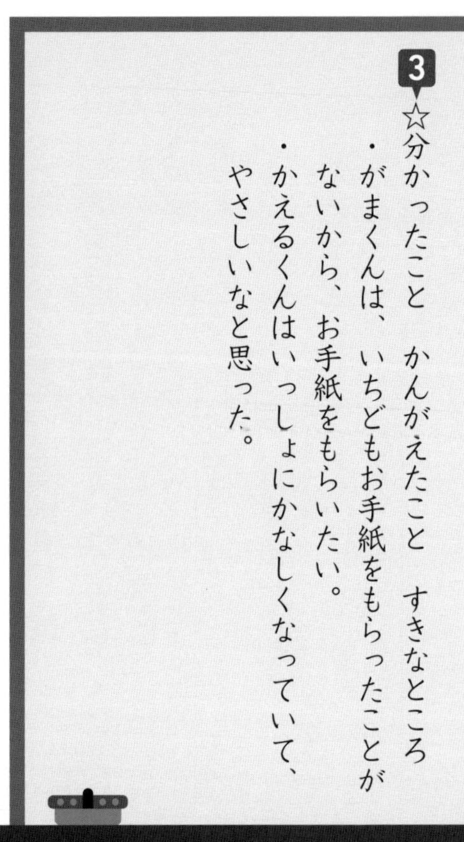

授業の流れ ▷▷▷

1 本時のめあてを確認する 〈10分〉

T　今日は、がまくんがお手紙を待っている場面を読み、がまくんやかえるくんの様子や気持ちを考えていきましょう。
○本時のめあてを板書する。
T　この場面を声に出して読んでみましょう。
T　この場面は、どんな場面でしたか。
・がまんくんがお手紙を待っている。
・かえるくんんががまくんをたずねてくる。
・がまくんはお手紙をもらったことがなくて、とても悲しそう。
T　がまくんはどんな気持ちだったのか、かえるくんはどんな気持ちだったのか、考えていきましょう。

2 がまくんの様子や気持ちを考える 〈25分〉

T　がまくんが言ったことやがまくんの様子が分かる言葉を発表してください。
○子供から出された会話文や言葉にサイドラインを引かせ、その会話文を中心に、吹き出しに気持ちを書かせるようにする。
T　がまくんはどんな気持ちでしたか。
・手紙を一度ももらったことがなくて悲しい。
・今日は来るかな。
・絶対に来やしないよ。
・さびしいな。
・ぼくは友達がいなくて一人ぼっちだ。
・悲しいな。

お手紙

1 がまくんが手紙をまっている場めんのようすをそうぞうしよう。

2

こうどうや言ったこと	がまくんの気もち
がま：げんかんの前にすわっている	・今日は来るかな ・お手紙ほしいな
がま：「今、一日のうちのかなしい時なんだ」	・でも、やっぱり来ないよ
がま：「毎日、ぼくのゆうびんうけは、空っぽさ」	・さびしいな ・ぼくは友だちがいない ・かなしいな
ふたりとも：かなしい気分でげんかんの前にこしを下ろしていた	かえるくん かなしいな なんとかしてあげたい 自分がお手紙を書こう

3 本時の学習を振り返る 〈10分〉

T　みんなで読んで、分かったことや考えたことをノートに書きましょう。
・がまくんは、一度もお手紙をもらったことがない。とても悲しそう。
・かえるくんは一緒に悲しくなっていて、やさしいなと思った。
・かえるくんは自分が手紙を書いてあげようと、急いで家に帰っていった。手紙を書くときに、どんな気持ちだったか、考えたい。
T　今日は、がまくんの様子や気持ちを考えましたが、かえるくんの気持ちも書いていて、とてもいいですね。次回は、かえるくんの行動や気持ちを中心に考えましょう。

よりよい授業へのステップアップ

人物の行動や会話から想像を広げる

　この場面は作品の設定に関わる場面である。登場人物について分かることを話し合うことで、この後の作品の読みを深めていくことにつながる。

　分かることを想像することの根拠は人物の行動や会話である。そうした言葉への自覚を高めるために、適宜、動作化や音読を取り入れていくとよい。その際、そうした表現活動と作品理解を行き来できるようにしたい。理解していることを表現したり、表現してみて理解を深めたりできるよう指導していきたい。

本時案

お手紙

本時の目標

・身近なことを表す語句の量を増し、話や文章の中で使うことで、語彙を豊かにすることができる。
・場面の様子に着目して、登場人物の行動を具体的に想像することができる。

本時の主な評価

❶身近なことを表す語句の量を増し、話や文章の中で使うことで、語彙を豊かにしている。【知・技】
❹場面の様子に着目して、登場人物の行動を具体的に想像している。【思・判・表】

資料等の準備

・p.17の挿絵を大きくしたもの

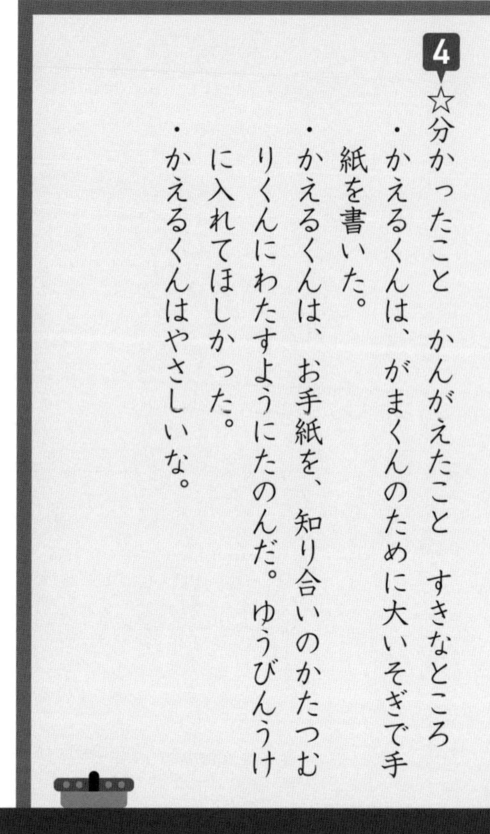

授業の流れ ▷▷▷

1 本時のめあてを確認する〈10分〉

T　今日は、かえるくんが家に帰って手紙を書く場面を読み、かえるくんの様子や気持ちを考えていきましょう。
○本時のめあてを板書する。
T　この場面を声に出して読んでみましょう。
T　この場面は、どんな場面でしたか。
・かえるくんが急いで帰って手紙を書く。
・がまくんのために頑張っている。
・手紙をかたつむりくんに渡して、届けてもらうように頼む。
T　そうですね。では、かえるくんはどんな気持ちだったのか、みんなで考えていきましょう。

2 かえるくんの様子や気持ちを考える〈15分〉

T　かえるくんの行動を整理しましょう。
・かえるくんは大急ぎで家に帰った。
・紙とえんぴつを見つけて、何か書いた。
・ふうとうに「がまがえるくんへ」と書いた。
T　かえるくんの行動からかえるくんの気持ちを考えてみましょう。
・がまくんにお手紙をわたしたい。
・大きく「がまがえるくんへ」と書いているから、読んでほしいのだと思う。
・「大いそぎ」とあるから、早くわたしたい。

お手紙

1 かえるくんが家にもどってがまくんにお手紙を書く場めんのようすを　そうぞうしよう。

2

こうどうや言ったこと	かえるくんの気もち
かえる：大いそぎで家へ帰る	いいことを思いついた はやく手紙を書きたい
かえる：えんぴつと紙を見つける 紙に何か書きました ふうとうに「がまがえるくんへ」と書く	がまくん、まっていてね きみへのお手紙だよ 大きく書いて、がまくんに読んでほしい
3 かえる：家からとび出す かたつむりくんに会う 「このお手紙を　がまくんの家へもっていって、ゆうびんうけに入れてきてくれないかい」	はやくわたしたい ゆうびんうけに入れたい いつもゆうびんうけを見ているがまくんをおどろかせたい
かたつむり：「まかせてくれよ」「すぐやるぜ」	かたつむりくんたのむよ

3 かたつむりくんに手紙をわたすかえるくんの気持ちを考える　〈10分〉

T　かえるくんの行動を整理しましょう。

・かえるくんは家からとび出す。
・知り合いのかたつむりくんに会って、お手紙をがまくんの家にとどけるお願いをする。
・かたつむりくんは、「まかせてくれよ」「すぐやるぜ」という。

T　かえるくんは、どうしてかたつむりくんにお手紙を届けるように頼んだのでしょう。

・急いでいるのに、どうしてかたつむりなの。
・自分で渡すより届けてほしかったのかな。
・郵便受けに入れてほしかったのかな。
・郵便受けにお手紙が入っていることが分かったときのがまくんの顔が楽しみだなと思って、かたつむりくんにお願いしたのかな。

4 本時の学習を振り返る　〈10分〉

T　みんなで読んで、分かったことや考えたことをノートに書きましょう。

・かえるくんは、がまくんのために大急ぎで手紙を書いた
・どうして急いでいるのに、かたつむりくんにお手紙を渡したのかなと思っていたけれど、友達の考えを聞いたら分かった。
・かえるくんって、とってもやさしいなと思った。

ICT 端末の活用ポイント

学習の振り返りを、書いたノートなどを写真に撮って投稿するなどして共有したい。それによって学びの更なる広がりが期待できる。

本時案

お手紙

本時の目標

・身近なことを表す語句の量を増し、話や文章の中で使うことで、語彙を豊かにすることができる。
・場面の様子に着目して、登場人物の行動を具体的に想像することができる。

本時の主な評価

❶身近なことを表す語句の量を増し、話や文章の中で使うことで、語彙を豊かにしている。【知・技】
❹場面の様子に着目して、登場人物の行動を具体的に想像している。【思・判・表】

資料等の準備

・p.19、p.20の挿絵を大きくしたもの

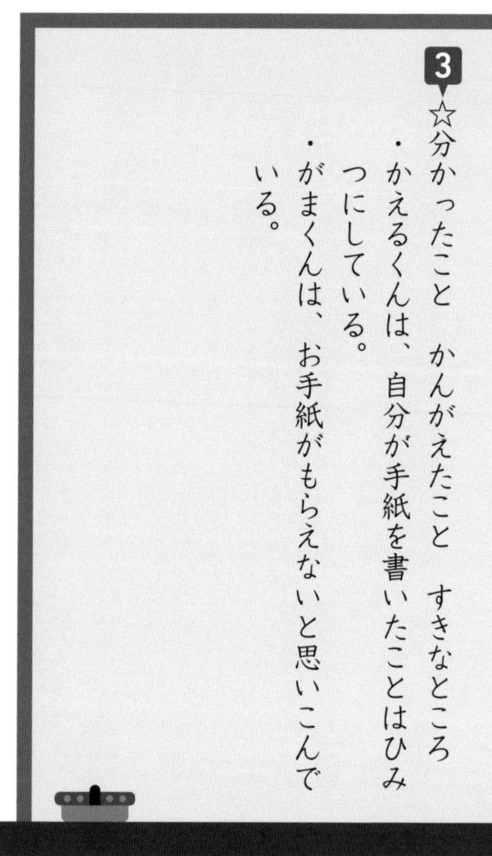

授業の流れ ▷▷▷

1 本時のめあてを確認する 〈10分〉

T　今日は、がまくんの家でかたつむりくんからの手紙を待つかえるくんの様子や気持ちを考えていきましょう。
○本時のめあてを板書する。
T　この場面はどんな場面でしたか。
・かえるくんががまくんの家に戻ると、がまくんはお昼寝をしていた。
・かえるくんが、がまくんに、お手紙が来るかもしれないよと言うけれど、がまくんはあきらめている。
T　なかなかかたつむりくんが来なくて、かえるくんは窓の外を何度も見るのですよね。そのときの気持ちを考えたいという問いを立てましたね。みんなで考えていきましょう。

2 がまくんとかえるくんの様子や気持ちを考える 〈25分〉

T　がまくんやかえるくんは、どんな様子でしたか。また、どんな気持ちだったでしょう。
・p.20 l. 1「かえるくんは、まどからゆうびんうけを見ました」のところで、かたつむりくん、まだ来ないな。早く来ないかな。
・p.21 l. 1「かえるくんは、まどからのぞきました」のところで、がまくんに早くよろこんでもらいたいな。
・p.22 l. 1「かえるくんは、まどからのぞきました」のところで、まだかな、がまくんに言ってしまおうかな。
○がまくんとかえるくんの行動や気持ちを取り上げながら、上記の 3 つのかえるくんの行動に注目させ、気持ちの変化を捉えさせるとよい。

お手紙

1 かえるくんが手紙をまつばめんのようすを
そうぞうしよう。

2 こうどうや言ったこと

かえるくんと
がまくんの気もち

かえる：がまくんの家へもどる

(か)どのぐらいのはやさでも
どったのかな

がま：ベッドでお昼ね
かえる：「もうちょっとまってみた
　らいいと思うな」
がま：「いやだよ」
「まっているの、あきあきしたよ」

(か)まちくたびれたのかな
(か)だってぼくが手紙を
おくったから
(が)どうせだれも
手紙をくれないんだ
(か)がまくんに読んでほしい

かえる：まどから　ゆうびん
　うけをみる
「だれかが、きみにお手紙をくれ
るかもしれないだろう」
がま：「そんなこと、あるものかい」
「ぼくに　お手紙をくれる人なん
ていないとは思えないよ」

(か)かたつむりくんまだかな
はやくきてほしいな
ほかのともだちに
たのめばよかったな…
(が)ぼくが手紙をもらうこ
とは、ぜったいにないん
だ

3　本時の学習を振り返る　〈10分〉

○学習を振り返り、今日分かったことや考えたことについてまとめる。

T　今日は、がまくんの家でかたつむりくんがお手紙を持ってくるのを待つ場面について、みんなで読みました。分かったことや考えたことについて振り返りましょう。

・かえるくんは、自分が手紙を書いたことはひみつにしている。
・がまくんは、お手紙がもらえないと思いこんでいる。

よりよい授業へのステップアップ

演じることで場面の様子を立体化する

三場面は、かえるくんとがまくんの会話のやりとりが多い場面である。この会話を通して、2人の心情を探っていきたい。

かえるくんとがまくんを子供が、地の文は教師が読む形で演じてみると、場面の様子が立体的に把握しやすくなる。セリフを言ったときに感じたことや、地の文を動作化したときに思ったことを聞くことで、子供は想像を広げやすくなっていくことだろう。

本時案

お手紙

本時の目標

・身近なことを表す語句の量を増し、話や文章の中で使うことで、語彙を豊かにすることができる。
・場面の様子に着目して、登場人物の行動を具体的に想像することができる。

本時の主な評価

❶身近なことを表す語句の量を増し、話や文章の中で使うことで、語彙を豊かにしている。【知・技】
❹場面の様子に着目して、登場人物の行動を具体的に想像している。【思・判・表】

資料等の準備

・p.22の挿絵を大きくしたもの

親愛なるがまがえるくん。ぼくは、
きみがぼくの親友であることを、
うれしく思っています。
きみの親友、かえる。

とてもいい手紙だ
ぼくもきみが親友で
うれしいよ

4
☆分かったこと　かんがえたこと　すきなところ
・かえるくんは、ついに手紙のことをはなして
しまった

授業の流れ ▷▷▷

1 本時のめあてを確認する 〈10分〉

T　前の時間は、かえるくんが、かたつむりくんからの手紙を待っている場面の様子を読みましたね。かえるくんは、どんな気持ちでいましたか。
・かたつむりくん、まだかな。
・がまくんを早くよろこばせてあげたいな。
T　今日は、かえるくんががまくんにお手紙のことを打ち明ける場面の様子や気持ちを考えていきましょう。
○本時のめあてを板書する。
T　この場面を声に出して読んでみましょう。
T　この場面はどんな場面でしたか。
・かえるくんが手紙のことをがまくんに打ち明けるところ。

2 かえるくんとがまくんの行動や気持ちを考える 〈15分〉

T　かえるくんとがまくんはどんな様子でしたか。
・「だって、ぼくが…」のところは、ぼくは、きみの友達だよ。ぼくが書いたんだよ。
・本当は、がまくんにびっくりさせたかったけど、これ以上、悲しませたらかわいそう。
T　登場人物の行動からどんなことが想像できますか。
・かえるくんはかたつむりくんが来るのをずっと待っている。
・がまくんは、どうして窓の外を見ているのか気になっている。
・がまくんがお手紙を待っているはずがかえるくんが待つことになっている。

お手紙

1
かえるくんがお手紙のことを言うばめんのようすをそうぞうしよう。

2
こうどうや言ったこと

かえる：まどからのぞく
「きょうは、だれかが、きみにお手紙をくれるかもしれないよ」
がま：「ばからしいこと、言うなよ」
「きょうだって同じだろうよ」

かえる：まどからのぞく
がま：「どうして、きみ、ずっとまどの外を見ているの」
かえる：「だって、今、ぼく、お手紙をまっているんだもの」

3
かえる：「だって、ぼくが、きみにお手紙　出したんだもの」
がま：「お手紙に、なんて書いたの」

かえるくんとがまくんの気もち

㋕まだこないなあ
だってぼくがお手紙を書いたから
㋖ばかにしないでよ
㋕はやくこないかなあ
㋖かえるくん何回も外を見ているな
㋕もうがまくんにはなしてしまおうかな
㋕もうはなしてしまおう
㋖かえるくん、きみは…

3 手紙のことを打ち明けられたがまくんの気持ちを想像する 〈10分〉

T 「ああ」「とてもいいお手紙だ」というがまくんの気持ちを、考えたいという人が多かったですね。がまくんの気持ちを発表してください。
・かえるくん、やさしいな。
・君は、本当にぼくの友達だよ。
・ぼくも、ようやくお手紙をもらうことができたよ。
・友達がいるって、うれしいな。

4 本時の学習を振り返る 〈10分〉

○学習を振り返り、今日分かったことや考えたことについてまとめる。
T この場面について、分かったことや考えたことをノートに書きましょう。
・かえるくんは待ちきれずに、自分が手紙を書いたことを言ってしまった。
・がまくんは、かえるくんに直接言ってもらって、それがうれしかったのかもしれない。

本時案

お手紙

8/12

本時の目標

・身近なことを表す語句の量を増し、話や文章の中で使うことで、語彙を豊かにすることができる。
・場面の様子に着目して、登場人物の行動を具体的に想像することができる。

本時の主な評価

❶身近なことを表す語句の量を増し、話や文章の中で使うことで、語彙を豊かにしている。【知・技】
❹場面の様子に着目して、登場人物の行動を具体的に想像している。【思・判・表】

資料等の準備

・p.24の挿絵を大きくしたもの

4
☆分かったこと　かんがえたこと　すきなところ
・ふたりは、四日ものあいだ、お手紙をずっとまっていた。
・まっているあいだに、ふたりはもっとなかよくなった。
・かたつむりくんは、ぶじにお手紙をとどけられてよかった。

p.25
挿絵

授業の流れ ▷▷▷

1 本時のめあてを確認する 〈10分〉

○前時の板書を振り返り、本時の読みのめあてを確認する。
T　今日は、玄関でかたつむりくんが来るのを待っている2人の様子や気持ちを考えていきましょう。
○本時のめあてを板書する。
T　この場面はどんな場面でしたか。

2 お手紙を待っているがまくんとかえるくんの行動や気持ちを考える 〈15分〉

○登場人物の行動を整理する。
T　登場人物の行動を整理しましょう。
・ふたりでげんかんでお手紙をまっている。
・「がまくんとかえるくん」、じゃなくて「ふたり」って書いてある。
・ふたりは長いこと待っていた。
○登場人物の行動について想像できることを話し合う。
T　登場人物の行動からどんなことが想像できますか。
・はやくお手紙をうけとりたかった。
・「ふたり」って書いてあると、より仲よしに感じる。
・４日間、どうやってすごしたのかな。
・きっとお泊まりしたよ。

お手紙

1 ふたりでお手紙をまつ場面のようすをそうぞうしよう。

2 こうどうやセリフ

ふたり：げんかんでお手紙の来るのを　まっていた
とてもしあわせな気もちでそこにすわっていた

ふたり：長いこと　まっていました

3 かたつむり：四日たって
がまくんの家につきました
かえるくんからのお手紙を
がまくんにわたす

がまくん：とてもよろこんだ

気もち

どうしてげんかん？
すぐにでもお手紙をうけとりたかったのかな

四日は長かっただろうな
何をしていたのかな
たぶん、ずっとおとまりしてた

まっていたよ！
ありがとう！
でもまっているじかんもたのしかったのかな

かえるくんありがとう

3 お手紙を受け取るがまくんとかえるくんの行動や気持ちを考える〈10分〉

○登場人物の行動を整理する。

T　登場人物の行動を整理しましょう。

・４日たって、かたつむりくんが家についた。
・かえるくんのお手紙をがまくんに渡した。
・がまくんはとてもよろこんだ。

○登場人物の行動から想像できることを話し合う。

T　登場人物の行動からどんなことが想像できますか。

・かたつむりくんに早く来てほしかった気持ちもあるけど、４日間でふたりはもっとなかよくなったと思う。
・本物のお手紙をもらってがまくんは、とてもうれしかった。

4 本時の学習を振り返る〈10分〉

○学習を振り返り、今日分かったことや考えたことについてまとめる。

T　この場面を読んで、分かったことや考えたことについて振り返りましょう。

・２人は、４日もの間、お手紙をずっと待っていた。
・待っている間に、２人はもっと仲よくなった。
・かたつむりくんが、ぶじにお手紙を届けてくれて、かえるくんはほっとしただろうな。
・お手紙をもらってがまくんはとってもうれしかっただろうな。

本時案

お手紙

本時の目標

・文章の内容と自分の体験を結び付けて、感想をもつことができる。

本時の主な評価

❸文章の内容と自分の体験とを結び付けて、感想をもっている。【思・判・表】

資料等の準備

・第３時の板書を大きくしたもの

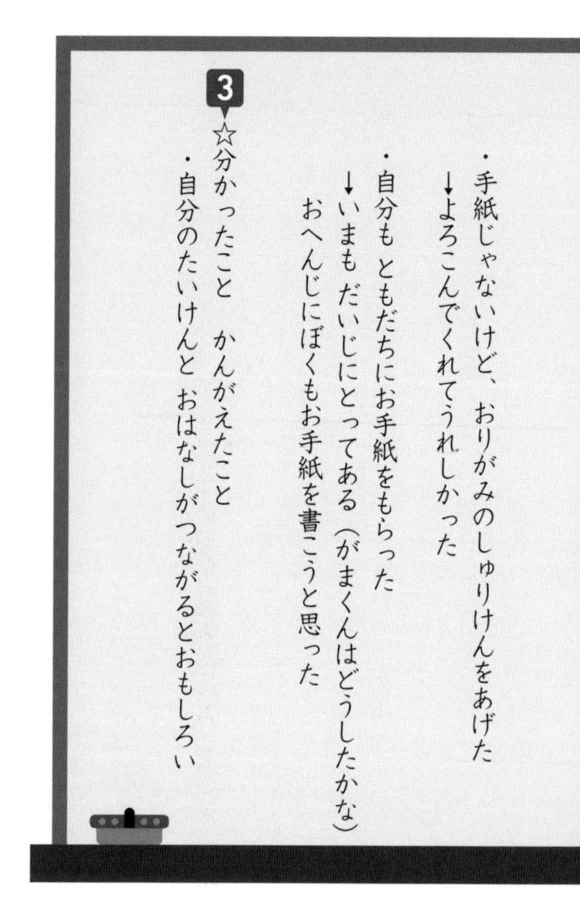

授業の流れ ▷▷▷

1 本時のめあてを確認する〈10分〉

○これまでの板書を振り返り、今日から登場人物にお手紙を書く活動に入ることを確認する。

T　場面ごとの様子をみんなで想像してきました。ここまでみんなで読んでみて、どんなことを感じましたか。

・みんなで想像したから、お話のことがよく分かった。

・自分がお手紙をもらったときのことを思い出した。

○本時のめあてを板書する。

2 物語を読んで思い出した体験を話し合う〈25分〉

○第１時で作品を読んで思い出した体験を話し合ったことを想起させ、改めて思い出す体験や感じたことを話し合う。体験と物語を結び付けた発言を価値付けるとよい。

T　お話を読んで思い出したことや感じたことを話し合いましょう。

・自分も友達にお手紙を書いたよ。友達に伝えたいことがあったんだ。

・書いたお手紙は、早く読んでほしかったな。きっとかえるくんもそう思っていたと思う。

・手紙じゃないけど、おりがみのしゅりけんをあげたよ。よろこんでくれてうれしかった。

・自分も友達からお手紙をもらったよ。今も大事にとってある。がまくんはどうしたのかな。

お手紙

1 とうじょうじんぶつと　自分をくらべてみよう

○とうじょうじんぶつがしたこと（三時間目のこくばん）

がまくんが手紙をまっている場めん
p.14 挿絵
がまくんがお手紙をまっている
がまくんは手紙をもらったことがない
がまくんはどんな気もちだったのだろう

かえるくんが家にもどって手紙をかく場めん
p.17 挿絵
かえるくんが大いそぎで家にかえった
がまくんに手紙を書いている
お手紙をかたつむりくんにたのんだ
かえるくんはどんな気もちだったのだろう

かえるくんががまくんに手紙のことを話す場めん
p.22 挿絵
がまくんはまつのにあきている
なんども外を見るかえるくんの気もち
がまくんの「ああ」「とてもいいお手紙だ」はどのように言ったのか

二人で手紙をまつ場めん
p.24〜25 挿絵
二人でまっているときの気もち
かたつむりくんにどんなことを言ったか

2 ○自分
・自分も　ともだちにお手紙を書いた
→ともだちにつたえたいことがあった
はやく読んでほしかった（かえるくんといっしょ）

3 本時の学習を振り返る　〈10分〉

○学習を振り返り、今日分かったことや考えたことについてまとめる。

T　今日は、登場人物にお手紙を書くために、自分の体験を思い出してみました。分かったことや考えたことについて振り返りましょう。

・自分の体験とお話がつながるとおもしろい。
・自分の体験を思い出すことで、お話のことがもっと分かると思った。

よりよい授業へのステップアップ

登場人物と自分を比べるための板書

　次時で登場人物にお手紙を書くため、本時では登場人物と自分を比べる学習場面を設定した。子供たちが思考しやすいように、第3時であらすじをまとめた板書を使うとよい。登場人物の行動や、ここまでの学習を振り返りながら、自分の体験を思い出すことで、次時でお手紙を書く際の材料が集めやすくなるだろう。

本時案

お手紙

10/12

本時の目標

・文の中における主語と述語との関係に気付くことができる。
・文章の内容と自分の体験を結び付けて、感想をもつことができる。

本時の主な評価

❷文の中における主語と述語との関係に気付いている。【知・技】
❸文章の内容と自分の体験とを結び付けて、感想をもっている。【思・判・表】

資料等の準備

・p.27の「手紙のれい」を大きくしたもの
・前時の板書を大きくしたもの

がまくんへ
〈お話を読んで〉お手紙をもらえてよかったね
これからもかえるくんとなかよくね
〈自分のこと〉もらった手紙はたからものだよ
おへんじを書いたよ

4
☆分かったこと　かんがえたこと　すきなところ
・とうじょうじんぶつが本当にいるみたい
ほかのお話も読みたい

授業の流れ ▷▷▷

1 本時のめあてを確認する 〈5分〉

○前時の学習を振り返り、登場人物にお手紙を書くことを確認する。
T　前の時間は何をしましたか。
・登場人物と自分のことを比べた。
・自分と登場人物はつながっているところがあるなと思った。
T　そうでしたね。前回の学習を生かして、今日はいよいよ、登場人物にお手紙を書いてみましょう。
○本時のめあてを板書する。

2 手紙を書く人物を決めて、書く内容を考える 〈15分〉

○お手紙を書く登場人物を決める。
その上で、それぞれの人物にどんなことを書くか話し合う。お話を読んで思ったことと、自分の体験、の2つを書くように指導する。
T　お手紙にはどんなことを書いたらいいですか。お話を読んで思ったことと、自分の体験の2つを入れましょう。
・かえるくんには、素敵なお手紙だったことと、自分もお手紙を書いたときのことを書く。
・がまくんには、お手紙をもらえてよかったことと、お返事を書くといいよと書く。

お手紙

1 とうじょうじんぶつに　お手紙を書こう

※ぜんかいのこくばん

手紙の例

・自分も　ともだちにお手紙を書いた
→ともだちにつたえたいことがあった
はやく読んでほしかった（かえるくんといっしょ）

・手紙じゃないけど、おりがみのしゅりけんをあげた
→よろこんでくれてうれしかった

・自分も　ともだちにお手紙をもらった
→いまも　だいじにとってある（がまくんはどうしたかな）
おへんじにぼくもお手紙を書こうと思った

2 ○どんなことを書いたらいいかな？

かえるくんへ
〈お話を読んで〉いいお手紙だったね
がまくんともっとなかよくなれたね
〈自分のこと〉ぼくもお手紙を書いたことがあるよ
おくりものをしたことがあるよ

3 登場人物に手紙を書く　〈20分〉

○2で話し合ったことや、「手紙のれい」を参考に、お手紙を書く。
書き終わったら、文章を読み直し、誤字や脱字がないか確かめる。時間に余裕があれば、別の人物に手紙を書いてもよいことにする。

T　それでは登場人物に手紙を書きましょう。書くときは「手紙のれい」を参考にすると、書きやすいですよ。

4 本時の学習を振り返る　〈5分〉

○学習を振り返り、今日分かったことや考えたことについてまとめる。

T　今日は、登場人物にお手紙を書きました。分かったことや考えたことについて振り返りましょう。

・登場人物とお話ししているみたいでうれしかった。
・登場人物が本当にいるような気がして、またがまくんとかえるくんのお話を読んでみたいと思った。

ICT端末の活用ポイント

学習の振り返りを、写真に撮って投稿するなどして共有したい。それによって学びの更なる広がりが期待できる。

本時案

お手紙

本時の目標

・登場人物に書いた手紙を読み合って、いいなと思ったところを伝え合うことができる。

本時の主な評価

・登場人物に書いた手紙を読み合って、いいなと思ったところを伝え合っている。

資料等の準備

・特になし

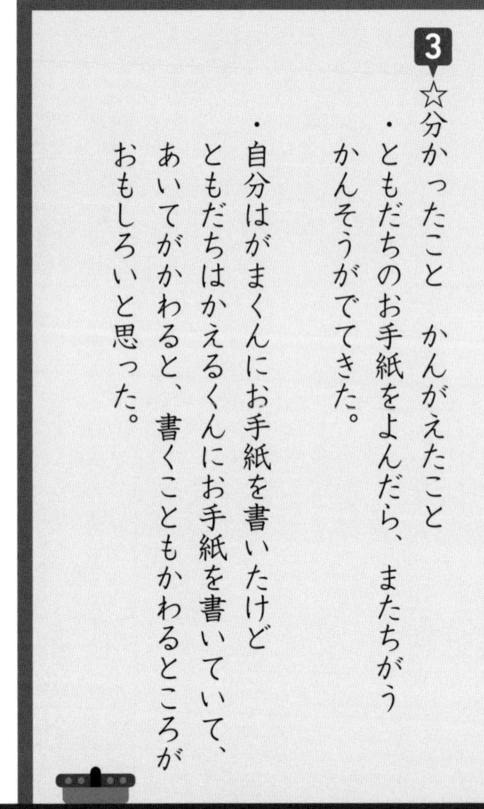

授業の流れ ▷▷▷

1 本時のめあてを確認する 〈10分〉

○前時の板書を振り返り、今日は書いたお手紙を読み合って、学習のまとめをすることを確認する。

T　前回はかえるくんやがまくんにお手紙を書きましたね。書く前にどんなことをしましたか。

・自分の体験を思い出した。

・体験を思い出すことで、お話のことがもっとよく分かった。

○本時のめあてを板書する。

2 書いた手紙を読み合って感想を伝え合う 〈25分〉

○前時に書いた手紙を読み合って、感想を伝え合う。最初は隣の友達や、班の友達と読み合い、いいなと思ったところを伝え合うようにさせる。活動の最後に全体でも感想を交流させるとよい。

T　お友達の手紙を読んで、どんなところがいいなと思いましたか。

・悲しんでいる友達のためにお手紙を書くって素敵だなと思った。

・自分ももらった手紙を大事にとってあるところがいいなと思った。がまくんもきっと大事にとっていると思う。

・お手紙をもらうって、友達のしるしみたいという言葉がいいなと思った。

お手紙

1 書いたお手紙を読み合っていいなと思ったところをつたえ合おう。

2 かえるくんへ

・自分が書いたお手紙のことが書いてあってかえるくんの気もちがよりわかった。

・かなしんでいるともだちのためにやさしいことができるってすてきだな。

がまくんへ

・自分がもらった手紙をだいじにとってあるところがいいなと思った。がまくんもだいじにすると思った。

・お手紙をもらうって、ともだちのしるしみたいでいいなって思った。ぼくもお手紙もらいたいな。

3 本時の学習を振り返る 〈10分〉

○学習を振り返り、今日分かったことや考えたことについてまとめる。

T　今日は書いたお手紙を友達と読み合って、いいところを伝え合いました。学習で学んだことを振り返りましょう。

・友達のお手紙を読んだら、また違う感想が出てきた。

・自分はがまくんにお手紙を書いたけど友達はかえるくんにお手紙を書いていて、相手が変わると、書くことも変わるところがおもしろいと思った。

よりよい授業へのステップアップ

登場人物になりきった子に手紙を渡す

お手紙を読み合う際には、かえるくん役やがまくん役をつくるとよい。

がまくんが、かえるくんの声で手紙の内容を聞いたように、子供たちにも、手紙を声に出して読んでもらう活動があると、手紙を自分で読むのとはまた違う感覚を体験できるだろう。手紙を目で読むのと、声で聞くことの違いを話し合うと、がまくんが「ああ。」「とてもいいお手紙だ。」という様子がより具体的に想像できると考えられる。

本時案

お手紙

本時の目標

・学習を振り返り、関連する本を読むなど、読書への意欲を高めようとする。

本時の主な評価

❺学習を振り返って、読者への意欲を高めようとしている。【態度】

資料等の準備

・p.28の「この本、読もう」を大きくしたもの

授業の流れ ▷▷▷

1 本時のめあてを確認する 〈10分〉

○前時の板書を振り返り、学習のまとめをすることを確認する。

T　前回はどんな学習をしましたか。

・かえるくんやがまくんに書いたお手紙を読み合った。

・体験を思い出すことで、お話のことがもっとよく分かった。

・友達の手紙のよいところを探した。

T　そうでしたね。今日はこの学習のまとめをしていきましょう。

○本時のめあてを板書する。

2 これまでに学んだことを振り返る 〈15分〉

○これまでの学習を振り返り、学んだことをまとめる。大型モニター等を使って、板書の写真などを見返すと効果的である。

T　この学習で学んだことを振り返りましょう。

・登場人物の行動をよく読むと、想像がふくらんだ。

・自分の体験とお話をつなげて考えると、お話のことがもっとよく分かった。

お手紙

1 学しゅうをふりかえろう。

2 ☆学しゅうをふりかえって
・とうじょうじんぶつのこうどうをよく読むと、そうぞうがふくらんだ
・自分のたいけんとお話をつなげてかんがえると　お話のことがもっとよく分かった。

教科書p.28
「この本、読もう」
拡大掲示

3 「おちば」や関連する本を読む〈20分〉

○教科書 p.28の「この本、読もう」を読んで、読書への意欲をもたせる。

T 「この本、読もう」を見てみましょう。読んでみたい本はありますか。

・どれもがまくんとかえるくんが出ていておもしろそうだな。

・どんなお話なのか気になります。

T 教科書142ページに「おちば」というお話が載っています。今から読むので聞いて下さい。

○「おちば」の読み聞かせを聞いたり、「この本、読もう」に出ている本を読んだりする。

よりよい授業へのステップアップ

関連する本を集めて、読書への意欲を高める

本時では、1人1冊「この本、読もう」に関連する本を用意し、読書する時間を取るとよい。

学校の実態によるが、ICT 端末を使って読書できる環境が整っていれば、検索して、1人ずつ読むことができる。

それが難しい場合は、学校図書館、地域図書館を利用する方法が考えられるが、1人1冊用意することは難しいだろう。その際は、司書教諭と連携して、「友達」等、テーマが近い本を集めるとよいだろう。

ことば

主語と述語に　気をつけよう

（2時間扱い）

単元の目標

知識及び技能	・文の中における主語と述語の関係に気付くことができる。((1)カ)
学びに向かう力、人間性等	・言葉がもつよさを感じるとともに、楽しんで読書をし、国語を大切にして、思いや考えを伝え合おうとする。

評価規準

知識・技能	❶文の中における主語と述語の関係に気付いている。(〔知識及び技能〕(1)カ)
主体的に学習に取り組む態度	❷積極的に主語と述語の関係に気付き、学習課題に沿って主語と述語に気を付けようとしている。

単元の流れ

時	主な学習活動	評価
1	学習の見通しをもつ 「といをもとう」を基に、話し合う。 例文や「お手紙」を読み、主語・述語の役割を知る。	❶
2	主語と述語を見つけよう。 いろいろな主語や述語を見つける。 主語や述語に気を付けて、話したり書いたりする。 学習を振り返る	❷

授業づくりのポイント

〈単元で育てたい資質・能力〉

本単元のねらいは、主語と述語の関係を知り、分かりやすい話し方や文章の書き方の基礎を身に付けることである。他人に自分の考えを伝えたり、発信したりするためには、「何が」「だれが」などの主語をはっきりさせて書いたり話したりすることの重要性に気付かせたい。

本単元は、中学年以降の書くことや話すことの学習の基礎となる単元である。ねらいを達成するために、様々な文章の主語や述語を見つけたり、既習の物語文の中から探したりして、クイズ感覚で楽しく取り組むことで、主語や述語の関係を捉えさせたい。また、自分の文章や話し言葉についても振り返るきっかけにできるようにしたい。

[具体例]
○主語に赤線、述語に青線などを引き、主語と述語が一目で分かるような工夫をする。
○既習学習の「お手紙」などを例文にすることで、「だれが」「何をしたのか」をはっきりと伝えることの重要性に気付かせる。
○主語と述語がある文章をつくり、クイズ形式で出題するなど、交流活動を取り入れることで、楽しく学べるようにする。

〈主語が文のはじめにない文に着目させる〉

主語と述語の関係は、語彙が少なく文章を書くことが苦手だったり、読書経験が少なかったりする子供にとってはなかなか理解が難しい。第5学年の「書くこと」の単元にも同じ構成の例文が出てくることからも、繰り返しの指導が大切な単元であることが分かる。

[具体例]
「お手紙をもらって、がまくんはとてもよろこびました。」など、文の途中に主語がある場合は、述語に着目させて考えさせる。「よろこんだ」のは「誰」（あるいは「何」）なのかを考えさせることで、主語を見つけることができる。このような文を取り上げ、繰り返し指導していくことが大切である。

〈指示語に着目させる〉

p.29の「これはお手紙だ。」という例文にあるように、指示語も主語の一部である。2年生の発達段階では、「指示語」という言葉や概念は難しいが、語彙を増やすためにも、「これは」以外の指示語にも着目させたい。

[具体例]
「これは」という言葉に着目させ、似た使い方をする言葉を出させる。指示語というと難しいが、「こそあど言葉」として押さえると、比較的子供たちも理解しやすい。
※こそあど言葉→「これは（が）」「それは（が）」「あれは（が）」「どれは（が）」

〈ICT の効果的な活用〉

共有：端末の学習支援ソフトにあらかじめ入力した文章を準備して記入させたり、自分の考えた文章を入力させたりして、クラス全体で共有することができる。入力が苦手な子供には手書きツールなどを効果的に使えるように配慮する。

本時案

主語と述語に気をつけよう

本時の目標

・文の中における主語と述語の関係に気付くことができる。

本時の主な評価

❶文の中における主語と述語の関係に気付いている。【知・技】

資料等の準備

・教科書 p.29の文章のワークシート
02-01

主語（だれは）述語（どんなだ）
がまくんは　しあわせだ。
主語（何は）述語（なんだ）
これは　お手紙だ。→「これは」「あれは」「それは」
こそあど言葉

4
○教科書を読んで、主語や述語を　さがしましょう。
主語（だれが）述語（どうする）
かえるくんが　言う。

こそあど
主語にな
を押さえ

授業の流れ ▷▷▷

1 「といをもとう」を見て、伝え方についてどのように伝えたらよいのかを考える 〈５分〉

T　イラストの男の子は、お母さんにどんなことを伝えたいのか考えましょう。
○教科書のイラストを参考に、男の子が伝えるべき内容を考えさせる。
・ぼうしが　なくなっちゃった。
・ぼうしが　風でとんでいっちゃった。
・ぼうしが　どこかにいっちゃった。
○述語がないと相手に伝えたいことが伝わらないことに気付くようにする。

2 主語と述語の意味を知る〈10分〉

T　「だれが（は）」「何が（は）」に当たる言葉を、主語と言います。イラストの場合の主語はどの言葉ですか？
・「ぼうしが」です。
T　「どうする」「どんなだ」「なんだ」に当たる言葉を述語と言います。イラストの場合の述語はどの言葉ですか。
・「なくなってしまった」です。
○主語と述語という言葉を丁寧に定義付け、学習の見通しをもたせる。

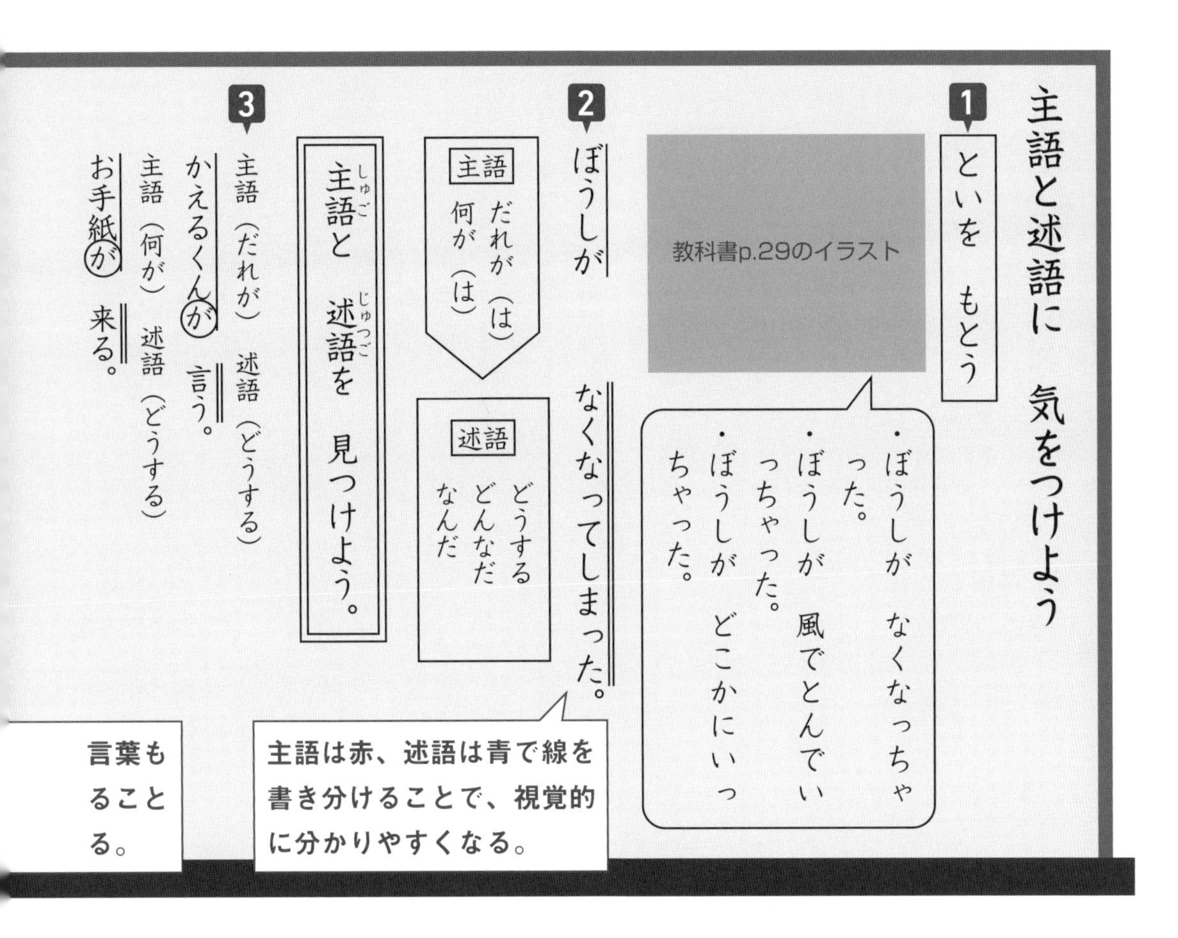

3 教科書 p.29の例文を読み、主語と述語を色分けする〈10分〉

T　次の文章から、主語と述語を見つけ、主語は赤、述語は青で線を引きましょう。

○教科書 p.29の文章を事前にプリントなどに印刷しておく（デジタル教科書を活用してもよい）。

○主語は、「が」「は」（助詞）に着目すると見つけられることを確認する。

○こそあど言葉（指示語）も主語になることを確認する。

ICT 端末の活用ポイント

学習支援ソフトを使い、事前に文章を入力したシートを準備し、手書きツールを使って線を引かせて共有することができる。

4 教科書の中から、主語や述語を見つけて、交流する〈20分〉

T　教科書の文章の中から、主語や述語を見つけて、線を引きましょう。

○主語や述語を見つけられない子供には、「お手紙」などの物語文を指定して、見つけるように支援する。

T　見つけた主語や述語を、友達と読み合いましょう。

○ペアで交流して、友達が見つけた文章もノートに書き足す。その際、教科書 p.30の例文のような主語と述語が離れている文に着目した子供がいたら紹介し、次時の導入にする。

本時案

主語と述語に気をつけよう

本時の目標

・いろいろな主語や述語を見つけ、見つけた言葉を伝え合おうとする。

本時の主な評価

❷積極的に主語と述語の関係に気付き、学習課題に沿って主語と述語に気を付けようとしている。【態度】

資料等の準備

・教科書 p.30の問題のワークシート
02-02

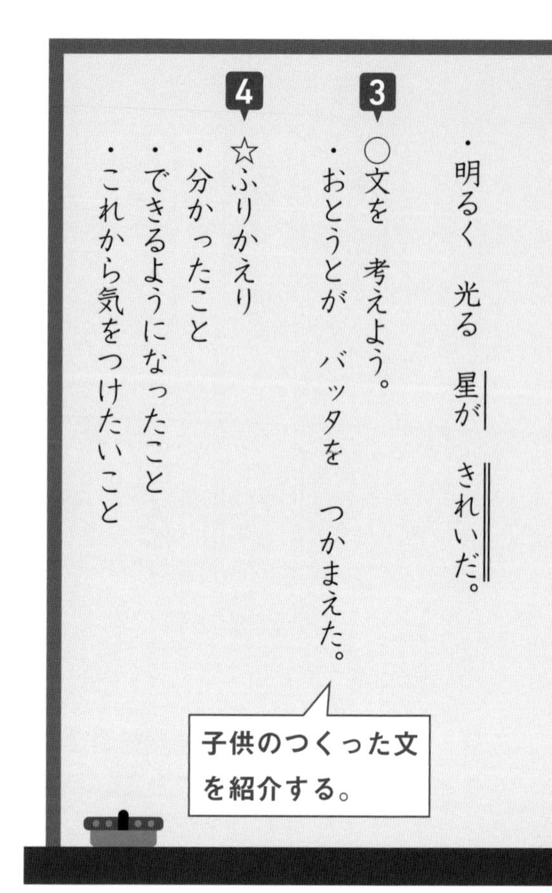

授業の流れ ▷▷▷

1 教科書の例文を読み、主語と述語が離れている場合があることを確認する〈5分〉

T　この文の中から、主語と述語を見つけよう。
・「お手紙」かな。「がまくんは」かな。
・長い文章だと分からないな。
・よろこんだのは、「がまくん」だよ。
○述語から主語が見つかることを確認する。
○主語と述語で一番短い文章が成り立つことを押さえる。

2 教科書 p.30の [1] に取り組む〈15分〉

T　教科書30ページの [1] の問題に取り組み、主語と述語を見つけましょう。
○主語が見つからない子供には、述語から考えさせたり、「が」「は」の助詞に注目させたりする。
○事前に教科書 p.30の問題のワークシートを用意しておく。

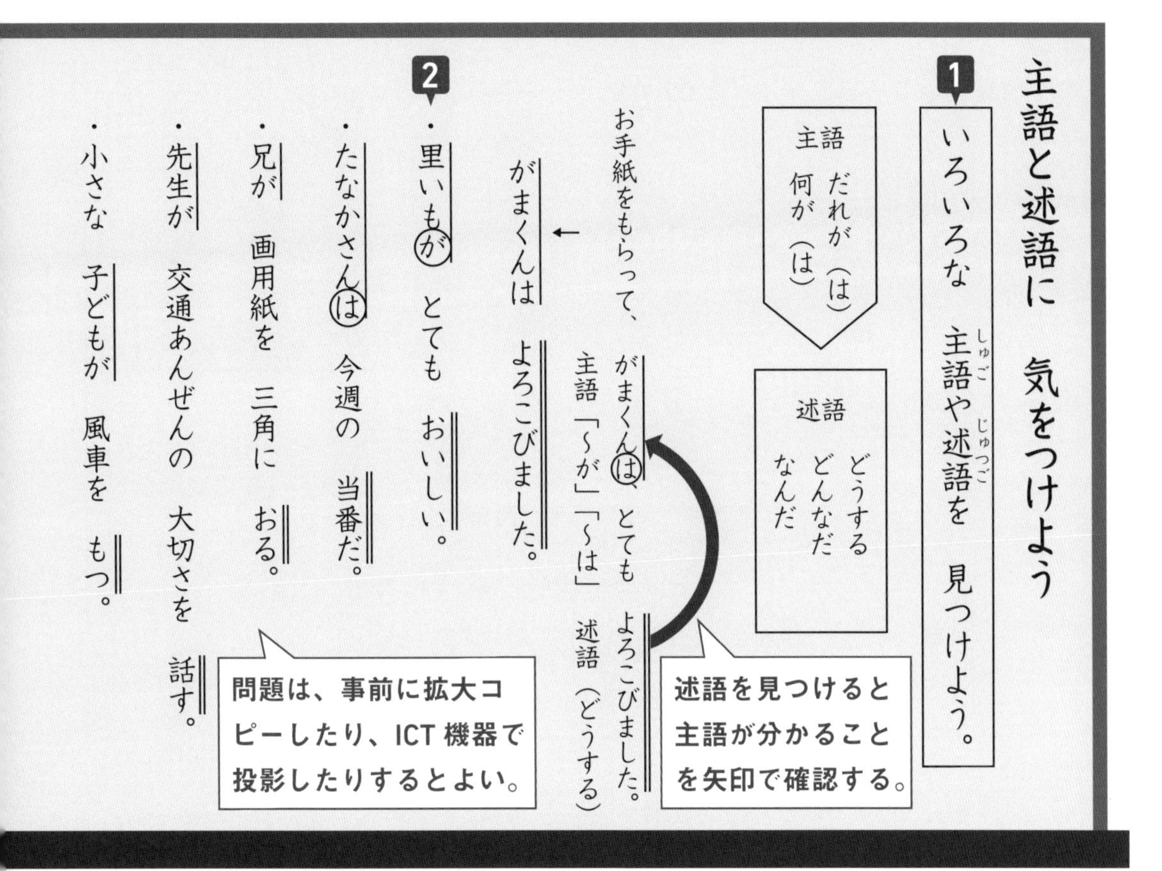

3 ノートに自分の考えた文を書き、交流する〈20分〉

T　主語や述語を考えながら、自分で文を作りましょう。後で、友達に読んでもらいます。

・おとうとが、バッタをつかまえた。

・お母さんが　カレーをつくる。など

○書くことが難しい子供には、自分や家族を主語にするとよいことを伝える。

T　つくった文章をペアで伝え合いましょう。

○主語がない文章をつくっている場合は、どのような主語を入れたらよいかを友達と一緒に考えさせる。

・カレーを食べた。

→　ぼくは、カレーを食べました。など

4 学習を振り返る〈５分〉

T　主語と述語の学習を振り返り、分かったことやこれから気を付けたいことを書きましょう。

○教科書 p.30の「いかそう」を基に学習を振り返る。

○振り返りの視点を示す。

・分かったこと

・できるようになったこと

・これから気を付けたいこと

資料

1 第1時資料　ワークシート 02-01

主語と述語に　気をつけよう

月　　日（　　）名前

① 主語と　述語に　ついて　知ろう。

ぼうしが　なくなってしまった。

主語　だれが（は）　何が（は）

述語　どうする　どんなだ　何だ

② 主語と　述語を　見つけよう。主語は――――、述語は＝＝＝＝で　線を　ひきましょう。

・かえるくん　が言う。

・おてがみが　来る。

・がまくんは　しあわせだ。

・これは　お手紙だ。

③ 教科書の　文しょうから、主語と　述語を　さがして　書きましょう。

2 第2時資料 ワークシート 02-02

主語(しゅご)と述語(じゅつご)に 気をつけよう

月　　日（　　）名前

○いろいろな 主語と 述語を 見つけよう。

お手紙をもらって、がまくんは とても よろこびました。

主語	述語

② 主語と 述語を 見つけよう。主語は ――――、述語は ＝＝＝＝ で 線を ひきましょう。

- 里いもが とても おいしい。
- たなかさんは 今週の 当番だ。
- 兄が 画用紙を 三角に おる。
- 先生が 交通あんぜんの 大切さを 話す。
- 小さな 子どもが 風車を もつ。
- 明るく 光る 星が きれいだ。

③ じぶんで 文を 考えて、主語は ――――、述語は ＝＝＝＝ で 線を ひきましょう。

④ がくしゅうを ふりかえろう。（分かったこと、できるようになったこと）

ことば

かん字の読み方 （2時間扱い）

単元の目標

知識及び技能	・第2学年までに配当されている漢字を読むことができるとともに、文や文章の中で使うことができる。((1)エ)
学びに向かう力、人間性等	・言葉がもつよさを感じるとともに、楽しんで読書をし、国語を大切にして、思いや考えを伝え合おうとする。

評価規準

知識・技能	❶第2学年までに配当されている漢字を読み、文や文章の中で使っている。(〔知識及び技能〕(1)エ)
主体的に学習に取り組む態度	❷進んで第2学年までに配当されている漢字を使い、学習課題に沿って漢字の異なる読み方に気を付けて読もうとしている。

単元の流れ

時	主な学習活動	評価
1	教科書の問題に取り組み、同じ漢字に複数の読み方があることを理解する。 **学習の見通しをもつ** 学習課題を設定する。 かん字の読み方はかせになって、いろいろな読み方をするかん字をつかって文を書こう。 送り仮名について理解する。	❶
2	複数の読みをもつ既習漢字を使って文をつくる。 書いた文章を友達と読み合う。 **学習を振り返る** 学習を振り返り、送り仮名への意識を高める。	❶❷

授業づくりのポイント

〈単元で育てたい資質・能力〉

本単元では、漢字にはいろいろな読み方をするものがあることを理解し、繰り返し声に出すことで読み慣れさせ、漢字を文の中で正しく使おうとする力を育てたい。漢字の特徴として、1つの漢字に何通りもの読み方があることが挙げられる。また、訓読みにおいて、1つの漢字に「生まれる」「生まれた」など複数の意味の和語が当てられ、いくつかの読みをする場合がある。このように幾通りもの読み方があることは、子供が漢字を習得することにおいて、つまずきの元になることがある。そこで、声に出して読ませる活動を多く取り入れ、読み慣れることで定着を図っていくことが重要である。

また、本単元では漢字を正しく読むことに関わって、送り仮名についても学習する。「上げる」と「上る」のような違いも、声に出して読ませることで、定着を図るとよい。具体例を通して送り仮名を正しく用いることで漢字を正しく読めることが分かると、送り仮名を正しく書く必要性にも気付かせることができる。

[具体例]
○例えば、既習の漢字「九」と「日」についての読み方を確認する。様々な読み方があることに気付かせ、これまでにも複数の読みがある漢字を学んできたことを想起させる。始めから完璧を求めず、繰り返し声に出すことで読み慣れさせ、少しずつ読み分けられるようになっていくことを賞賛する。

〈教材・題材の特徴〉

同一漢字の音と訓、複数の読み分け、同一文字の訓の送り仮名に気を付けた読み分けで構成されている。いずれも、バリエーションを工夫して何度も読む活動を取り入れる。何度も読む中で、読み方が変わっても、その漢字の基本的な意味は同じであることに気付く子供もいるだろう。訓を基にすれば、ある程度その漢字の意味が分かるという理解は、これからの漢字学習で熟語の意味を考えることにつながる。子供から出た気付きを大いに賞賛し、言葉を理解する上で大切なことだと価値付けたい。また、送り仮名に気を付けた読み分けについても、何度も読んだり書いたりすることで複数の読み方があることに慣れ、読み方によって正しく送り仮名を書けるように指導したい。

[具体例]
○「上」という漢字には「じょう」「うえ」「うわ」「かみ」「あ（げる）」「あ（がる）」「のぼ（る）」などの読み方がある。漢字そのものの読み方だけではなく、例文の中で読む活動を行うと効果的である。文を繰り返し読むことで、「上」という漢字には「うえ」「うわ」「あ（げる）」「あ（がる）」のように細かな読みの違いがあることにも気付かせる。
○「川上」「下山」「川下」などの言葉は、子供の実態に応じて、言葉の意味についても指導する。聞いただけでは意味の分からない言葉も、漢字１字１字を見てみると２年生なりに意味が分かるものもあることに気付かせたい。

〈子供の学習経験をふまえた指導〉

新出漢字と読み替え漢字の指導から、１つの漢字に様々な読み方があることは経験してきている。そして、この単元で初めて意識的に複数の読みを扱う。これまで学習した漢字の読みについて振り返り、再度読み方を意識させる機会としたい。１年下巻「日づけとよう日」等の単元で学習したことを振り返らせながら指導する。

〈ICT の効果的な活用〉

共有：ICT 端末のカメラ機能を活用し、子供がノートに書いた例文を教室の電子黒板で映す。その場で学級全体に例文を共有することができ、互いに書いた文章を読むことができる。また、大きな画面に自分のノートを映すことで、文字を正しく丁寧に書く意欲を高めることにもつながる。

本時案

かん字の読み方

本時の目標

・漢字にはいろいろな読み方をするものがあることを理解し、文の中で正しく使うことができる。

本時の主な評価

❶第２学年までに配当されている漢字を読み、文や文章の中で使っている。【知・技】
❷進んで第２学年までに配当されている漢字を使い、学習課題に沿って漢字の異なる読み方に気を付けて読もうとしている。【態度】

資料等の準備

・教科書 p.31の例文の短冊 03-01
・もんだいを出すときの話し方 03-02
・教科書 p.32の拡大

・おいしい水（みず）をのみました。

4
○書いた文をつかってもんだいを出しあおう。

もんだいを出すときの話し方
●…もんだいを出す人　○…こたえる人
●この二つの文を読んでください。
（みんなで二つの文を読む）
●いろいろな読み方があるかん字はどれですか。
○「水」です。「すい」と読むときと「みず」と読むときがあります。
●正かいです。もういちどみんなで読みましょう。
（みんなでもういちど読む）

授業の流れ ▷▷▷

1 複数の読み方がある漢字を知り学習の見通しをもつ 〈15分〉

T　教科書31ページの例文を声に出して読みましょう。気付いたことはありますか。
・「九」と「日」が何度も出てきます。
・同じ漢字でも読み方がいろいろあります。
T　漢字の読み方はかせになって友達と問題を出し合いましょう。
○学習課題を板書する。
T　「九」の字を使って書かれた言葉を例文から探してノートに書きましょう。（「日」も同様）
他にも考えて書き足しましょう。
○同じ漢字でも言葉によって違う読み方になることを押さえる。

2 送り仮名について理解する 〈30分〉

T　「上」と「下」にはたくさんの読み方があります。読んでみましょう。
○教科書の拡大したものを貼る。
○教科書の例文を１人で音読させたあと、全員で音読しながら確認する。
○子供にとって分かりにくい言葉(「下山」や「川下」など)は言葉の意味についても指導する。
T　漢字の下に続くひらがなを「送り仮名」と言います。先生の書いた文は合っていますか。
○「古い本をつみ上る」「頭を下る」など誤った送り仮名を使った文を提示し、正しく読むためには送り仮名を正しく使うことが大切だということに気付かせる。
T　教科書32ページの漢字の読み方を確かめましょう。（音読しながら答えを確かめる。）

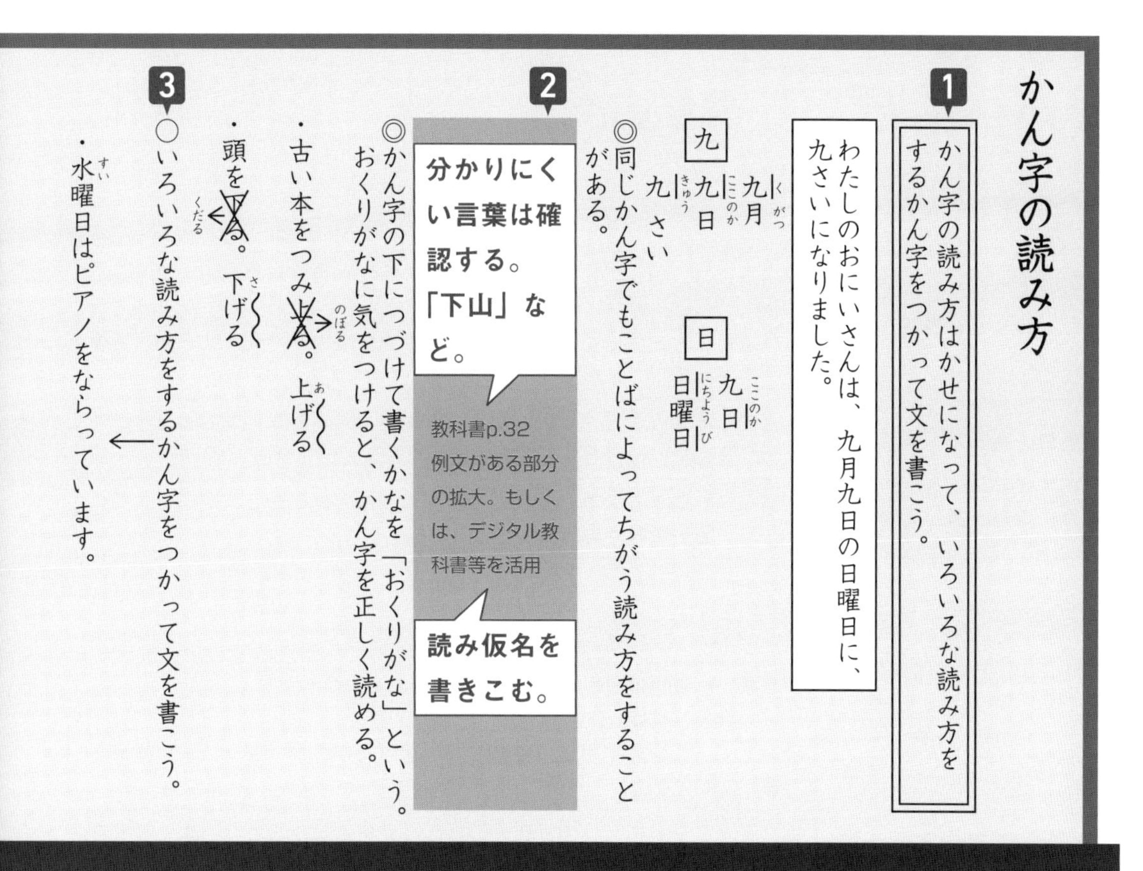

3 いろいろな読み方をもつ漢字を使って文を書く 〈20分〉

T　いろいろな読み方をもつ漢字を使って文を書きましょう。

○短冊を1人2枚用意する。それぞれに文を書くが、同じ漢字を使うこと、読み方が違う文にすることを確認する。
例「水曜日はピアノをならっています。」
　「おいしい水をのみました。」

○巻末「これまでにならったかん字」を参考に、いろいろな読み方をする漢字を選んで問題を作る。分からない漢字を調べたり、他の読み方はないか探したりしながら、習った漢字を積極的に使えるようにする。

T　2つの文の読み方を問題にします。

4 グループや全体で文を読んで問題を出し合う 〈25分〉

T　書いた文を使ってグループの友達と問題を出し合いましょう。

○話型を示し、2つの文の読み方を問題に出す。まずはペアで問題を出し合う。回答する際は必ず文全体を音読する。ペアでの活動が終わったら、3〜4人グループ→全体とだんだんと人数を増やす。正解したときはグループ全員でもう一度その文を音読する。

T　最後に、自分がカードに書いた文をもう一度ノートに丁寧に書きましょう。友達の考えた文を書いてもよいです。

○いろいろな読み方をする漢字を読む学習をしたことを振り返り、これからも読み方に気を付けて読もうとする意識をもたせる。

きせつのことば３

秋がいっぱい　（２時間扱い）

単元の目標

知識及び技能	・言葉には、事物の内容を表す働きがあることに気付くことができる。((1)ア) ・身近なことを表す語句の量を増し、話や文章の中で使うことで、語彙を豊かにすることができる。((1)オ)
思考力、判断力、表現力等	・経験したことなどから書くことを見つけ、必要な事柄を集めたり確かめたりして、伝えたいことを明確にすることができる。(B ア)
学びに向かう力、人間性等	・言葉がもつよさを感じるとともに、楽しんで読書をし、国語を大切にして、思いや考えを伝え合おうとする。

評価規準

知識・技能	❶言葉には事物の内容を表す働きがあることに気付いている。(〔知識及び技能〕(1)ア) ❷身近なことを表す語句の量を増し、話や文章の中で使うことで語彙を豊かにしている。(〔知識及び技能〕(1)オ)
思考・判断・表現	❸「書くこと」において、経験したことや想像したことから書くことを見つけている。(〔思考力、判断力、表現力等〕B ア)
主体的に学習に取り組む態度	❹積極的に言葉の働きに気付き、学習課題に沿って経験を文章に表そうとしている。

単元の流れ

時	主な学習活動	評価
1	学習の見通しをもつ 学習課題を設定する。 秋を感じることばをあつめよう。 挿絵を手掛かりに、秋に関わる言葉から想像したり、自分たちで秋の言葉を探したりする。 詩を音読する。	❶❷
2	秋の訪れを感じるのはどんなときか話し合い、秋についてのイメージを広げる。 秋を感じたときの経験を文章に書く。	❸❹
	学習を振り返る 書いたものを読み合い、感想を交流し、学習を振り返る。	

授業づくりのポイント

〈単元で育てたい資質・能力〉

本単元では、秋を感じる言葉と経験とを結び付けて、文に書く力を身に付けさせたい。季節感あふれる日本の美しい言語に多く触れさせ、語彙を広げていく。

［具体例］

○それぞれの言葉や詩を声に出して読み、その言葉から感じたり、思い出したりすることを十分に話し合わせる。子供によっては、聞いたことがあっても事物と言葉とが結び付いていなかったり、言葉そのものを知らなかったりするので、写真や動画で補う。

○どんぐりやすすきなど、実物を教室に置いておき、子供が季節に意識を向ける環境づくりも効果的である。

○示されている言葉について、知っているものはあるか、それはいつごろ、どこで見たことがあるかなどを交流させたい。「やま」という詩には「あかい　きいろい　もみじきて」という言葉があるが、子供によってはそれを「紅葉っていうんだよ。」「イチョウも色が変わるよ。」などと、知識や経験と結び付けるだろう。他の子供も、1人の子供が発言したことから、「私もイチョウの木の下に落ちていた銀杏を拾ったことがあるよ。」「銀杏って食べられるの？」と、自分の経験を思い出す。言葉と経験とを結び付けながら、秋についてじっくり話し合わせたい。

〈他教材との関連〉

本単元は「季節の言葉」として第2学年から第6学年まで系統設定されている単元の1つである。同じ季節でも学年にふさわしいテーマ（3年…くらし、4年…行事、5年…風景、6年…二十四節気）を設定し、螺旋的に繰り返していくことで指導の充実をねらっている。

また3年生で学習する「俳句」で取り扱う、季語を学ぶことにもつながる単元である。日本には季節を表す言葉がたくさんある。「秋」と言わずとも「秋」をイメージできる言葉がたくさんあることに気付かせ、今後の学習につながるよう指導したい。

［具体例］

○音楽科や生活科の学習とも関連付けて学習することができる。童謡「まっかだな」や「虫のこえ」、「ちいさい秋みつけた」「赤とんぼ」などは、子供にとっても馴染みのある歌である。また、生活科の学習では、身の回りから秋を見つけに行く単元が設定されている。どんぐりや落ち葉拾い、さつまいも掘りなど、生活科と関連付けて学習することで、季節と体験とが結び付き、秋の言葉の理解がより深まるであろう。

〈ICT の効果的な活用〉

記録：端末のカメラ機能や、録画機能を用いて、生活の中で見つけた秋の様子を撮りためておく。

共有：写真や動画で撮りためた秋の様子をホワイトボードアプリで共有する。友達の写真や動画を見ることで、共通点を探したり、新しい言葉に気付いたりすることができる。

本時案

秋がいっぱい

1/2

本時の目標

・身近なものや経験の中から秋を感じる言葉を探すことができる。

本時の主な評価

❶言葉には事物の内容を表す働きがあることに気付いている。【知・技】

❷経験を思い出したり、友達と交流したりしながら、秋を感じる言葉を探して、ノートに書いている。【知・技】

資料等の準備

・詩や歌の拡大掲示（デジタル教科書や書画カメラで拡大してもよい）
・秋に関わる動植物の写真や実物
・教科書 p.34、35に例示されている言葉の短冊（掲示用）04-01
・言葉集めカード 04-02

4

○ほかのなかまもあるかな。

・たべもの
・ぎょうじ
・くだもの
・虫

○グループでなかまのことばをあつめよう。

授業の流れ ▷▷▷

1 秋の情景をイメージしながら、詩を音読する 〈10分〉

T　今日は秋を感じる言葉をたくさん集めましょう。まず、「やま」という詩を声に出して読んでみましょう。気が付いたことはありますか。

・「あかい　きいろい　もみじきて」って山が人みたいだね。

・葉の色が変わることを紅葉って言うんだよ。

○詩の情景をイメージしながら音読させる。
1人で、2人で、グループで、一斉に、交代で等、読み方を変えて声に出して読むことで、秋の清々しさが伝わる詩を楽しく読ませる。

○「まっかな秋」や「もみじ」「虫のこえ」などの歌詞を音楽の教科書や歌集から読み、さらにイメージを広げることも効果的である。

2 教科書の言葉について話し合う 〈10分〉

T　教科書の34、35ページの言葉を声に出して読んでみましょう。この言葉について知っていることはありますか。

・「コスモス」は校庭の花壇に咲いていたよね。

・「こおろぎ」とか「すず虫」も、知っているよ。

・音楽で歌った「虫のこえ」の歌詞に出てきたね。虫によって鳴く声が違うんだよね。

○デジタル教科書や実物や写真を使って、一つ一つ確認しながら進める。

○示された言葉について、知識や経験を想起させる。「見た」ことだけではなく、「聞いた」ことや「食べた」ことなど、五感で季節を感じていることを価値付ける。

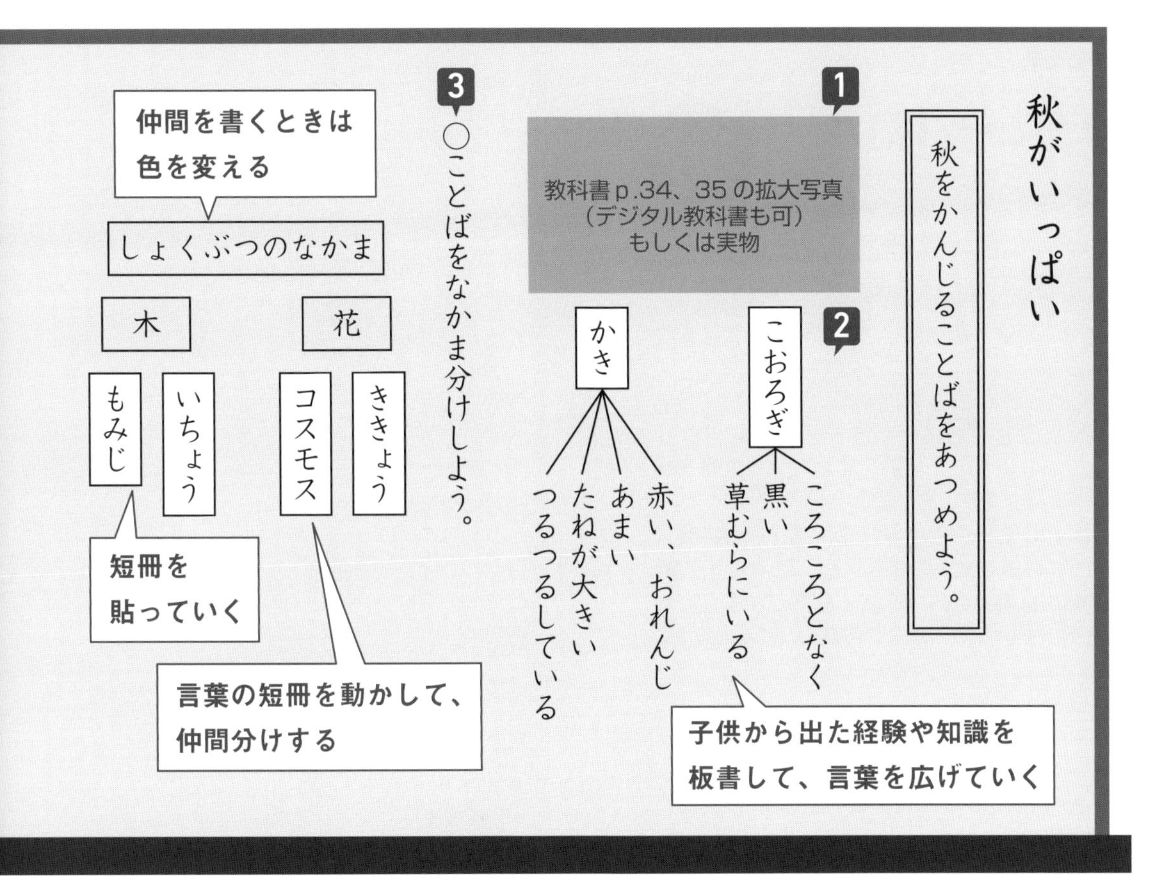

3 言葉を仲間分けする 〈5分〉

T　教科書の言葉を仲間分けしてみよう。
・「赤とんぼ」「すず虫」は、虫の仲間だよね。
・「いちょう」や「もみじ」は木の仲間です。
・「コスモス」や「ききょう」は花の仲間だね。
T　もっと大きな仲間で分けられるかな。
・どちらも「植物」の仲間だと思います。
○物の名前には上位語と下位語があることは1年下巻「ものの名まえ」の学習でも行っているので想起させる。
T　これから秋を感じる言葉集めをしますが、他にも仲間分けできそうな言葉はあるかな。
・「かき」とか「ぶどう」とかは「果物」の仲間にできそうです。

4 グループごとに仲間を決め、秋を感じる言葉集めをする 〈20分〉

T　グループ（3人程度）ごとに何の仲間の言葉を集めるか決めましょう。
T　グループごとにどんな言葉があるか、話してみよう。自分が知らない言葉もあるかもしれないから、分からないことは友達に聞きましょう。
○まずグループでどんな言葉がありそうか、話し合いをする。友達と交流し考えが広がったところで、カードを書く活動に入る。
T　それではカードを配ります。グループで決めた仲間の「秋を感じる言葉」を集めましょう。
T　グループの友達とカードを見せ合いましょう。自分のカードになかった言葉は付け足すとよいですね。

本時案

秋がいっぱい

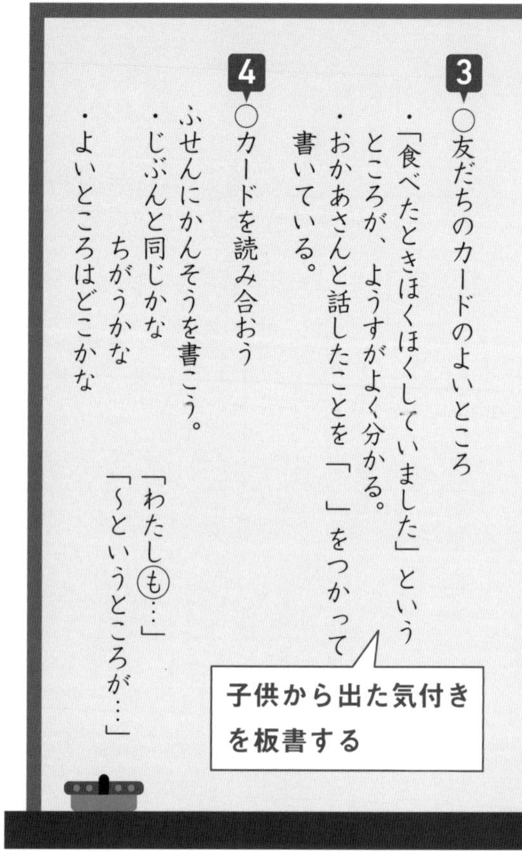

本時の目標

・身近なものの中から秋を感じる言葉を探し、自分の経験と結び付けて文章に表すことができる。

本時の主な評価

❸秋を感じるものと経験を結び付けて文章を書いている。【思・判・表】
❹積極的に言葉の使い方に気付き、学習課題に沿って経験を文章に表そうとしている。【態度】
・言葉には事物の内容を表す働きがあることに気付いている。

資料等の準備

・教科書 p.34「さんま」「どんぐり」のカードの拡大（デジタル教科書でもよい）
・前時で使用した言葉集めカード（ノートに貼っておくとよい。）
・秋の思い出カード 04-03

授業の流れ ▷▷▷

1 前時に集めた言葉を共有し、秋の思い出を想起する 〈5分〉

○本時のめあてを板書する。

T　前回の学習で仲間分けをして言葉を集めましたね。どんな言葉が集まったか見てみましょう。

○子供のカードを何枚か抽出し、電子黒板に写すなどして、紹介する。言葉の中からいくつかピックアップし、経験を話し合わせる。

・「やきいも」は、食べ物の仲間だね。保育園の芋ほり遠足で食べたよ。

・私はスーパーの焼き芋コーナーで買ったよ。秋になると焼き芋がたくさん並んでいます。

2 カードの書き方を話し合う 〈10分〉

T　みなさんにも秋の思い出がたくさんありそうですね。今日は秋の思い出をカードに書きましょう。書き方を確認します。どんなことが書いてありますか。

○モデル文を読み、書かれていることを子供に考えさせ、板書していく。

○かぎを使って、会話も書かれていることに気付かせる。

○諸感覚を使って書くとよいことに気付かせる。

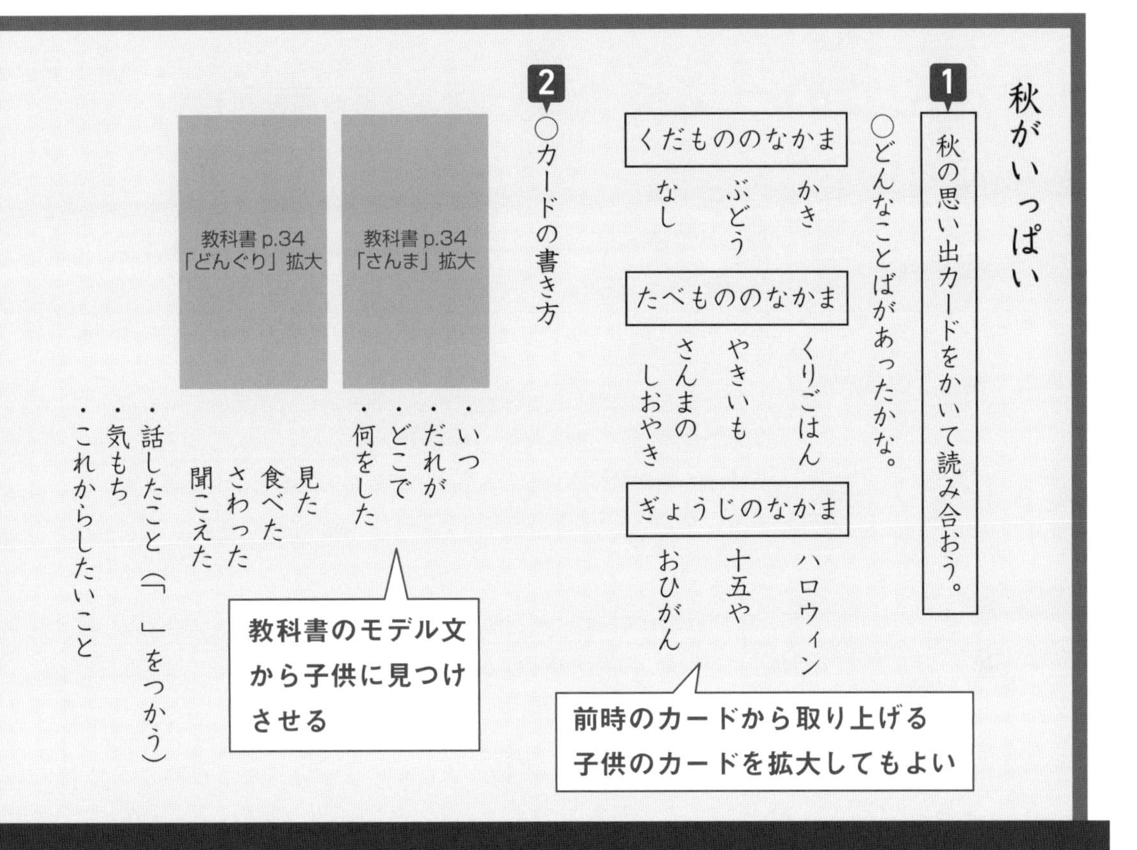

3 秋の思い出カードを書く〈20分〉

T　秋を感じる言葉を１つ選んで、秋の思い出をカードに書きましょう。

○言葉を選ぶことが難しい子供は、全体で共有した言葉の中から書けるようにする。

○五感を使って書いたり、かぎを使って書いたりしている子供の作品を活動の途中で全体に共有し、よさを見つけ、書く意欲を高められるようにする。

○自分で撮影した画像があれば、印刷してカードに貼るのもよい。

T　～さんのカードを途中だけれどみんなで読んでみましょう。よいところはどこですか。

・話したことが書かれているところです。

・「ホクホクしていました。」と書かれているところです。食べた感じが伝わります。

4 書いたカードを読み合い学習を振り返る〈10分〉

T　カードを友達と読み合いましょう。読んだら付箋紙に感想を書いて渡します。自分と同じところや、友達の文のよいところを見つけましょう。

○交流の視点を示し、自分が書いたカードを３～４人のグループで交換して読み合う。読んだら感想を付箋に書いて渡す。

○感想を書くときに「わたしも～」の書き出しで書かせると、自分の経験を交流しやすくなる。

○なるべく多くの子供のカードが読めるとよい。グループでの活動が終わったら、グループを変化させたり、学級の実態によっては自由に友達の作品を読む時間を設けたりしてもよいだろう。

みんなで話をつなげよう

そうだんにのってください （8時間扱い）

単元の目標

知識及び技能	・共通、相違、事柄の順序など情報と情報との関係について理解することができる。((2)ア)
思考力、判断力、表現力等	・互いの話に関心をもち、相手の発言を受けて話をつなぐことができる。(A オ) ・身近なことや経験したことなどから話題を決め、伝え合うために必要な事柄を選ぶことができる。(A ア)
学びに向かう力、人間性等	・言葉がもつよさを感じるとともに、楽しんで読書をし、国語を大切にして、思いや考えを伝え合おうとする。

評価規準

知識・技能	❶共通、相違、事柄の順序など情報と情報との関係について理解している。(〔知識及び技能〕(2)ア)
思考・判断・表現	❷「話すこと・聞くこと」において、互いの話に関心をもち、相手の発言を受けて話をつないでいる。(〔思考力、判断力、表現力等〕A オ) ❸「話すこと・聞くこと」において、身近なことや経験したことなどから話題を決め、伝え合うために必要な事柄を選んでいる。(〔思考力、判断力、表現力等〕A ア)
主体的に学習に取り組む態度	❹積極的に、相手の発言を受けて話をつなぎ、学習の見通しをもって話し合おうとしている。

単元の流れ

次	時	主な学習活動	評価
一	1	教師の相談にのる活動に取り組み、「私も相談してみたい」という思いとともに、教科書 p.36の「といをもとう」を基に、相談するよさや、相談事について話し合うときに気を付けてきたことについて、想起する。 **学習の見通しをもつ** 学習課題を設定し、学習計画を立てて学習の見通しをもつ。 友だちの言ったことにつなげながら、そうだんごとについて話し合おう。	
二	2	学習や学校生活のことで相談してみたいことを考え、話題を決める。	❸
	3	p.38の QR コードを読み取り、モデル動画を視聴して、話合いの仕方を確かめる。	❶
	4〜7	4人グループをつくり、順番に相談事について話合いを行う。話合い後に、よかったことを伝え合う。	❷ ❹
三	8	**学習を振り返る** 単元全体を振り返り、これからの話合いで生かしていきたいことを考える。	

授業づくりのポイント

〈単元で育てたい資質・能力〉

子供は、これまでに想像したことや道案内を話す学習を行ってきている。こうしたスピーチをする活動は、練習したりスピーチメモを作成したりするなどの手立てによって、自信をもって行うことができている。一方で、友達の発表を受けて感想を伝えたり、質問したりするなどの双方向型のやりとりには苦手意識をもつ子供も多くいる。そこで、まずは互いの話に関心をもち、話をつなぐ力を丁寧に育てていく必要があるだろう。そのためには、具体的な話合いのモデルを示し、どのような話し方や聞き方をするとよいか、子供自身が気付き、話合いのポイントとして設定できるとよい。

〈教材・題材の特徴〉

本教材は、学習や学校生活のことから友達への相談事を考えるよう示されている。全ての子供にとって共通認識のもてる身近なことや経験したことなどから話題を決めることで、子供が主体的に取り組めるようになっている。そこで、単元導入時の教師の相談事も子供にとって身近なことにすることで、「私も相談したい」という思いや「友達の相談事を聞いて、考えを伝えたい」という思いをもち、学習課題に意欲をもって取り組めるようにしたい。

〈言語活動の工夫〉

子供が主体となって、教科書 p.38のモデル動画を基に、話合いの流れや話合いのポイントを確かめたい。そのためにも、モデル動画の会話を文字化して視覚資料とすることで、誰もが学習に取り組みやすくなると考える。また、話合いの際は、４人程度のグループを偶数になるようにつくり、話し合っている様子を子供が交互に見合う方法もある。このような方法をとることで、話合いのよさについて相互に認め合ったり、自分自身の話合いの仕方を振り返ったりできるようにする。教師は、グループが交代するタイミングや話合い後に、上手に話し合っていたグループを紹介したり、再度よいモデルを示したりすることで、話をつなぐにはどのような言葉や態度が必要か助言していきたい。

[具体例]

① A グループの４人が話し合うとき、B グループの４人は A グループの周りで話合いの様子を観察する。
→ A グループの話合い後、B グループは A グループの話合いのよい点や改善点を伝える。

② A グループと B グループが交代して、B グループの話合いの様子を A グループが観察する。
→ B グループの話合い後、A グループは B グループの話合いのよい点や改善点を伝える。

〈ICT の効果的な活用〉

調査：教科書 p.38の QR コードを端末で読み取り、モデル動画を示す。モデル動画については、子供が自身の必要感に合わせて単元を通して継続して視聴できるようにする。また、モデル動画の会話を文字化した視覚資料についても端末に保存できるように提示する。

共有：各グループが話し合う際には、端末の録画機能を用いる。録画した動画は、相互によい点や改善点を伝える場面や教師の指導・助言の場面で活用する。

記録：各グループの話合いの様子を録画した動画は、共有のプラットフォームに保存する。そうすることで、保存した動画を子供自身が見返して、自分自身の話合いのよい点や課題点を振り返ることに生かしたり、教師が子供の成長の見取りとして活用したりすることができる。

本時案

そうだんにのってください

本時の目標

・これまでの話合いを振り返り、学習課題を設定して、学習の見通しをもとうとする。

本時の主な評価

・自分自身のこれまでの話合いを振り返り、学習課題に対して学習の見通しをもとうとしている。

資料等の準備

・子供にとって身近な内容となる教師の相談事
・教科書の挿絵の拡大画像

ことを考える。
⑤話し合っているようすをろく画して、上手に話し合えたかたしかめる。
③どうしたら話をつなげながら話し合えるか、考える。
②お手本の話合いのどう画を見る。

授業の流れ ▷▷▷

1 教師の相談事を聞く 〈10分〉

○子供にとって身近な話題を選び、教師が子供に相談する。

T　みなさんに相談したいことがあります。今度、隣のクラスの○○先生のお誕生日をお祝いしたいのですが、どのようなことをしたらよいか迷っています。私は、お手紙を書こうかと思っているのですが、みなさんは何かよい考えがありますか。

・○○先生は、緑色が好きだから、緑色の紙に手紙を書くといいと思います。

・私は、隣のクラスのみんなで歌を歌うのもいいと思いました。

T　みなさん、相談にのってくれてどうもありがとうございます。アイデアがたくさん広がりました。

2 これまでの話合いを振り返り、課題を設定する 〈15分〉

○相談するよさや、相談事について話し合うときに気を付けてきたことを出し合う。

T　友達と相談して、よかったことはありますか。

・自分では思いつかなかった考えを教えてもらえます。

・一緒に考えてくれて、うれしい気持ちになります。

T　相談事について話し合うときに、気を付けていることはありますか。

・いやな気持ちにならないように、言葉遣いに気を付けています。

・相手の話を最後まで聞いてから、自分の話をするようにしています。

○学習課題を板書する。

2 そうだんをするよさ

・自分では思いつかなかった考えを教えてもらえる。
・いっしょに考えてくれて、うれしい気もちになる。

そうだんごとについて話し合うときに、気をつけていること

・いやな気もちにならないように、ことばづかいに気をつけている。
・あい手の話をさい後まで聞いてから、自分の話をするようにしている。

友だちの言ったことにつなげながら、そうだんごとについて話し合おう。

3 そうだんにのってください

○学しゅう計かく
④グループをつくって、みんなでそうだんし合う。
①友だちにそうだんしたい

教科書p.36
挿絵

3 学習計画を立てて、学習の見通しをもつ 〈20分〉

○教科書 p.36を参考にしながら、学習計画を立てて、学習の見通しをもつ。

T　みなさんで、話をつなげながら相談事について話し合うための計画を立てましょう。

・グループをつくって、みんなで相談し合いたいです。
・友達に相談したいことを考えたいです。
・話し合っている様子を録画して、上手に話し合えたか確かめたいです。
・どうしたら話をつなげながら話し合えるか、考えたいです。
・お手本の話合いの動画を見たいです。

○子供から出た意見を板書しながら、学習活動の順を整理する。

○本時の学習を振り返る。

よりよい授業へのステップアップ

子供自身の気付きと言葉を大切にする

子供たちが「相手の発言を受けて話をつなげながら相談にのること」について、自分事として捉えることが大切である。そのためには、これまでの自分自身の話し合い方に対して課題意識をもつことが必要であると考える。

そこで、本時では、学習課題を教師から一方的に示すのではなく、教師の相談にのる活動を通して、話し合い方を振り返る必然性をもてるようにしている。

子供自身の気付きや言葉を大切にした学習を、子供たち自身が計画し、展開していきたい。

本時案

そうだんにのってください

本時の目標

・学習や学校生活のことなどから相談したいことを集め、話し合うために必要な相談事を選ぶことができる。

本時の主な評価

❸学習や学校生活のことなどから相談したいことを集め、話し合うために必要な相談事を選んでいる。【思・判・表】

資料等の準備

・これまでの学習や学校生活を想起できる写真や作品
・教科書の挿絵の拡大画像
・「相談したいこと」ワークシート 05-01

4
☆ふりかえり
・いくつかある中から、一つにきめる
ことができた。
・そうだんしたいことをたくさん考えて
いてすごいと思った。

授業の流れ ▷▷▷

1 本時のめあてを確かめる 〈10分〉

○前時で立てた学習計画を基に、本時のめあてを板書して、確かめる。

T 前回の学習計画を見てください。今日は、話題を決めましょう。

○教科書 p.37の「わだい」や「わだいを考えるときは」を読み、学習活動への見通しをもつ。

T 教科書 p.37を読みましょう。

T これまでの学習や学校生活について、写真を見て振り返ってみましょう。

ICT 端末の活用ポイント

共有のプラットフォームのチャット上などに写真を保存すると、全体で振り返るだけでなく、この後の活動で個々に振り返ることもできる。

2 相談したいことについて考える 〈20分〉

T それでは、個々に友達に相談したいことを考えましょう。まずは、1つに決めずに、ノートにたくさん書いてみましょう。

(十分時間を確保した後)

○ノートや付箋紙、ワークシート、ホワイトボードアプリなどに記述することで、相談したいことを複数想起できるようにする。

T では、友達はどのようなことを相談したいと思っているのか、聞き合いましょう。

・町探検でパン屋に行ったときに、何を聞いたらよいか迷っています。
・読書の時間に、なかなか読む本を決められないから、選び方を聞きたいです。
・宿題を毎日忘れずにやるにはどうしたらよいか聞いてみたいです。

友だちの言ったことにつなげながら、そうだんごとについて話し合おう。

そうだんにのってください

1 友だちにそうだんしたいことを考え、わだいをきめよう。

教科書p.37 挿絵

2 ○そうだんしたいこと（れい）

町たんけんでパンやに行ったときに、何をきいたらいいか。

読書の時間の本をきめられない。本のえらび方をききたい。

しゅくだいを毎日わすれずにやるにはどうしたらいいか。

3 相談したいことを1つに決める〈10分〉

T　では、友達に相談したいことを決めて、話題をはっきりさせましょう。

・私は、読書の時間になかなか読む本を決められないから、友達はどうやって読む本を決めているのか聞いてみたいです。

・私は、よく忘れ物をしてしまうので、友達は忘れ物をしないようにどんなことに気を付けているか聞いてみたいです。

ICT 端末の活用ポイント

ノートや付箋紙やワークシートだけでなく、ホワイトボードアプリや文書作成などのソフトを使って話題を記述する方法も選択肢として提示することで、子供が意欲的に活動に取り組めるようにしたい。

4 本時の学習を振り返る〈5分〉

T　今日のめあてに対する振り返りをします。友達に相談したいことを考え、話題を決めることはできましたか。また、友達のよい姿はありましたか。

・いくつかある中から、1つに決めることができました。

・友達は、相談したいことをたくさん考えていてすごいと思いました。

○話題をたくさん集めたり、1つに決めたりできたことを認め、次時への意欲につなげる。

本時案

そうだんにのってください

本時の目標

・相談事に対して、共通点や相違点を見つけながら話し合っていることを理解できる。

本時の主な評価

❶相談事に対して、共通点や相違点を見つけながら話し合っていることを理解している。【知・技】

資料等の準備

・教科書 QR コードの話合い動画の文字化資料 05-03

☆ふりかえり
・友だちのい見と同じだったときは、「わたしも〜」という言ばをつかって、話をつなげたい。
・え顔でうなずきながら、友だちの話を聞きたい。
・理ゆうをつけて話したい。

授業の流れ ▷▷▷

1 本時のめあてを確かめる 〈5分〉

○第1時に立てた学習計画を基に、本時のめあてを板書して、確かめる。

T 学習計画を見てください。今日は、モデル動画を見て、どうしたら話をつなげながら話し合えるか考えましょう。

T どんなことに気を付けたらよいと思いますか。

・話を最後まで聞いてから、意見を言うとよいと思います。

・相槌を打ちながら聞くと、話をつなげやすいと思います。

2 モデル動画を見て話し合い方のよさを見つける 〈15分〉

T それでは、全員でモデル動画を見ましょう。

○初めは大きな画面を用いて学級全体でモデル動画を視聴する。

T どうでしたか。上手な話し合い方を見つけましたか。モデル動画の会話を文字に起こしたものを配ります。見つけた話し合い方のよさを書き込みましょう。

○モデル動画の文字化資料を配布する。

ICT 端末の活用ポイント

教科書 p.38にある QR コードを読み取り、個々にモデル動画を視聴できるようにする。また、文字化資料についても会議のチャット上にあげるなどして、いつでも見られるようにする。

友だちの言ったことにつなげながら、そうだんごとについて話し合おう。

そうだんにのってください

モデルどう画を見て、どうしたら話をつなげながら話し合えるか考えよう。

教科書p.38
モデル動画
文字化資料

理ゆうを言っていてくわしく分かる。

「それはいいですね。」とあい手の考えにこたえている。

目を見て、うなずきながら聞いている。

え顔で話して明るいふんい気になっている。

3 見つけたよさについて、発表し合う 〈20分〉

T　では、見つけた話合い方のよさを発表し合いましょう。

○拡大した文字化資料に子供の発言を書き込み、次時以降も振り返ることができるようにする。

・笑顔で話していて明るい雰囲気になっていました。

・目を見て、うなずきながら聞いているところがよいと思いました。

・理由を言っていて詳しく分かりました。

・「それはいいですね。」と相手の考えに応えているところがいいと思いました。

T　教科書38、39ページを読み、話し合い方のよさや話をつなげるときの言葉を確かめましょう。

4 本時の学習を振り返る 〈5分〉

T　今日のめあてに対する振り返りをします。話をつなげながら話し合う方法について考えることができましたか。また、友達のよい姿はありましたか。

・私は、友達の意見と同じだったときは、「私も～」という言葉を使って、話をつなげたいと思いました。

・私は、笑顔でうなずきながら、友達の話を聞きたいと思いました。なぜかと言うと、話しやすくなるからです。

・友達は、理由を言っていることに気付いていてすごいと思いました。私も理由を付けて話したいです。

○自分の話し合い方に生かそうとしていることを認め、次時への意欲につなげる。

本時案

そうだんにのってください

本時の目標

・互いの相談事に関心をもち、相手の発言を受けて話をつなぐことができる。
・言葉がもつよさを感じるとともに、国語を大切にして、思いや考えを伝え合おうとする。

本時の主な評価

❷互いの相談事に関心をもち、相手の発言を受けて話をつないでいる。【思・判・表】
❹積極的に、相手の発言を受けて話をつなぎ、学習の見通しをもって話し合おうとしている。【態度】

資料等の準備

・教科書 QR コードの話合い動画の文字化資料
⏬ 05-03

話合い後半

③Aグループと Bグループを入れかえて話し合う。
※それぞれそうだんする人は、一人。

☆ふりかえり

4
・い見が同じだったときに、「わたしも〜」ということばをつかって、話をつなげていた。
・自分の理ゆうをしっかりとつたえていた。
・うなずきながら聞くことができた。つぎは、え顔で聞きたい。

授業の流れ ▷▷▷

1 本時のめあてを確かめ見通しをもつ 〈５分〉

○第１時に立てた学習計画を基に、本時のめあてを板書して、確かめる。
T　学習計画を見てください。今日は、グループをつくって、みんなで相談し合う日ですね。
T　前回見つけた、上手な話し合い方を確かめましょう。
○モデル動画を見ながら文字化資料に書き込んだ話し合い方のよさを振り返る。

2 話合いの流れを確かめ、１回目前半の話合いを行う 〈15分〉

T　まずは、話合いの流れについて確かめましょう。
T　４人グループをつくり、グループ同士で話合いの様子を見合います。
T　前半の A グループが話し合うとき、後半の B グループは A グループの周りで話合いの様子を見たり、聞いたりします。
T　話合いが終わったら、B グループの人たちが、A グループの話合いのよい点やもっとこうしたらよいと思う点を伝えます。
T　これを前半、後半で入れ替えます。
T　相談する人は各グループ１人です。
T　それでは、まずは前半グループの話合いをします。
○文字化資料の書き込みを視点に伝え合う。

そうだんにのってください

友だちの言ったことにつなげながら、そうだんごとについて話し合おう。

グループをつくって、みんなでそうだんし合う。

1

〈話し合うとき〉
○考えと、理ゆうを言う。
○あい手の考えにこたえる。
○くわしく知りたいことを、しつもんする。

〈よりよく話し合う〉
○目を見て聞く。
○目を見て話す。
○うなずきながら聞く。
○え顔で話し合う。

2

〈話合いのながれ〉
話合い前半
①Aグループが話し合うとき、Bグループはまわりで聞く。
②Aグループの話合い後、BグループはAグループの話合いのよい点や、もっとこうしたらよいと思う点をつたえる。

3 前半のよい点を共有し、1回目後半の話合いを行う 〈20分〉

T　では、見つけた話合い方のよさを発表し合いましょう。
○録画した動画も用いながら、子供の話し合い方のよさを認める。
T　それでは、グループを入れ替えて後半グループの話合いをします。
T　話合いを終えたグループは、よい点やもっとこうしたらよいと思う点を伝え合いましょう。
○文字化資料の書き込みを視点に伝え合う。

4 本時の学習を振り返る 〈5分〉

T　今日のめあてに対する振り返りをします。友達のよい姿はありましたか。また、話をつなげながら話し合うことができましたか。
・友達は、意見が同じだったときに、「私も～」という言葉を使って、話をつなげていました。
・友達は、同じ意見を言うときにも、自分の理由をしっかりと伝えていていいと思いました。
・私は、うなずきながら友達の話を聞くことはできたけど、笑顔で聞くことができなかったので、次は、笑顔に気を付けたいです。
○文字化資料に書き込まれた視点も生かしながら、振り返ることができるようにする。

本時案

そうだんにのってください

本時の目標

・互いの相談事に関心をもち、相手の発言を受けて話をつなぐことができる。
・言葉がもつよさを感じるとともに、国語を大切にして、思いや考えを伝え合おうとする。

本時の主な評価

❷互いの相談事に関心をもち、相手の発言を受けて話をつないでいる。【思・判・表】
❹積極的に、相手の発言を受けて話をつなぎ、学習の見通しをもって話し合おうとしている。【態度】

資料等の準備

・教科書 QR コードの話合い動画の文字化資料 05-03

そのために
○見たり聞いたりしたことを思い出して伝える。
◎一人一台たんまつでろくがしたどう画を、見かえしながら伝える。

4
☆ふりかえり
・「その考えはいいね。」と言って、自分の考えを伝えていた。
・え顔で聞くことに気をつけることができた。
・自分の考えを伝えながらしつもんしていた。

授業の流れ ▷▷▷

1 本時のめあてを確かめる 〈5分〉

○第1時に立てた学習計画を基に、本時のめあてを板書して、確かめる。
T 学習計画を見てください。今日も、グループをつくって、みんなで相談し合う日ですね。
T 前回までに見つけた、上手な話し合い方を確かめましょう。
○モデル動画を見ながら文字化資料に書き込んだ話し合い方のよさを振り返る。

ICT 端末の活用ポイント

上手な話し合い方を書き込んだ文字化資料を共有のプラットフォームのチャット上に上げるなどして、いつでも見られるようにする。

2 話合いの流れを確かめ、2回目前半の話合いを行う 〈15分〉

T 前回と同じ流れで、話合いを行います。
T それでは、まずは前半グループの話合いをします。
T 話合いを終えたグループは、よい点やもっとこうしたらよいと思う点を伝え合いましょう。
T 1人1台端末で録画した話合いの様子を見返しながら、伝えましょう。
○文字化資料の書き込みを視点に伝え合う。

ICT 端末の活用ポイント

話合いの様子を相談者の端末で録画し、振り返りに用いることができるようにする。録画した動画は、会議に保存すると共有できる。

そうだんにのってください

友だちの言ったことにつなげながら、
そうだんごとについて話し合おう。

グループをつくって、みんなでそうだんし合う。

1

〈話し合うとき〉
○考えと、理ゆうを言う。
○あい手の考えにこたえる。
○くわしく知りたいことを、しつもんする。

〈よりよく話し合う〉
○目を見て聞く。
○目を見て話す。
○うなずきながら聞く。
○え顔で話し合う。

3

〈あい手のグループのよさを伝えるとき〉
・できるだけくわしく伝える。
れい
「○○のときの～と言ったことばがよかったよ。」
「○○の考えに、～とつけたしたのがよかったよ。」
「もっと～したら、話がつながると思ったよ。」

3 前半のよい点を共有し、2回目後半の話合いを行う 〈20分〉

T　では、見つけた話し合い方のよさを発表し合いましょう。

○録画した動画も用いながら、子供の話し合い方のよさを認める。

T　それでは、後半グループの話合いをします。

T　話合いを終えたグループは、よい点やもっとこうしたらよいと思う点を伝え合いましょう。

○文字化資料の書き込みを視点に伝え合う。

4 本時の学習を振り返る 〈5分〉

T　今日のめあてに対する振り返りをします。話をつなげながら話し合うことができましたか。また、友達のよい姿はありましたか。

・この動画を見てください。友達は、「その考えはいいね。」と言って、自分の考えを伝えていました。

・私は、この動画の○○さんのように、笑顔で聞くことに気を付けました。

・友達は、質問をするときに自分の考えを伝えながら質問していました。

○文字化資料に書き込まれた視点も生かしながら、振り返ることができるようにする。

本時案

そうだんにのってください

本時の目標

・互いの相談事に関心をもち、相手の発言を受けて話をつなぐことができる。
・言葉がもつよさを感じるとともに、国語を大切にして、思いや考えを伝え合おうとする。

本時の主な評価

❷互いの相談事に関心をもち、相手の発言を受けて話をつないでいる。【思・判・表】
❹積極的に、相手の発言を受けて話をつなぎ、学習の見通しをもって話し合おうとしている。【態度】

資料等の準備

・教科書 QR コードの話合い動画の文字化資料 ⬇ 05-03

・できるだけくわしくつたえる。
◎一人一台たんまつでろく画したどう画を、見かえしながら伝える。

☆ふりかえり

3
・自分のやったことがあることを伝えていた。
・「うんうん。」とことばにしながら聞いていた。
・え顔で聞くことができなかった。
・そうだんしてよかった。
・え顔で目を見て聞いてくれて、うれしかった。

授業の流れ ▷▷▷

1 本時のめあてを確かめる 〈10分〉

○第 1 時に立てた学習計画を基に、本時のめあてを板書して、確かめる。
T 学習計画を見てください。今日も、グループをつくって、みんなで相談し合う日ですね。
T 前回までに見つけた、上手な話し合い方を確かめましょう。
○モデル動画を見ながら文字化資料に書き込んだ話し合い方のよさを振り返る。

2 話合いの流れを確かめ、話合いを行う 〈65分〉

T 前回と同じ流れで、話合いを行います。
○ 4 人グループをつくり、グループ同士で話合いの様子を見合うこと、相談する人は各グループ 1 人であることを確かめる。
T それでは、まずは前半グループの話合いをします。
T 話合いを終えたグループは、よい点やもっとこうしたらよいと思う点を伝え合いましょう。
T 見つけた話し合い方のよさを発表し合いましょう。
T それでは、後半グループの話合いをします。
○文字化資料の書き込みを視点に伝え合う。
○ 1 人 1 台端末も活用する。

そうだんにのってください

友だちの言ったことにつなげながら、そうだんごとについて話し合おう。

グループをつくって、みんなでそうだんし合う。

1

〈話し合うとき〉
○考えと、理ゆうを言う。
○あい手の考えにこたえる。
○くわしく知りたいことを、しつもんする。

〈よりよく話し合う〉
○目を見て聞く。
○目を見て話す。
○うなずきながら聞く。
○え顔で話し合う。

2

〈話合いのながれ〉
前半と後半
①Aグループ話合い。Bグループはまわりで聞く。
②BグループはAグループの話合いのよい点や、もっとこうしたらよいと思う点をつたえる。
③AグループとBグループを入れかえて話し合う。

〈あい手のグループのよさをつたえるとき〉

3 本時の学習を振り返る 〈15分〉

T　今日のめあてに対する振り返りをします。話をつなげながら話し合うことができましたか。また、友達のよい姿はありましたか。

・友達は、考えを言うときに、自分がやったことをおすすめしていたので、よかったと思いました。
・友達は、うなずくだけではなくて、「うんうん。」と言葉にしながら聞いていて、すてきだなと思いました。
・相談したことの答えが見つかってよかったです。
・笑顔で目を見て聞いてくれてうれしかったです。

○文字化資料に書き込まれた視点も生かしながら、振り返ることができるようにする。

【子供の話合い例】

A　今日は、私の相談にのってください。私は、読書の時間に読む本をなかなか決められません。みんなはどうやって決めていますか。

B　私は、虫が好きだから、虫の図鑑や虫が出てくる絵本をよく選んでいます。だから、Aさんも、好きなことに関係のある本を選ぶのはどうですか。

C　うんうん。いい考えだと思います。好きなことだと楽しく読めますよね。私は料理が好きだから、この間料理の本を読みました。Aさんは、どんなことが好きですか。

A　私は、犬が好きです。1匹飼っています。

D　それなら、犬が出てくる本を選ぶといいと思います。この間、学校図書館に行ったら、犬が出てくる絵本を見つけました。今度一緒に見に行きませんか。

～続く～

本時案

そうだんにのってください

8/8

本時の目標

・言葉がもつよさを感じるとともに、国語を大切にして、思いや考えを伝え合おうとする。

本時の主な評価

・単元を振り返り、これからの話し合いで生かしていきたいことを考えようとしている。

資料等の準備

・教科書 QR コードの話合い動画の文字化資料 05-03

・友だちが言ってくれたことについて、しつもんをすることができた。
・友だちは、いつもえ顔で聞いたり、話したりしていて、とても話しやすかった。
・友だちが、「そうだね。」とか「うんうん。」とかあいづちをうってくれて、うれしかった。

授業の流れ ▷▷▷

1 本時のめあてを確かめ見通しをもつ 〈5分〉

T　今日は、この学習の最後の時間です。これまでの学習を振り返り、話合いで生かしていきたいことをまとめましょう。

○本時のめあてを板書する。

ICT 端末の活用ポイント

共有のプラットフォームに保存してある自身の動画や友達の動画を見て、話し合い方のよさや、積み重ねてできるようになったことなどを振り返る。

2 話し合ってよかったことを考える 〈10分〉

T　友達と話し合ってよかったと思ったのは、どんなことがありますか。また、友達の話し方のよいところはありましたか。まずは、1人で振り返ってみましょう。

・理由を言ってくわしく書いている。
・「それはいいですね」と相手の考えにこたえている。
・目を見て、うなずきながら聞いている。
・笑顔で話して明るいふんい気になっている。

○録画した動画を見たり、上手な話し合い方を追記していった文字化資料を見たりして、自己の成長や友達のよさを振り返ることができるようにする。

そうだんにのってください

1
これまでのがくしゅうをふりかえり、話合いで生かしていきたいことをまとめよう。

2
教科書p.38
モデル動画
文字化資料

理ゆうを言っていてくわしく分かる。

「それはいいですね」とあい手の考えにこたえている。

目を見て、うなずきながら聞いている。

え顔で話して明るいふんい気になっている。

3
○見つけたよさ
・はじめは友だちの考えにい見を言うことができなかったけど、だんだんと同じい見でも伝えることができるようになった。

3 同じグループの友達に見つけたよさを伝える 〈20分〉

T　では、見つけた話し合い方のよさを発表し合いましょう。
○グループでそれぞれが見つけたよさを伝え合う。
・私は、始めは友達の考えに意見を言うことができなかったけど、だんだんと同じ意見でも伝えることができるようになりました。
・私は、友達が言ってくれたことについて、質問をすることができました。
T　どのような意見が出ましたか。全体の前で発表してください。
○話合いを重ねることで成長できた点やその気付きについて認める。
T　では、教科書40ページの「たいせつ」を読んで、学習をまとめましょう。

4 学習を振り返る 〈10分〉

T　今日までの学習を振り返りましょう。
○教科書 p.40の「ふりかえろう」を読み、振り返りの視点を提示する。
①　友達の考えと自分の考えは、どんなところが同じでしたか。
②　どんなことに気を付けて、友達と話をつなげましたか。
③　これから、話し合うときには、どんなことに気を付けたいですか。
T　このようなことを考えながらこれからの話し合いで生かしていきたいことをノートに書いてみましょう。

資料

1 第２時資料　「相談したいこと」ワークシート　05-01

そうだんに　のってください

名前（　　　　　）

そうだんしたいことを考えよう。

	そうだんしたいこと

2 第２時資料　「相談したいこと」ワークシート児童記入例　05-02

そうだんに　のってください

名前（　　　　　）

そうだんしたいことを考えよう。

	そうだんしたいこと
	読書の時間に読む本がきめられていないから、どうやってえらんでいるか聞きたい。
	町たんけんで行くパンやさんに、どんなしつもんをしたらよいか聞きたい。
○	しゅくだいをわすれないように、どんなことを気をつけているか聞きたい。
	友だちとなかよくするために、気をつけていることを聞きたい。

3 第４～８時 「モデル動画」文字化資料 05-03

そうだんに　のってください　モデルどう画

大川さん：　今日は、わたしのそうだんにのってください。
　今ど、町たんけんでパンやさんに行くことになりました。それで、パンやさんに何を聞いたらいいか考えています。わたしは、パンのしゅるいのことを聞こうと思っています。ほかにどんなことを聞いたら、パンやさんのことがくわしく分かるでしょうか。

青木さん：　ぼくは、何時からはたらいているかを聞くといいと思います。朝、できたてのパンがならんでいるのを見て、いつ作っているのかなと思ったからです。

大川さん：　何時からはたらいているのかを聞くのですね。青木さんは、朝、何時ごろに見たのですか。

青木さん：　８時ぐらいです。いつもぼくが、学校に行くときにはあいています。

大川さん：　パンやさんって、そんなに朝早くからあいているのですね。
　下田さんはどうですか。

下田さん：　わたしもはたらいている時間が知りたいです。でも、はたらきはじめる時間だけでなく、何時まではたらいているかも聞いたほうがいいと思います。

大川さん：　それはいい考えですね。はたらいている時間が分かると、パンやさんのしごとのことがもっとよく分かりそうです。
　ほかにはありませんか。

青木さん：　どうしたらおいしいパンが作れるかを聞いたらどうですか。

大川さん：　その考えもいいですね。

Ｄ：　それなら、パンやさんになろうと思ったわけも聞いてみるといいと思います。

下田さん：　えっ？それはどうしてですか。

Ｄ：　どうしてかと言うと、わけを聞いたら、パンやさんがどんなことを考えてパンを作っているかが分かるかなと思ったからです。

大川さん：　たしかにそうですね。パンやさんになろうと思ったわけも聞こうと思います。
　みんなわたしのそうだんにのってくれて、ありがとうございました。パンやさんにどんなことを聞くか、考えがまとまりました。
　わたしは、パンやさんがはたらいている時間や、パンやさんになろうと思ったわけを聞こうと思います。どうしてかと言うと、パンやさんのしごとのことや、どんなことを考えてはたらいているのかを知りたいからです。

せつめいのしかたに気をつけて読み、それをいかして書こう

紙コップ花火の作り方／おもちゃの作り方をせつめいしよう

（14時間扱い）

単元の目標

知識及び技能	・共通、相違、事例の順序など情報と情報との関係について理解することができる。((2)ア) ・身近なことを表す語句の量を増やし、話や文章の中で使うとともに、言葉には意味による語句のまとまりがあることに気付き、語句を豊かにすること。((1)オ)
思考力、判断力、表現力等	・文章の中の重要な語や文を考えて選び出すことができる。(C ウ) ・語と語や文と文との続き方に注意しながら、内容のまとまりが分かるように書き表し方を工夫することができる。(B ウ) ・時間的な順序や事柄の順序などを考えながら、内容の大体を捉えることができる。(C ア)
学びに向かう力、人間性等	・言葉がもつよさを感じるとともに、楽しんで読書をし、国語を大切にして、思いや考えを伝え合おうとする。

評価規準

知識・技能	❶共通、相違、事例の順序など情報と情報との関係について理解している。(〔知識及び技能〕(2)ア) ❷身近なことを表す語句の量を増やし、話や文章の中で使うとともに、言葉には意味による語句のまとまりがあることに気付き、語句を豊かにしている。(〔知識及び技能〕(1)オ)
思考・判断・表現	❸「書くこと」において、語と語や文と文との続き方に注意しながら、内容のまとまりが分かるように書き表し方を工夫している。(〔思考力、判断力、表現力等〕B ウ) ❹「読むこと」において、文章の中の重要な語や文を考えて選び出している。(〔思考力、判断力、表現力等〕C ウ) ❺時間的な順序や事柄の順序などを考えながら、内容の大体を捉えている。(〔思考力、判断力、表現力等〕C ア)
主体的に学習に取り組む態度	❻事柄の順序に沿って、分かりやすく伝える書き方を粘り強く考え、学習課題に沿っておもちゃの作り方を説明する文章を書こうとしている。

単元の流れ

次	時	主な学習活動	評価
一	 1 2	学習の見通しをもつ 自分の作ったことのあるおもちゃや、作ってみたいおもちゃを話し合う。 教材文を読み、p.46「といをもとう」「もくひょう」を基に学習課題を設定する。 ・どんな言葉に気を付けて読むといいいだろう。 ・大事な言葉や文を探そう。 ・説明の工夫を考えて発表しよう。	
二	3 ~ 6	「紙コップ花火の作り方」を読む。分かりやすく伝える説明（書かれ方の順序、書かれている内容、使っている言葉の写真）の工夫を見つける。 自分の説明したいおもちゃづくりの説明で使ってみたい工夫をまとめる。「たいせつ」で身に付けた力を押さえる。	❶ ❹ ❺
三	7 8 9 10 11 12 13 14	p.48「といをもとう」「もくひょう」を基に、見通しをもつ。 説明するおもちゃを決めて、材料を確認する。 実際に作ってみて、作り方の順序を確かめる。 説明する文章を書く。p.50の作例を参考に順序が分かるように言葉を考えて書く。 「こうせいシート」を読み合い、相互にアドバイスする。 「こうせいシート」を基に文章を清書する。 友達と文章を読み合う。 学習を振り返る 「たいせつ」「いかそう」で身に付けた力を押さえ、これからも大切にしたいことをまとめる。	❶ ❷ ❸ ❻

授業づくりのポイント

〈単元で育てたい資質・能力〉

本単元のねらいは、おもちゃの作り方を説明する、という目的意識をもって文章を読み、その工夫を学び、実際にその工夫を使って自ら文章を書くことができるようにすることである。読み書き関連型の単元である。本単元の前半部は「紙コップ花火の作り方」を読む。その際に、「自分でおもちゃの作り方を説明する文章を書く」という目的意識をもち、工夫を見つけるという読み方を意識させる。

・〈ざいりょうとどうぐ〉〈作り方〉〈楽しみ方〉などの小見出し
・「まず」「つぎに」「それから」「さいごに」など、よりくわしく具体的に説明する言葉、順序を表す言葉
・「先」「まん中」「はし」など、作るときに役立つ言葉
・言葉の説明を分かりやすくする絵や写真

などの工夫に気付けるようにする。

後半部は、読んで学んだことを生かして自ら書いていく。その際、単元前半で学んだ順序や、絵や写真などの工夫を効果的に使うことができているか、という視点で教師が支援したり、子供が自己評価したりすることによって、何を学んでいるかを明確にして学習を進めるとよい。

〈ICT の効果的な活用〉

表現：おもちゃの作り方の説明を分かりやすくする絵を描くことが難しい場合は、実際に作っているところをタブレット端末で撮影し、その写真を用いることが考えられる。また、挿絵のように添えるのではなく、文章を読みながら写真を示すなど、プレゼンテーションのようにして写真を用いることも考えられる。

本時案

紙コップ花火の作り方 おもちゃの作り方を せつめいしよう

本時の目標

・自分の作ったことのあるおもちゃや、作ってみたいおもちゃを話し合おうとする。

本時の主な評価

・自分の作ってみたいおもちゃを思い浮かべ、単元の見通しをもとうとしている。

資料等の準備

・特になし

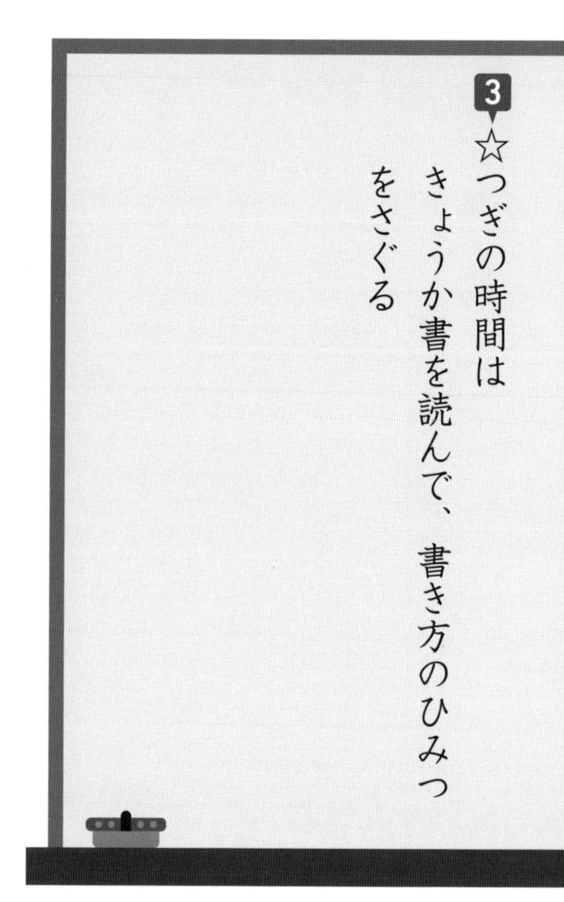

授業の流れ ▷▷▷

1 単元の見通しをもつ 〈5分〉

T　これから、自分でおもちゃを作り、その作り方を説明する文章を書く学習をします。自分がおもしろいと思ったおもちゃを、友達にも作ってもらえるように、文章を書けるといいですね。

・おもちゃを作るんだ！わくわく！

・生活科で集めた自然のものを使っておもちゃを作りたいな！

○本単元は自分でおもちゃを作り、それを説明する文章を書く単元である。自分が作るおもちゃを決める際は、生活科などで集めた自然のものなどを用いるのもよいだろう。

2 作りたいおもちゃについて話し合う 〈35分〉

T　どんなおもちゃを作りたいですか。これまでに作ったことのあるおもちゃや、作ってみたいおもちゃを挙げてみましょう。

・生活科で秋のものを集めたから、それを使っておもちゃを作りたいな。

・どんぐりごまを作りたいな！

・まつぼっくりを使ったおもちゃができないかな。

・私は割り箸で作った輪ゴム鉄砲をまた作りたいな。

○本単元は11月頃に扱うことが予想される。生活科の季節の単元などと関連させるとよいだろう。子供の生活経験に沿っておもちゃを決められるようにしたい。

学しゅうすること

1 おもちゃを作って、その作り方をともだちにせつめいする文しょうを書こう。

2 ○作ってみたいおもちゃ

・どんぐりごま
・まつぼっくりをつかったおもちゃ
・大きなはっぱをつかったおめん

生活のじゅぎょうであつめたものをつかってみたい！

・わごむでっぽう
・ペットボトルでにんぎょうを作りたい

3 次時の見通しをもつ 〈5分〉

T 作りたいおもちゃがたくさん思い浮かびましたね。そのおもちゃの作り方の文章ってどんなふうに書けそうですか。

C 説明書みたいに書けばいいのかな？でもどうやって書けばいいんだろう…

T 教科書に「紙コップ花火の作り方」という文章があります。それを読んで書き方の秘密を探ってみましょうか。

・読んでみたい！
・おもちゃを作って説明するの、楽しそうだな！
・みんなが作ったおもちゃも作ってみたいな！

よりよい授業へのステップアップ

他教科との関連を意識して

国語、算数、図画工作、音楽、生活科などなど、低学年の時間割には様々な教科名がある。それぞれの教科に特有の見方・考え方を育んでいくことはもちろん大切なことだが、2年生の子供にとってはそれらの学びは連続し、境目が曖昧であることも多い。本単元においても、おもちゃを作る図工的な側面や、生活科で見つけた季節のものを生かしたおもちゃづくりなど、国語という教科に縛られない活動の進め方ができるとよいだろう。

本時案

紙コップ花火の作り方 おもちゃの作り方を せつめいしよう

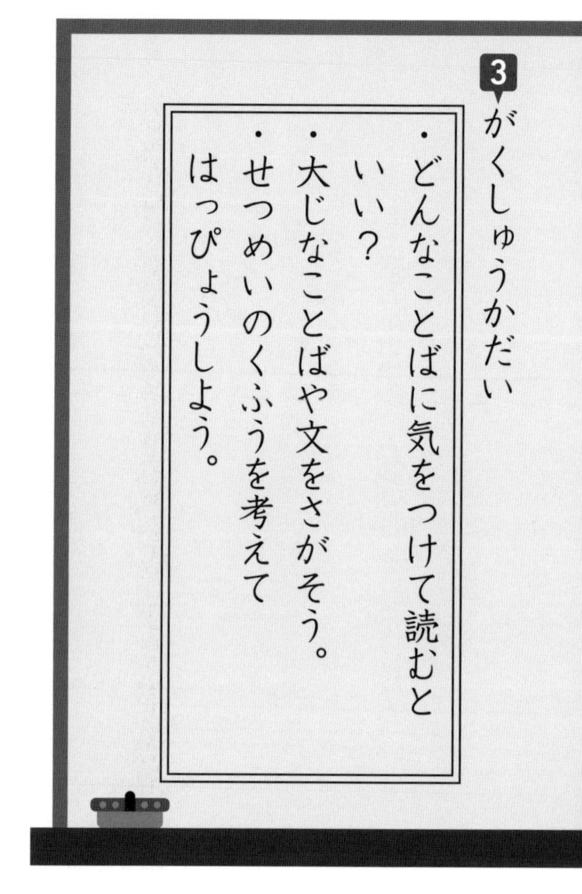

本時の目標

・教材文を読み、p.46「といをもとう」「もくひょう」を基に学習課題を設定しようとする。

本時の主な評価

・教材文を読み、単元の見通しをもとうとしている。

資料等の準備

・特になし

授業の流れ ▷▷▷

1 本時の見通しをもつ 〈5分〉

○本時のめあてを板書する。

T　自分のおもちゃの作り方を、どのように書けばいいのか、みんなで秘密を探るために、今日は「紙コップ花火の作り方」を読みます。紙コップで、花火ができるって、一体どんなふうにできるのでしょうね。楽しみですね。

・紙コップがパカって開くのかなぁ？

・紙コップの中から花火が飛び出してくるんじゃないかな？

2 本文を音読し、感想を発表する 〈20分〉

○教師による範読をする。

T　読んでみて、どうでしたか。

・作ってみたくなりました。

・紙コップの中から飛び出してくるんだね！

・〈ざいりょうとどうぐ〉が書いてあるから、何が必要かよく分かりました。

・〈作り方〉も、すごく分かりやすかったです。

T　どんなところが分かりやすさの秘密なのでしょうね。みんなでこれから考えていきたいですね。

・〈楽しみ方〉で遊び方も書いてあるのがよかったです。遊んでみたいなぁ！

紙コップ花火の作り方

1 おもちゃの作り方を書くひみつをさぐろう。

2
・作ってみたくなった！
・〈ざいりょうとどうぐ〉があるから、何がひつようか分かる。
・〈作り方〉もすごく分かりやすい
← どんなところが分かりやすさのひみつ？
・〈楽しみ方〉もあって、あそんでみたくなった

3 教科書 p.46を読み、学習課題を設定する 〈20分〉

T　46ページの「といをもとう」を読んでみましょう。「紙コップ花火を作るために、あなたは、どのことばに気をつけて、文しょうを読むといいと思いますか」次の時間は、どの言葉に気を付けるか考えていきましょう。
・言葉に気を付けるってどういうことだろう？
T　おもちゃを作るための文章だから…どんな言葉が大切ですか。
・作り方を間違えないための言葉かな？
T　「もくひょう」には「だいじなことばや文をさがしながら読み、せつめいのくふうを考えて、はっぴょうしよう」とあります。みんなでやってみたいですね。

よりよい授業へのステップアップ

学習課題を捉える

2年生に、高学年と同様のレベルの学習の見通しをもつことを求めるのは難しい。ただし、全く単元の見通しをもつことができないと、子供たちの意欲も持続しないだろう。本時では、p.46の「といをもとう」「もくひょう」を読んで見通しをもてるようにしている。ここでも「言葉に気を付けるってどういうこと？」「大事な言葉や文ってなんだろう？」という子供の素朴な問いを大事にしながら、目の前の子供に合わせて、見通しをもたせられるようにしたい。

本時案

紙コップ花火の作り方 おもちゃの作り方を せつめいしよう

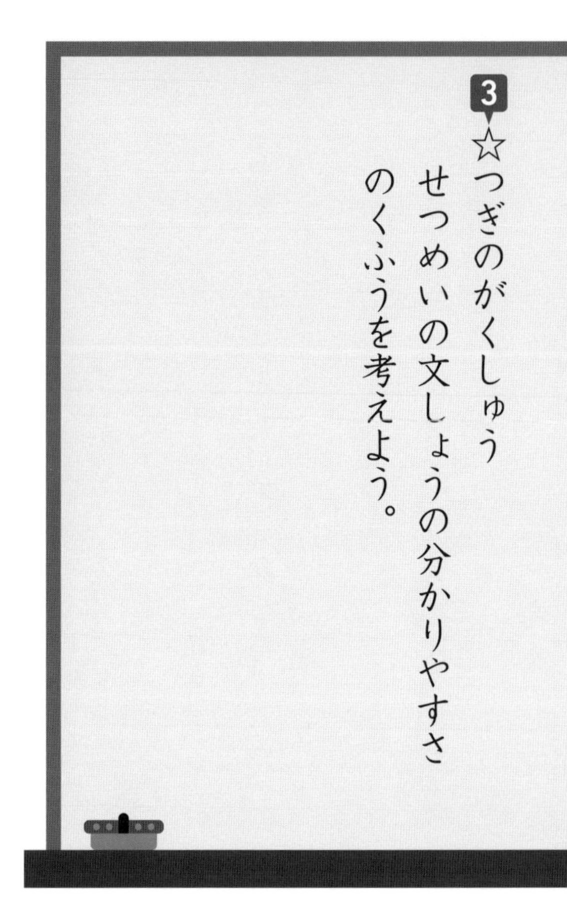

本時の目標

・「紙コップ花火の作り方」を読み、実際におもちゃを作りながら大切な語句に着目することができる。

本時の主な評価

❶共通、相違、事例の順序など情報と情報との関係について理解している。【知・技】
❹文章の中の重要な語や文を考えて選び出している。【思・判・表】

資料等の準備

・紙コップ花火を作るための道具

授業の流れ ▷▷▷

1 本時の目標を確認し、本文を音読する 〈7分〉

T 今日は、「紙コップ花火の作り方」を読みます。そして、実際に紙コップ花火を作ってみましょう。読んで作るときに、どのような言葉が大切なのか、考えてみましょう。
○本時のめあてを板書する。
○めあてを意識しながら、全員で音読する。
・実際に作るの、楽しみだな！
○読んでいる途中で、「これはどの写真のところかな？」など発問し、文章と写真を結び付ける手助けをするとよい。

2 実際に紙コップ花火を作ってみる 〈35分〉

T では、自分でも文章を読み直したり確かめたりしながら、紙コップ花火を作ってみましょう。
○全員で一緒に作るのではなく、それぞれに文章を読んで作らせるとよい。教師は、手間取っている子供の手伝いをする。その際、「教科書にはなんと書いてある？」など、本文に立ち返らせるようにする。
・まず、紙に模様を描くんだね。
・やり方が分からなくなっても、写真があるから、分かりやすい。
・できた！〈楽しみ方〉にも書いてあるみたいにやってみたらすごく綺麗だった。

紙コップ花火の作り方

○文しょうを読んで、
おもちゃを作ってみよう！

1 読みながら、どのようなことばが大切
なのか考えてみよう！

2
・紙コップ　一こ
・わりばし　一ぜん
・紙（先生からもらう）
・色えんぴつ
・はさみ
・ものさし
・のり
・セロハンテープ
・えんぴつ

3 次時の見通しをもつ　〈3分〉

T　楽しく作って遊ぶことができましたね。作っている途中に、分かりやすいなぁと思ったところや、何度も繰り返し読んだところがあったと思います。次の時間は、作ったり遊んだりした感想をみんなに聞いてみたいと思います。

○本時では完成しない子供がいることも大いに考えられる。急がせるようなことはせず、次の時間までにできればよいことを伝える。まずは、実際に作るという体験を大切にし、時間を確保する。

よりよい授業へのステップアップ

実際に作ることを通して、言葉に着目させる

おもちゃを作ることが国語科としての単元の目標ではない。しかし、本文はおもちゃの作り方を説明した文章であり、その工夫を実感するためには、まず何よりも作ってみることが必要である。クラスの子供の実態に応じて、長めに時間をとってもよい。

作って遊ぶことに夢中になってよい時間だが、机間指導の際、「今どこを読んで作っているの？」「どこが分かりやすかった？」など聞くことで、本文に立ち返らせることが次時につながる。

本時案

紙コップ花火の作り方 おもちゃの作り方を せつめいしよう

本時の目標

・分かりやすく伝える説明（書かれ方の順序、書かれている内容、使っている言葉の写真）の工夫を見つけることができる。

本時の主な評価

❶共通、相違、事例の順序など情報と情報との関係について理解している。【知・技】
❹文章の中の重要な語や文を考えて選び出している。【思・判・表】
❺時間的な順序や事柄の順序を考えながら内容を捉えている【思・判・表】

資料等の準備

・第３時で作ったおもちゃ

2
☆つぎのがくしゅう
・分かりやすくせつめいするために、
ひっしゃがどんなくふうをつかって
いるのか
・自分がせつめいするときに
つかってみたいくふう

授業の流れ ▷▷▷

1 文章を読んで紙コップ花火を作った感想を発表する 〈35分〉

○本時のめあてを板書する。
T　作ってみて、遊んでみて、どうでしたか。文章を読んで分かりやすさのための工夫などを見つけられましたか。
・作る順番を間違えそうだったけれど、文章を読み直したら順番が分かった。
T　順番が分かるのはどんな言葉でしたか。
・「まず」とか、「つぎに」です。
・「それから」とか、「さいごに」もそうです。
T　そういう言葉があるのが工夫なんだ。
・「まず」とか、「つぎに」、「それから」、「さいごに」があると、安心できます。
T　安心できるってどういうことですか。
・まず、これをやったから、次は〜みたいに、一緒に確かめられます。
・写真があるから、間違えないでできました。
T　写真があると、どうして間違えないでできるのでしょうか。
・写真があると、文章だけじゃなくて自分の作ってるものと見比べてできるから、間違えにくいです。
・文章だけだと「どういうこと？」って分からなくなっちゃうかもしれません。
○それぞれの子供の気付きを言語化する。文章の書かれ方（順序よく書かれていること、写真で補足がされていること等）に着目している子供の意見を取り上げ価値付けて、授業を進めていく。それがあることでどういう分かりやすさが生まれていたか、子供の言葉で語らせるとよい。

紙コップ花火の作り方

1

紙コップ花火を作って気づいた作り方のせつめいの分かりやすさのくふうをはっぴょうしよう。

・文しょうを読み直したら、じゅんばんが分かった。

まず　つぎに　それから　さいごに

・しゃしんがあるから、それを見ればまちがえなかった。

説明の工夫に着目している発言を価値付ける！

2 次時の見通しをもつ 〈10分〉

T　次の時間は、分かりやすく説明するために、筆者がどんな工夫を使っているのかを探っていきましょう。自分がおもちゃの説明をするときに使ってみたい工夫も見つけられるといいですね。では、最後にもう一度読みましょう。

○範読でも、子供の音読でもよい。

よりよい授業へのステップアップ

単元の見通しをもたせる

全く単元の見通しをもつことができないと、子供の意欲も持続しないのではないか、ということを既に述べた。本時においては、紙コップ花火を作ったことを生かして、他のおもちゃも紹介し合いながら作っていくこと、そのために、作り方を紹介する文章を書くこと、いきなりは難しいので、この「紙コップ花火の作り方」を手本にして進めていくこと、そういった見通しをもつことで、子供も学習へのやりがいをもつことができるだろう。

本時案

紙コップ花火の作り方 おもちゃの作り方をせつめいしよう

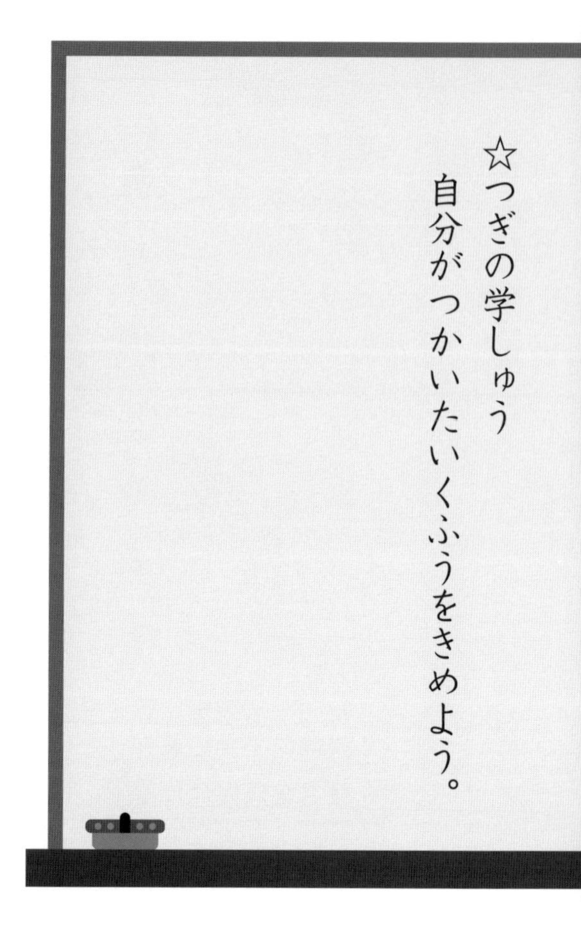

本時の目標

・事柄の順序を表す言葉や、写真、絵の効果を実感することができる。

本時の主な評価

❶共通、相違、事例の順序など情報と情報との関係について理解している。【知・技】
❹文章の中の重要な語や文を考えて選び出している。【思・判・表】
❺時間的な順序や事柄の順序を考えながら内容を捉えている【思・判・表】

資料等の準備

・「紙コップ花火の作り方」から、事柄の順序を表す言葉や、写真、絵を取り除いた文章のプリント（ノートに貼れるサイズに切っておく）06-01

授業の流れ ▷▷▷

1 資料プリントを配布し、本文と比べながら音読する 〈15分〉

○資料プリントを準備する。あえて、事柄の順序を表す言葉や、写真、絵を取り除いた文章を用意して本文と比較することで、本文の分かりやすさを際立たせ、子供に実感してもらいたい。
T　今日は、１枚プリントを用意しました。まずこのプリントを読みます。（範読）
・なんか短い。
・「まず」とかがない。
・写真もない。
T　次に、本文をもう一度読みます。違いに気を付けながら聞いてくださいね。

2 本文のよさをノートに書き、意見を発表する 〈30分〉

T　比べてみてどうでしたか。教科書の本文を改めて読んでみて、いいなぁと思ったことを、ノートに書きましょう。（本文を改めて読みノートに意見を書く時間をとる）
○本時のめあてを板書する。
T　では、意見を発表しましょう。
・「まず」や「つぎに」がなくてもなんとか分かるのだけど、やっぱりあった方が分かりやすい。
・前の時間でも言っていたけど写真がないとこれで本当に合っているかが分からなくて、不安になってしまうと思う。だから、教科書のように写真があったほうがいい。
・文章は短いほうがいいと思っていたけど、あると分かりやすくなる言葉があるんだね。

紙コップ花火の作り方

2

先生の書いた文とくらべて本文のよさを見つけよう。

「まず」や「つぎに」がなくても分かるけど、あった方が分かりやすい。

しゃしんがないと、合っているかふあん。

自分が書く文にも入れたい。

○読む人に分かりやすい文を書こう。

順序の言葉や写真がないと具体的にどうなのか、子供の言葉で板書できるとよい

・〈ざいりょうと道ぐ〉〈作り方〉〈楽しみ方〉に分かれていると分かりやすい。

T　何が書いてあるかがまとまりになっていると分かりやすいのですね。

T　教科書の本文の分かりやすさの秘密が、よりくわしく分かりましたね。こういう工夫を自分たちも使って、おもちゃの作り方の説明文を書いていけば、読む人にも分かりやすい文章になりそうですね。

・順序の言葉は使えそう。いつも話すときにも使っている。

・私は絵が得意だから、絵でも説明したいな。

○分かりやすさの秘密が分かってきたところで、自分たちも分かりやすい文章を書こう、という目標をもう一度確認しておくとよい。

よりよい授業へのステップアップ

教師の自作教材

本時では、教科書の本文から事柄の順序を表す言葉や写真、絵を取り除いた文章を作成し、子供の学習材として用いて授業を進めていく。こうしたことは当然手間がかかるが、授業の目標のためにあったほうが子供の学びが深まるという際には、ぜひ作成したいところである。本時で使用するものは付録資料としたが、ぜひそれぞれのクラスの子供に合わせて細かな修正をして使用していただきたい。

本時案

紙コップ花火の作り方 おもちゃの作り方をせつめいしよう

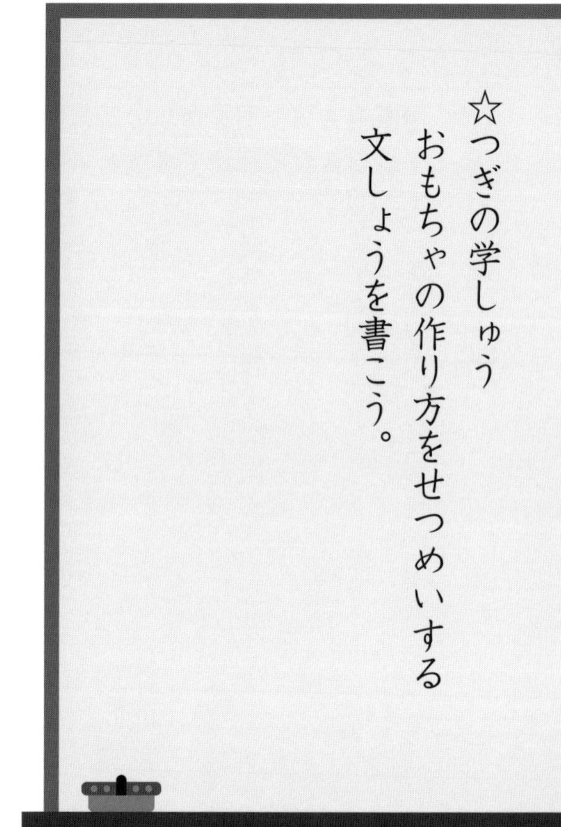

本時の目標

・自分がおもちゃの作り方を説明する文章を書く際に使ってみたい工夫を考えることができる。

本時の主な評価

❶共通、相違、事例の順序など情報と情報との関係について理解している。【知・技】
❹文章の中の重要な語や文を考えて選び出している。【思・判・表】
❺時間的な順序や事柄の順序を考えながら内容を捉えている【思・判・表】

資料等の準備

・特になし

授業の流れ ▷▷▷

1 本時のめあてを確認する 〈10分〉

○本時のめあてを板書する。

T　ここまで、「紙コップ花火の作り方」という文章から、分かりやすさの秘密を探ってきましたね。次の時間からは、自分のおもちゃの作り方を説明する文章を書く学習をします。今日はこれまで見つけた、分かりやすさの秘密のなかで、自分が書くときにも使いたいものはどれか、考えていきましょう。

・前の時間で先生の書いた文章を比べたことがヒントになりそう！
・もう１回本文を読んで考えてみる！

2 自分の意見をノートにまとめ、発表する 〈30分〉

T　自分が書くときに使いたい工夫をノートに書きましょう。その理由も書きましょう。もう一度丁寧に読み返すのもいいですね。

○あまり欲張らずに、１つ、２つをしっかり理由を添えて書けるように机間指導する。

T　では、意見を聞いていきましょう。

・私は、やっぱり「まず」とか「さいごに」とかの順序を表す言葉を使いたい。それがあると、作るときに迷わずに済む。
・私は、写真か絵を入れたい。作っているとき、写真を見て確認できたら安心するから。
・ぼくは、「紙コップ花火の作り方」みたいに、そのおもちゃの〈楽しみ方〉を書きたい。作って終わりではなくて、遊んでほしい。

紙コップ花火の作り方

1 自分がつかいたいくふうをえらぼう。

・「まず」「つぎに」など、じゅんじょのことば。
（それがあるとまよわずに作れるから。）

2 その工夫を入れた、子供の想いが強調されるように

・しゃしんか絵を入れる。
（それを見て、かくにんできるとあんしん。）

・〈楽しみ方〉
（作っておわりでなく、あそんでほしい。）

3 次時の見通しをもつ 〈5分〉

T 友達の意見を聞いて、ぜひその工夫を自分も使いたいな、というものがあったかもしれませんね。ぜひ、いろんな工夫を入れて、文章を書いていきましょう。次の時間から、自分の選んだおもちゃの作り方を説明する文章を書く授業に入ります。これまでに作ったおもちゃの中から、作り方を説明するおもちゃを決めます。
・びゅんびゅんごまにしようかな！
・私はぴょんぴょんガエルにしよう。

よりよい授業へのステップアップ

子供が自分で決める場面の設定

これまで学んだことを振り返り、自分の文章に生かしたい工夫を自分で決めることに意味がある。そうすることで、誰かに書かされるのではなく、自分で書くという意識になってゆく。もちろん、今後書いている途中で他の工夫を入れようと考え直したりする場面があってよい。また、なかなか自分で決められない子供に対しては、教師から選択肢をいくつか示すなどして、決められるよう支援したい。

本時案

紙コップ花火の作り方 おもちゃの作り方をせつめいしよう

本時の目標

・p.48「といをもとう」「もくひょう」を基に、情報と情報との関係について理解することができる。

本時の主な評価

❶共通、相違、事例の順序など情報と情報との関係について理解している。【知・技】

資料等の準備

・特になし

3 ☆これからのがくしゅうでやること
①せつめいするおもちゃをきめよう。
②せつめいのじゅんじょを考えよう。
③せつめいする文しょうを書こう。

授業の流れ ▷▷▷

1 本時のめあてを確認する〈10分〉

T 「紙コップ花火の作り方」をこれまで読んできました。今日から、「おもちゃの作り方をせつめいしよう」で、自分でおもちゃを作り、それを説明する文章を書く授業をしていきます。
・楽しみ！
・うまく作って、書けるかなぁ!?
T まず、教科書48ページを読み、学習の見通しをもちましょう。
○本時のめあてを板書する。

2 学習全体の見通しをもつ〈30分〉

○ p.48の「といをもとう」「目ひょう」を読み、学習の見通しをもつ。
T 見つけた説明の工夫を使って、自分が選んだおもちゃの作り方を分かりやすく説明していきましょう。
・順序が分かる言葉を入れたいな。
・絵や写真を使うと、分かりやすかったよね。
○ p.49を読み、学習の流れを確認する。
T まず、説明するおもちゃを決めます。そして、説明の順序を考え、説明する文章を書いていきます。
・うまく伝えられる文章が書けるかなぁ？
・遊び方もいっぱい書きたいな！

おもちゃの作り方をせつめいしよう

おもちゃの作り方を書く、がくしゅうのけいかくを立てよう。

2 ○といをもとう

友だちに、どのおもちゃの作り方を教えてあげたいですか。それを作るときには、どんなことに気をつけるとよいでしょうか。

○もくひょう

「紙コップ花火の作り方」で見つけたせつめいのくふうをつかって、おもちゃの作り方を分かりやすくせつめいしよう。

・じゅんじょが分かることばを入れたい。

・絵やしゃしんをつかって分かりやすくしたい。

3 次時の見通しをもつ 〈5分〉

T 次の時間は、これまでに作ったおもちゃや、作ってみたいおもちゃの中から、作り方を説明するおもちゃを決めます。説明したいおもちゃが家にある人は、持ってきてくださいね。

○次時には題材の設定をするため、既に作ったことのあるおもちゃがある場合には持ってくるように伝える。図工や生活科で作ったおもちゃでもよいことを伝える。

・びゅんびゅんごまにしようかな！

・私はぴょんぴょんガエルにしよう。

よりよい授業へのステップアップ

見通しをもつ

本時からいよいよ、自分で文章を書く単元に入っていく。ここまで「紙コップ花火の作り方」の授業で学んできた書き方の工夫を今度は自分が使って文章を書くということを再確認したい。また、いきなり書くのではなく、教科書 p.49にあるように、説明するおもちゃを決め、説明の順序を考え、説明する文章を書くという見通しをもたせ、この読むこと書くことを合わせた大きな単元の最後まで意欲が持続するように支援したい。

本時案

紙コップ花火の作り方 おもちゃの作り方をせつめいしよう

本時の目標

・作り方を説明するものを決めることができる。

本時の主な評価

❻様々なおもちゃの中から、自分が作り方を説明したいおもちゃを決めようとしている。【態度】

資料等の準備

・作り方を説明したいおもちゃ（子供が家庭からもってくる）
・これまで図工や生活科で作ったおもちゃ（教師が手本などで作ったものがあれば）

授業の流れ ▷▷▷

1 本時のめあてを確認する 〈10分〉

○本時のめあてを板書する。

T　作り方を説明したいおもちゃをもってきた人もいますね。今日は、ペアでそれぞれのおもちゃを紹介し合ってみましょう。いくつかもってきた人は、ペアの子と相談して、どれを説明するか決められるといいですね。

○クラスの実態や人数などを考えて、ペアでなく３人組や４人組などのグループにしてもよい。もしおもちゃを忘れてきてしまった子がいれば、教師が貸してあげてもよいし、なくてもペアの子のものを見て考える時間としてもよい。

2 ペアでおもちゃを紹介し合ったり、遊んだりする 〈30分〉

○ペアでおもちゃを紹介し合う際は、まだ細かく作り方を紹介し合うような必要はない。一緒に遊んでみるなどして楽しみ、「このおもちゃの作り方を説明しよう！」と意欲を湧かせることが目的である。

・ぼくはびゅんびゅんごまをもってきたよ。こうやってやるんだよ！
・私、びゅんびゅんごまは初めて！やってみてもいい？
・うん、こうやってやるといいよ。
・難しいけど、回せた！おもしろいね！どうやって作るの？

T　たくさん遊べましたか。作り方を説明したいおもちゃは決められましたか。

おもちゃの作り方をせつめいしよう

せつめいする
おもちゃをきめよう。

・もってきたおもちゃで
あそんでみる

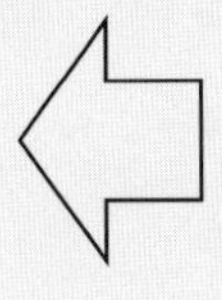

・ぜひ、これをせつめい
したい、という
おもちゃをきめる。

☆つぎのがくしゅう
おもちゃを作って、文しょうの
書き方を考える。

3 次時の活動について知る 〈5分〉

T　友達に遊んでもらって、その子に作り方を説明してあげたい、という人もいました。ぜひ、今日決めたおもちゃの作り方を分かりやすく説明する文章を書いていきましょう。次の時間は、実際に作ってみて、どのように文章を書けばいいかも考えます。材料を持ってきてくださいね。

・楽しみ！
・自分が書いたのを読んで、このおもちゃを作ってもらえるかなぁ。

○ペアの子に作り方を教える、お家の人に教える、1年生の子たちに教える、相手意識は様々考えられる。学校全体や学級の実態を考え、ベストなものを設定するとよい。

よりよい授業へのステップアップ

遊ぶことで興味を深める

本時はペアでの学習を取り入れた。ペアでおもちゃを遊ぶことによって、そのおもちゃに興味を増し、作り方を説明したいという意欲を高めるようにしたい。持ってきたおもちゃでなく、ペアの子のおもちゃを説明したいという子供がいれば、それも認めてよいだろう。大切なのは、書いて説明したいという意欲である。また、相手意識について絶対の正解はない。目の前の子供にベストな相手を設定したい。

本時案

紙コップ花火の作り方 おもちゃの作り方をせつめいしよう

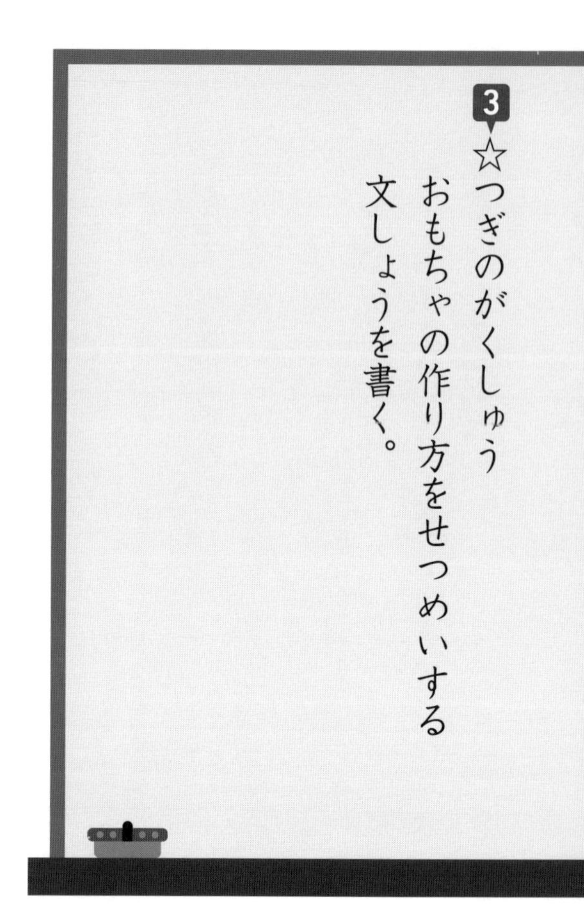

本時の目標

・実際におもちゃを作ってみて、作り方の順序を確かめることができる。

本時の主な評価

❶共通、相違、事例の順序など情報と情報との関係について理解している。【知・技】

資料等の準備

・おもちゃの材料
・タブレット端末（写真撮影用）
・構成シート 06-02

授業の流れ ▷▷▷

1 本時のめあてを確認する 〈5分〉

○本時のめあてを板書する。

T 今日はおもちゃを作ります。ただ作るだけではなく、作り方を説明する文章をどのように書けばよいか考えながら作りましょう。まず、文章の構成を知りましょう。「紙コップ花火の作り方」は大きく分けて、いくつに分かれていましたか。

・3つです。〈ざいりょうとどうぐ〉〈作り方〉〈楽しみ方〉です。

T この3つはみんなも書くとよいですね。作りながら、〈ざいりょうと道ぐ〉〈作り方〉〈楽しみ方〉を意識してみましょう。また、作る中で写真も撮っておくといいですね。

2 文章全体の構成を考えながら、おもちゃを作る 〈35分〉

○単におもちゃを作ることに没頭するのではなく、どんな順番で説明すればよいのかを意識しながら作るように声を掛ける。

T 作りながら、写真も撮っていきましょうね。作る順番が分かるような写真を撮れるとよいですね。

○机間指導をするなかで「まずこうするんだね」「次にこうするんだね」「最後はこうするんだね」など、順序を意識する言葉掛けをするとよい。

ICT端末の活用ポイント

作りながら、タブレット端末で写真を撮ることで、記録にもなり、またこの後の授業で文章の構成を考えていく際にも生かすことができる。

おもちゃの作り方をせつめいしよう

1 文しょうのこうせいをいしきしながら
おもちゃを作ろう。

2 〈ざいりょうとどうぐ〉

〈作り方〉

はじめに

つぎに

作っていると中で、
じゅんじょが分かるように
しゃしんをたくさんとって
おこう！

〈楽しみ方〉

3 次時の見通しをもつ 〈5分〉

T　たくさん写真を撮りながらおもちゃを作り上げることができましたね。写真を見返すと、作り方の順序もよく分かりますね。次の時間から、この素敵なおもちゃの作り方を相手に伝える文章を、いよいよ書いていきましょう。

ICT 等活用アイデア

実際の体験と、構成のイメージを結ぶ

本時はまず自分でおもちゃを作る、という体験を大切にして活動する。やはり自分が実際に作るということを通して、文章を書くということに対する意欲が膨らんでいくと考えられる。また、作ることに夢中になりつつも、作る過程を写真で記録していくことによって、後の授業で文章の構成を考える際、順序を意識するためのものとして活用することができる。本時においては文章を書くということはしないが、体験と文章構成のイメージを結ぶために、効果的に ICT を活用したい。

本時案

紙コップ花火の作り方 おもちゃの作り方を せつめいしよう

本時の目標

・文章の組み立てや説明する順序を考えたり、どんな絵や写真を入れると分かりやすいかを考えたりしながら構成シートを書くことができる。

本時の主な評価

❶共通、相違、事例の順序など情報と情報との関係について理解している。【知・技】
❷話や文章の中で使いながら語句を豊かにしている。【知・技】
❸語と語や文と文との続き方に注意しながら、内容のまとまりが分かるように書き表し方を工夫している。【思・判・表】

資料等の準備

・構成シート 06-02

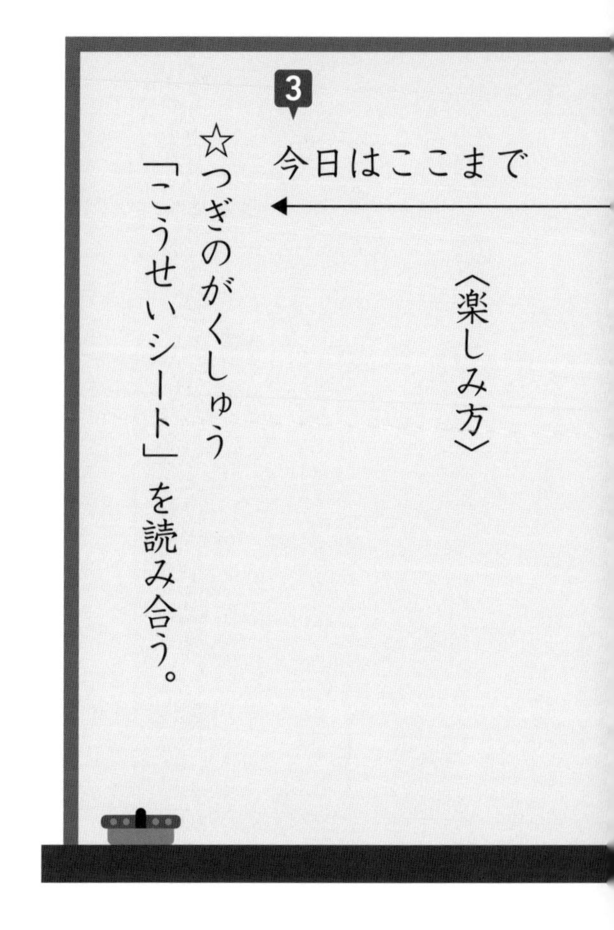

授業の流れ ▷▷▷

1 本時の流れを確認する 〈5分〉

○本時のめあてを板書する。

T 「こうせいシート」を使って、〈ざいりょうと道ぐ〉〈作り方〉〈楽しみ方〉を書きます。前の時間に撮った写真で、作る順序を確認しながら書いていきましょう。

○資料として載せた「こうせいシート」は極力シンプルなものにした。これを目の前の子供に合わせてアレンジして使用していただいてもいいだろう。「こうせいシート」は下書きである。大げさに言えば、乱暴な字で書いても、消しゴムを使わず鉛筆で誤字を訂正しても構わない。

2 〈ざいりょうと道具〉〈作り方〉を書く 〈30分〉

・やっぱり、「まず」や「つぎに」を使うと分かりやすいし、書きやすいな。
・完成までの途中の写真を3つ決めたら、それをくわしく説明しようと思って文章が書けた。

T 〈作り方〉ができた人は、友達と交換して読んでみましょう。

○もしも早く書けた子供がいれば、〈作り方〉の部分を互いに読み合うようにしてもよい。
・「〜しましょう」という言い方がいいね。
・これは、「紙コップ花火の作り方」の書き方を真似したんだ。
・私も少しそういう書き方を入れようかな。
○友達のものを読んで気付いたことは、どんどん自分の文章に生かすようにする。

おもちゃの作り方をせつめいしよう

1 こうせいシートをつかって、おもちゃの〈作り方〉と〈楽しみ方〉を書こう。

2 〈ざいりょうと道ぐ〉

〈作り方〉
・つかうしゃしんもよういする。
・しゃしんと合った文にする。
友だちと読み合ってチェック！

はやく書き上がった子供への指示も板書しておく

3 〈楽しみ方〉を書く 〈10分〉

T 〈作り方〉のところは書けましたか。友達と読み合って、工夫できた人もいたようですね。では残りの時間で〈楽しみ方〉も書いてみましょう。

・〈楽しみ方〉のところにも、写真が１枚あるといいな。

○〈楽しみ方〉は１、２文程度で短くまとめる。あくまでも〈作り方〉を書くことが中心であるため、時間配分を教師のほうで調整する。

T 「こうせいシート」が完成しましたね。次の時間は、「こうせいシート」を友達と読み合ってみましょう。

よりよい授業へのステップアップ

推敲の機会は何度でも

推敲というと、文章を書き終えて、でき上がったものを読み返すことをイメージする。しかし、子供は一度書き上げたものを読み返しはしても、そこから書き直そうという気持ちは抱きづらい。どうしても「せっかくここまで書いたのに」という思いが出てきてしまう。それならば、下書きの「こうせいシート」の段階から、読み返したり、友達と互いに読み合ったりしていけばよい。そこで気付いたことを、清書を前に修正することができる。

本時案

紙コップ花火の作り方 おもちゃの作り方を せつめいしよう

本時の目標

・「こうせいシート」を友達と読み合い、自分の文章のよさに気付いたり、よりよくするための書き方を見つけたりすることができる。

本時の主な評価

・「こうせいシート」を友達と読み合い、自分の文章のよさに気付いたり、よりよくするための書き方を見つけたりしている。

資料等の準備

・前時に書いた構成シート 06-02

3
☆つぎのがくしゅう
文しょうをせい書する。

授業の流れ ▷▷▷

1 本時の流れを確認する 〈10分〉

○本時は、「こうせいシート」をペアで読み合い、自分や相手の文章のよさを見つけたり、よりよい書き方を見つけたりするための時間である。相手の文章のどのようなところを見つめるべきかをしっかりとここで押さえたい。

○本時のめあてを板書する。

T　ここまで、「こうせいシート」を書いてきました。今日は、ペアでそれを読み合います。ペアの人の文章の分かりやすかったところや、書き方が工夫されているな、というところを褒めましょう。また、もっとよくできそうなところも伝え合えるといいですね。

・友達の文を読むの、楽しみだな。
・うまく伝わるかなぁ。

2 ペアで構成シートを読み合う 〈30分〉

○「こうせいシート」の読み合いが始まると、全体に指示が通りづらくなることが考えられる。板書で、相手の文章を読むときの留意点をまとめておく。

・すごく分かりやすかったよ！順序を表す言葉が、上手に使われているね。お手本みたいだったよ。
・ありがとう。そこは工夫して書いたから、褒めてもらえてうれしいな。
・ここの写真も分かりやすかった。でも、できれば終わりのほうにも写真があると分かりやすいんじゃないかな。
・確かにそうだね、入れてみよう。

T　友達からのアドバイスを取り入れて、どんどん書き直してみましょう。

おもちゃの作り方をせつめいしよう

1 こうせいシートを読み合い、アドバイスをしよう。

2 ほめてあげたいところ
・分かりやすいな、と思ったところ。
・じゅんじょやしゃしんのくふう。

アドバイスしたいところ
・もっと分かりやすくできそうなところ。
・じゅんじょや、しゃしん。

ほめる視点、アドバイスの視点を明確に示す

3 次時の見通しをもつ 〈5分〉

T 「こうせいシート」を読み合って、友達と文章をよりよくするために話し合うことができましたね。一度書いた文章を自分で読み直してよりよく直したり、友達に読んでもらってアドバイスをもらったりすると、どんどん文章をよくすることができますね。次の時間は、文章を清書していきます。
・清書する前に、いろいろ直せてよかったな。
・自分で工夫したところを友達も気付いてくれたから、ちょっと自信がもてたな。
○次時の清書のために、印刷しておいてほしい写真などは教師に言うように子供に伝えておく。

よりよい授業へのステップアップ

ペアやグループの活用

ペアで文章を読み合い、よいところを見つけ合ったり、アドバイスを伝え合ったりする時間を設けた。推敲というと、自分で文章を読み直し書き直すイメージがあるが、自分1人では気付かないことも多い。そのようなとき、誰かと読み合うことで多くのことに気付くことができる。ただの批判になってしまわないよう、褒める視点、アドバイスをする視点を明確にしておくとよい。ペアやグループ活動の取り入れ方に正解はない。適切なタイミングで取り入れていきたい。

本時案

紙コップ花火の作り方／おもちゃの作り方をせつめいしよう

12/14

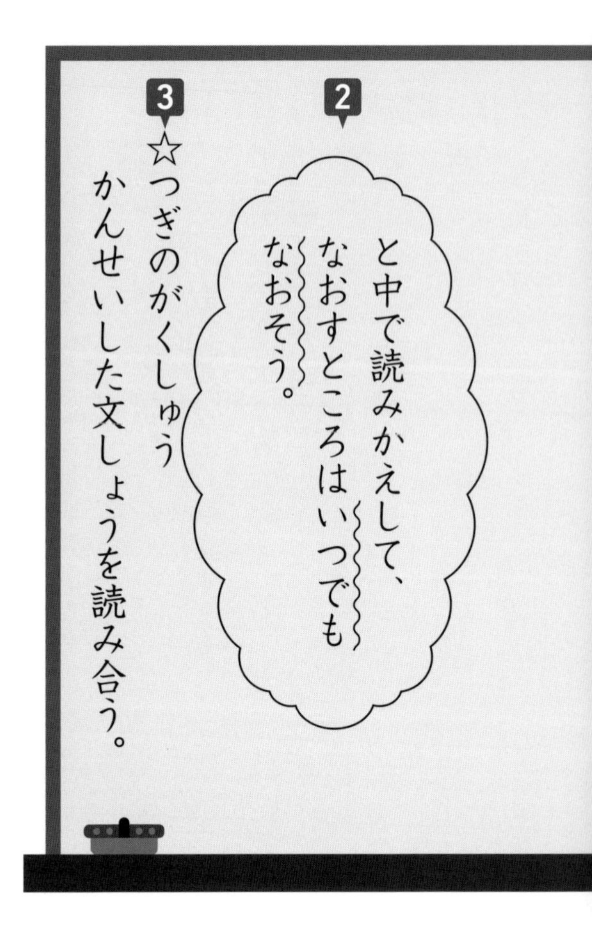

2
と中で読みかえして、
なおすところはいつでも
なおそう。
3
☆つぎのがくしゅう
かんせいした文しょうを読み合う。

本時の目標

・作り方の順序が分かるようにまとまりを意識しながら文章を書くことができる。

本時の主な評価

❶共通、相違、事例の順序など情報と情報との関係について理解している。【知・技】

❸語と語や文と文との続き方に注意しながら、内容のまとまりが分かるように書き表し方を工夫している。【思・判・表】

資料等の準備

・構成シート 06-02

授業の流れ ▷▷▷

1 前時を振り返り、本時のめあてを確認する 〈5分〉

○前時に構成シートをもとに推敲したことを踏まえ、清書していく見通しをもつ。

○本時のめあてを板書する。

T 前の時間で、文章を友達と読み合って、よりよくすることができました。今日は、「こうせいシート」をもとに、清書します。自分に合った清書用紙を選んで使いましょう。

・どの清書用紙にしようかな。

・写真の場所を自由に考えたいから、白い画用紙に書こうかな。

・マス目があったほうが字の大きさが揃えられそうだな。

○清書用紙は、それぞれの子供が自分に合ったものを選ぶような形が好ましい。実態に応じて、何種類か用紙を準備するとよい。

2 構成シートをもとに清書する 〈35分〉

T 清書用紙を選んだら、どんどん書いていきましょう。写真や絵をどこに入れるか、考えながら書いていきましょう。

○子供によって、かかる時間に差があると考えられる。早く終わってしまった子供がもしいれば、改めて完成したものを読み返し、直すところがないかなどを確認させる。なお、必要があれば書く時間はもう1時間取ってもよい。

・「はじめに」から書き始めよう。

・写真の位置はどうしようかな。

○教師は全体の様子を見守り、補助が必要な子供がいれば個別に対応していく。なお、本番も鉛筆で書き、必要に応じて書き直せるようにしたい。

おもちゃの作り方をせつめいしよう

1
こうせいシートをもとに、文しょうをせい書しよう。

自分にあった用紙をえらぼう。

・ますめのある紙
・ますめのないがよう紙
しゃしんのばしょなどが、自ゆうにきめられる。

それぞれの清書用紙のよさを確認して選べるようにする

3 次時の見通しをもつ 〈5分〉

T 無事に書き終えましたね。では、次の時間は友達と、完成した文章を読み合いましょう。たくさん褒め合えるといいですね。

・友達の文章を読むのが楽しみだな。
・分かりやすく書けているかな。

○次時は、よりよく書き直すために読み合った第11時とは違い、相手の工夫を見つけ、相手の文章のよさを伝える時間である。読み合う目的が前回とは違うことを伝えてもよいだろう。

よりよい授業へのステップアップ

形にこだわりすぎない

「清書」というと、丁寧に書かなければいけない、鉛筆で書いた後サインペンなどでなぞって…など、子供も教師も身構えてしまいがちである。もちろん、大切に、丁寧な字で書いていくことは必要だが、本時は字を丁寧に書くことを目指す時間ではなく、構成シートを見返しながら文章を書き上げていく時間である。目標を踏まえ、それぞれの子供に合った清書用紙があってよいし、間違えたところや、読み返してよりよくしたいところがすぐ直せるよう、鉛筆書きで清書させるようにしたい。

本時案

紙コップ花火の作り方 おもちゃの作り方を せつめいしよう

本時の目標

・書いた文章を友達と読み合い、自分の文章や友達の文章のよさを見つけることができる。

本時の主な評価

・書いた文章を友達と読み合い、自分の文章や友達の文章のよさを見つけている。

資料等の準備

・清書したプリント
・タブレット端末（写真を見せる用）
・コメントカード 06-03

◎コメントカード
うれしかったことばは
あるかな？

3
☆つぎのがくしゅう
学しゅうをふりかえる。

授業の流れ ▷▷▷

1 本時のめあてを確認する 〈5分〉

○本時は、書いた文章を読み合い、よさを見つけ合う時間である。どのようによさを見つけるかを始めに確認しておきたい。
○本時のめあてを板書する。
T　今日は、書いた文章を友達と読み合ってよさを見つけましょう。字がきれい、などではなく、どんな工夫を入れることができているか、見つけて褒めてあげられるといいですね。どんな工夫がありましたか。
・順序をあらわす言葉。「まず」とか。
・写真でくわしく説明する工夫。
T　そうした工夫を見つけられるとよいですね。読んだらコメントカードを書き、友達に渡してあげましょう。

2 友達と文章を読み合う 〈35分〉

○交流の仕方は様々あるが、ここではコメントカードを書く形をとった。友達と文章を交換し、よさをコメントカードに書き、相手に渡す。それを2～3名とできるとよいだろう。あらかじめ4人グループをつくってもよいし、実態によっては自由にどんどんペアを見つけて交流させてもよい。
・「まず」や「つぎに」「そして」など、順序の言葉がしっかり使われていて分かりやすいね。
・ひもを結び付けるところは、写真があることですごく分かりやすくなっているね。
・作ってみたくなったなあ！
T　友達の文章のよさをたくさん見つけることができましたね。

おもちゃの作り方をせつめいしよう

1

友だちと文しょうを読み合って、コメントをしよう。

◎コメントのポイント

△字のきれいさ

文しょうのくふう

・じゅんじょ

・しゃしん

ポイントを板書で確認

2

活動の流れも明記

四人グループでやる。

じゅんばんに交かん。

3 次時の見通しをもつ 〈5分〉

T　もらったコメントカードを読んでみましょう。自分の文章のよさを見つけてもらうと、とてもうれしいですね。

・こんなに褒めてもらってうれしい！

・どの写真を使おうか、悩んで決めたから、写真のことを褒めてもらえてうれしいな。

T　次の時間は、この学習全体の振り返りをしましょう。

○コメントカードはもらったときに読んでも勿論よい。ここでは、書いてもらって嬉しかったことを発言させてもよいだろう。友達の文章のよさを見つけるだけでなく、自分の文章のよさを実感できるようにしたい。

よりよい授業へのステップアップ

交流の形は様々

本時案では、コメントカードを書き渡すという交流の仕方を提示したが、ほかにも、コメントカードなどは使用せずできるだけ多くの友達の文章を読む方法や、工夫したところをインタビューし合う方法、読みながら実際におもちゃを作ってもらうような方法が考えられる。目の前にいる学級の子供たちが、より友達の文章のよさを見つけやすくするためには、自分の文章のよさを実感しやすくするためにはどうしたほうがよりいいか、それぞれの先生方の判断でアレンジしたい。

本時案

紙コップ花火の作り方 おもちゃの作り方を せつめいしよう

本時の目標

・書いた文章や、コメントカードを基に自分の学習を振り返り、できるようになったことを実感しようとする。

本時の主な評価

❻自分の学習を振り返り、今後文章を書く際に気を付けたいことなどを考えようとしている。【態度】

資料等の準備

・清書したプリント
・前時に書いたコメントカード 06-03

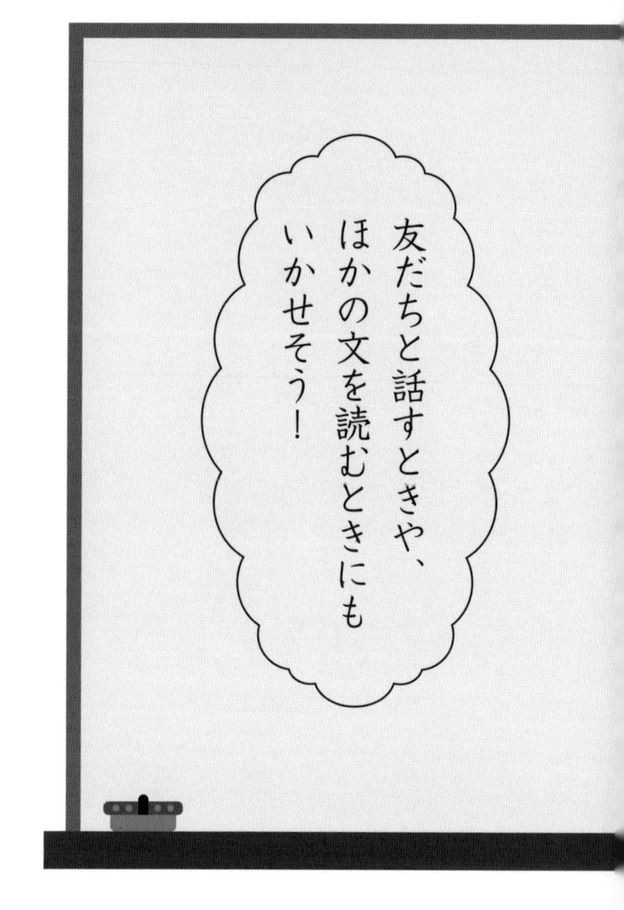

友だちと話すときや、
ほかの文を読むときにも
いかせそう！

授業の流れ ▷▷▷

1 本時のめあてを確認する 〈5分〉

○学習を振り返るために、「こうせいシート」や書いた文章、書いてもらったコメントカードなどをもう一度見直す時間をとる。
○本時のめあてを板書する。
T　この学習の最後の時間です。今日は学習を振り返り、自分ができるようになったことや、これからも大切にしたいことをまとめていきます。自分が書いたものや、友達から書いてもらったコメントカードなどをもう一度読み返してみましょう。
・「こうせいシート」を書くのは大変だったな。
・友達に直したらいいところを教えてもらって、もっと上手に書けたな。

2 これまでの学習を振り返り、意見を共有する 〈30分〉

T　この学習を通して自分ができるようになったことや、次に文章を書くときに大切にしたいことを、ノートに書きましょう。
○教科書 p.50の「たいせつ」「いかそう」を参考にして書くように伝えてもよい。
・今までは、あまり順番を丁寧に書いていなかったけど、「まず」とか「さいごに」と書けるようになった。
・文だけで説明しても分かりづらいけど、写真と合わせると分かりやすくなると分かった。だから、次文章を書くときにも、絵や写真で分かりやすくできると思う。
T　意見を発表しましょう。

おもちゃの作り方をせつめいしよう

できるようになったこと、これからも大切にしたいことをまとめよう。

子供の言葉でまとめる

・今まであまり、じゅんじょは気にせず書いていた。でも、「まず」「つぎに」と書けるようになった。

・絵もつけて、分かりやすい文しょうをこれからも書けそう。

3 学習をまとめる 〈10分〉

T　たくさんのことができるようになりましたね。自分ができるようになったことが、どんどん増えるとうれしいですね。今回は文章を書くことでしたが、ほかにも生かせそうなところはありますか。

・友達に話して説明するときも「さいしょに」とか順序の言葉があるといいかもしれない。

・教科書の文章にどんな絵や写真があるか、気を付けて読んでみたい。

T　これからの生活や学習に、たくさん生かせそうですね。

○「書くこと」以外でも「読むこと」の学習や、日常の会話のなかにも生かせることを実感できるとよい。

よりよい授業へのステップアップ

どんなところに生かせるのか、広く考えるよう誘う

3の「学習をまとめる」では、学んだことを「書くこと」以外でも生かせないかを子供と考える時間を設定した。今回学習した事柄の順序などは、特に子供同士の会話などでも生かされることだろう。国語の学習が、自分たちの今後の学習のみならず、生活にどう生かせるのかを考えるようにさせると授業に対してより主体的に取り組む子供たちを育むことができるのではないか。

資　料

1 第９～12時資料　こうせいシート 06-02

こうせいシート

年　　組　　名前（　　　　　　）

ざいりょうとどうぐ	
作り方	
楽しみ方	

構成を考えるために，縦に点線をいれると子供も意識がしやすい。実態によっては，「まず」や「つぎに」などは予め書き込んでおいてもよいかもしれない。

3 第13時資料　コメントカード 06-03

コメントカード

（　　　　　　　　）さんへ

（　　　　　　　　）さんへ

（　　　　　　　　）さんへ

ことば

にたいみのことば、はんたいのいみのことば　（2時間扱い）

単元の目標

知識及び技能	・身近なことを表す語句の量を増し、話や文章の中で使うとともに、言葉には意味による語句のまとまりがあることに気付き、語彙を豊かにすることができる。((1)オ)
学びに向かう力、人間性等	・言葉がもつよさを感じるとともに、楽しんで読書をし、国語を大切にして、思いや考えを伝え合おうとする。

評価規準

知識・技能	❶身近なことを表す語句の量を増し、話や文章の中で使うとともに、言葉には意味による語句のまとまりがあることに気付き、語彙を豊かにしている。(〔知識及び技能〕(1)オ)
主体的に学習に取り組む態度	❷進んで言葉には意味によるまとまりがあることに気付き、学習課題に沿って、似た意味の言葉や反対の意味の言葉を集めようとしている。

単元の流れ

時	主な学習活動	評価
1	学習の見通しをもつ ・p.52を読み、「といをもとう」を基に、意味が似ている言葉や、意味が反対の言葉を出し合う。 ・似た意味の言葉や反対の意味の言葉について理解する。また、似た意味をもつ言葉や、反対の意味をもつ言葉は1つではないことや、同じ言葉が複数の言葉の反対の意味をもつ場合があることも理解し、学習課題を設定する。 似た意味の言葉や、反対の意味の言葉を集めよう。	❶
2	・身の回りの様々な言葉から「似たいみのことば」「反対のいみのことば」を探し、ペアやグループにする。 ・友達と、ペアやグループにした言葉を見せ合う。 学習を振り返る	❷

授業づくりのポイント

〈単元で育てたい資質・能力〉

本単元のねらいは、似た意味の言葉や、反対の意味をもつ言葉について理解し、語彙を豊かにすることである。そのために、ある言葉に対して似た意味をもつ言葉や反対の意味をもつ言葉にはどんなものがあるか考えたり、友達と共有したりする活動を行う。友達と共有することによって、似た意味をもつ言葉や反対の意味をもつ言葉は１つではないことに気付くことができ、語彙を豊かにすることにつながるだろう。

〈言語活動の工夫〉

子供に、いきなり「似た意味をもつ言葉や、反対の意味をもつ言葉を集めましょう」と投げかけても、どんな言葉があるのかを想起することは難しいだろう。教科書のp.52には、友達に話しかけている挿絵や、黒板に新聞を貼っている挿絵、美しい星空を眺めている挿絵が載っている。まずは、挿絵だけを見せて「どんな場面かな？」と投げかけることで「友達に何かを話している場面」「友達に何かを言っている場面」「友達に何かを語っている場面」などの複数の表し方が出てくるだろう。演繹的に「話す」「言う」「語る」などが似た意味の言葉であることを理解させることで、似た意味の言葉に対するイメージがふくらんでいくと考える。

また、p.53には反対の意味をもつ言葉を考える手がかりとして、「上」「少ない」「立つ」などが示されている。まずはクラス全員でこれらの反対の意味の言葉を考えたり、確認したりすることで、個人でも反対の意味をもつ言葉を思い出したり、考えたりすることができるだろう。

似た意味の言葉や反対の意味をもつ言葉を探したり、集めたりし、共有した後には、それらを小さなカードに書き、神経衰弱のようなゲームをするなどすると、子供たちの興味を高め、楽しみながら語彙を豊かにすることができるだろう。工夫しながら楽しく学習し、使える言葉を増やしていきたい。

〈ICT の効果的な活用〉

共有：ICT 端末の学習支援ソフトなどを用いて、自分が考えた似た意味の言葉や反対の意味をもつ言葉をふせんなどに書き、ペアやグループをつくらせる。ホワイトボードアプリやふきだしくん（https ：//477.jp）を使うと簡単に共有することができ、友達が考えたペアやグループ分けについて知ることができる。

本時案

にたいみのことば、はんたいのいみのことば 1/2

本時の目標

・身近なことを表す語句を思い出すことで、似た意味の言葉や反対の意味をもつ言葉について理解することができる。

本時の主な評価

❶身近なことを表す語句の量を増やし、話や文章の中で使うとともに、言葉には意味による語句のまとまりがあることに気付き、語彙を豊かにしている。【知・技】

資料等の準備

・教科書 p.52の挿絵（ICT で提示してもよい）

・上↕下
・少ない↕多い
・立つ↕すわる、しゃがむ、こしをおろす

にたいみのことばや、はんたいのいみのことばをあつめよう。

授業の流れ ▷▷▷

1 本時のめあてを確認する 〈10分〉

T　教科書 p.52右下の挿絵を見てください。この男の子は今どんなことをしているでしょうか。
・友達に何かを話している。
・友達にしゃべりかけている。
・スピーチしているんじゃない？
T　いろいろな言葉が出てきましたね。「話す」「しゃべる」「しゃべりかける」「言う」「スピーチする」あとは、「語る」という言葉も当てはまりそうですね。
・たしかに！
T　これらは「似ている言葉」の仲間ですね。今日の学習では、こんなふうに似た意味の言葉や反対の意味の言葉について考えていきましょう。

2 似た意味をもつ言葉を考える 〈15分〉

T　この場面（黒板に新聞を貼る挿絵）はどんな場面ですか。どんな言葉で表すことができるかな。
・新聞を「貼る」。
・紙を黒板に「かざる」も言えるかな。
・「かざる」だと、意味が少し変わるんじゃないかな？絵とかかざりなら合う気がするけど…
・黒板に「けいじする」っていうのも聞いたことがあるよ。
T　難しい言葉を知っていますね！
T　じゃあこの場面はどうですか？（星空を見る挿絵）
○教科書の挿絵を基に考えさせる。

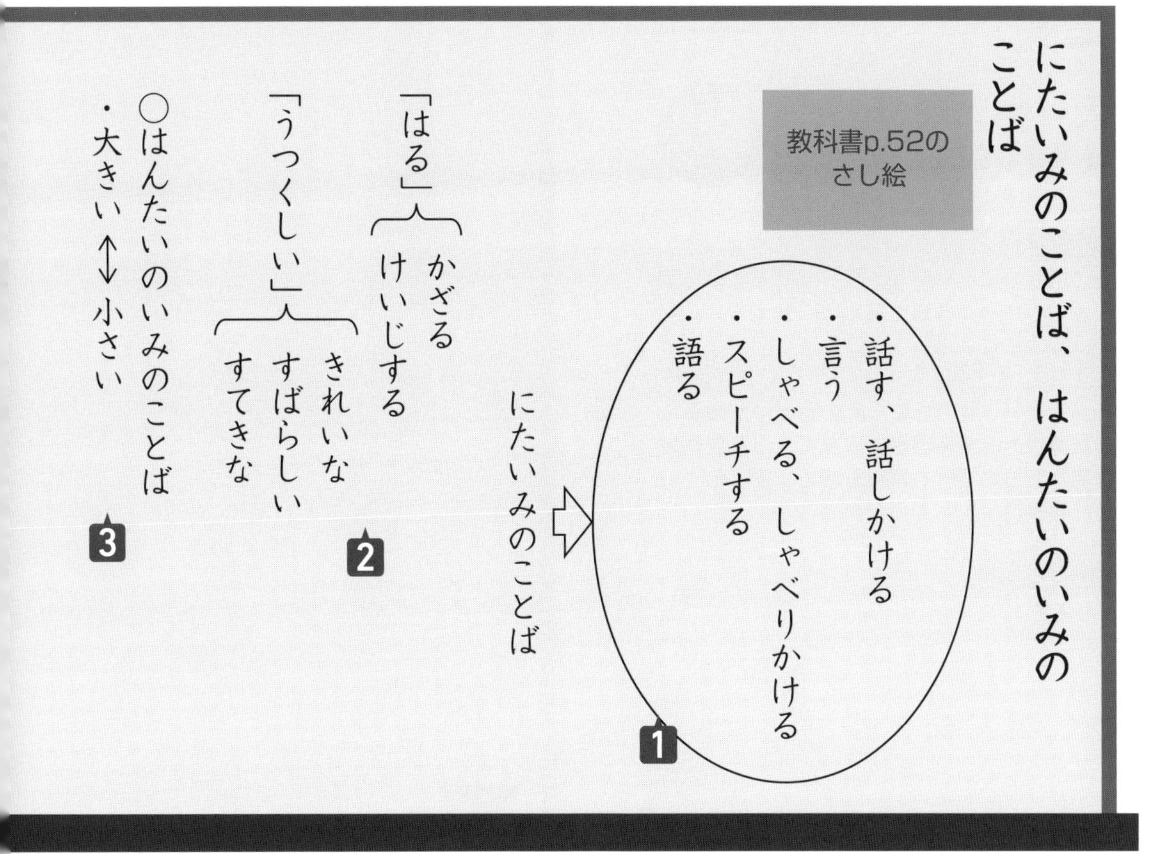

3 反対の意味をもつ言葉を考える 〈15分〉

T　今度は反対の意味をもつ言葉を考えましょう。「大きい」の反対の意味をもつ言葉はなんでしょう。
・「小さい」！
T　では「少ない」の反対の意味をもつ言葉は？
・「少なくない」！
・「多い」だよ。
T　他にはありますか？
・う〜ん。もうないんじゃないかな。
T　立つ－座る、しゃがむのように１つの言葉に反対の意味の言葉がいくつかあることもありますね。次の時間に考えてみましょう。
○教科書の挿絵を基にさらに考えさせる。

4 次時への見通しをもつ 〈５分〉

T　今日はみんなで一緒に似た意味をもつ言葉を考えたり、反対の意味をもつ言葉を考えたりしましたね。次回はそれぞれで考えた言葉や集めた言葉を使って、ゲームをしましょう。今日考えた言葉以外にどんなものがあるか、少し考えたり、探したりしてくるといいですね。
・楽しみ！どんな言葉があるかな。
○学習課題を板書する。

本時案

にたいみのことば、はんたいのいみのことば 2/2

本時の目標

・身の回りの様々な言葉から、似た意味の言葉や反対の意味の言葉を集めようとする。

本時の主な評価

❷進んで言葉には意味によるまとまりがあることに気付き、学習課題に沿って、似た意味の言葉や反対の意味の言葉を集めようとしている。【態度】

資料等の準備

・ICT 端末

授業の流れ ▷▷▷

1 本時のめあてを確認する〈５分〉

○本時のめあてを板書する。

T　今日は似た意味をもつ言葉や、反対の意味をもつ言葉を集めて、カードに書き、それを友達と見合いましょう。まず教科書などを見て、言葉を集めるとよいですね。
難しい人は、先生が言葉を黒板に書くので、似た意味をもつ言葉や反対の意味をもつ言葉は何かを考えるとよいでしょう。

○家庭学習などで事前にある程度考えるようにしてくるとその後の共有などに時間を多く割くことができてよい。また、思いつかない子供のために、「深い」「乗る」などの言葉を例示し、反対の意味を考えさせるとよい。

2 似た意味の言葉や反対の意味の言葉を集め、共有する〈30分〉

T　似た意味をもつ言葉や反対の意味をもつ言葉を集めて、カードに書きましょう。１つの言葉につき、１つのカードに書きます。

C　しゃがむ、座る、腰を下ろす、は全部似た意味の言葉だな。

C　「暗い」の反対は「明るい」だよ。反対の意味をもつ言葉はたくさん思いつくな！

T　自分が集めた言葉のカードを友達と見合いましょう。

ICT 端末の活用ポイント

カードや付箋を動かせるようなホワイトボードアプリやサイトなどを活用すると、その後の活動がゲーム的になり、楽しく学ぶことができる。

にたいみのことば、はんたいのいみのことば

1 にたいみのことばやはんたいのいみのことばをあつめよう。

2 ○今日やること
①にたいみのことばやはんたいのいみのことばをあつめよう
・カードに入力する
「一つのことばにつき、一つのカード

れい
うつくしい
きれい
すてき

②あつめたことばでゲームをしよう
・カードをバラバラにする
・となりのせきのともだちと見せ合う

3 学習を振り返る〈10分〉

T　今回の授業を通して分かったり、気付いたりしたことを発表しましょう。

C　私が集めたり、考えたりしていた言葉以外にも似た意味をもつ言葉はたくさんありました。でも少しずつ意味が違ったので、どの言葉が一番ぴったりか考えて使いたいと思いました。

C 「ぬぐ」の反対の言葉は「きる」だけだと思ってたけど、「はく」とか「かぶる」という言葉もありました。同じ「ぬぐ」なのに、反対の言葉がいろいろあるのが、ふしぎでした。

ICT 端末の活用ポイント

ノートに書かせたり、発表させるだけでなく、ここでもタブレットに入力し、お互いの振り返りを読めるようにしておくと、新たな気付きになったり、振り返りの質の向上につながったりする。

ICT 等活用アイデア

1人1台のタブレット活用で

これまでであれば、教師が画用紙などを切り、子供たちにグループをつくらせて集めた言葉をカードに書かせ、グループで見合うなどさせていた。1人1台のタブレットを活用し、ホワイトボードアプリなどを使えば、紙を用意するなどの手間もなくなるし、紙の過不足などによる制限もなくなる。それぞれが集めたものを、全員で共有することも容易になるので、より多くの友達の学びに触れることができたり、友達の学びを自分に取り入れたりすることが可能になる。

聞いて楽しもう

せかい一の話 （1時間扱い）

単元の目標

知識及び技能	・昔話や神話・伝承などの読み聞かせを聞き、我が国の伝統的な言語文化に親しむことができる。((3)ア)
学びに向かう力、人間性等	・言葉がもつよさを感じるとともに、楽しんで読書をし、国語を大切にして、思いや考えを伝え合おうとする。

評価規準

知識・技能	❶昔話や神話・伝承などの読み聞かせを聞き、我が国の伝統的な言語文化に親しんでいる。(〔知識及び技能〕(3)エ)
主体的に学習に取り組む態度	❷進んで昔話の読み聞かせを聞き、学習の見通しをもって、おもしろいと思うことを共有しようとしている。

単元の流れ

時	主な学習活動	評価
1	学習の見通しをもつ 読んだことのある昔話について伝え合う。 「せかい一の話」という題名から、何がせかい一なのか、どうしてせかい一なのかについて、想像しながら、学習の見通しをもつ。 いちばんおもしろいと思ったところについて伝え合おう。 読み聞かせを聞き、お話のあらすじをつかむ。 一番おもしろいと思ったところについて伝え合う。 他には、どのような昔話があるのか知る。 これから読んでみたい昔話について伝え合いながら、学習の振り返りをする。 学習を振り返る	❶ ❷

授業づくりのポイント

〈単元で育てたい資質・能力〉

本単元のねらいは、昔話や神話・伝承などの読み聞かせを聞き、我が国の伝統的な言語文化に親しむことである。そのために、一番おもしろいと思ったところを見つけて、友達と伝え合いながら、昔話のいろいろな魅力に触れさせたい。その際に、次にどのような生き物が出てきそうか想像したり、登場した生き物の様子を動作化したりすることで、このお話に親しみをもてるようにする。例えば、「でっかいわしは、のび上がり、ながあい羽をゆさぶって、バホラバホラ、バホラバホラと、東の海へとんでった。」という言葉に着目し、動作化してみることで、自分が世界一だと思い込んでいるわしの気持ちを想像させる。そうすることで、この後、自分よりも大きな存在に出会うという物語の展開を楽しめるようにする。

〈教材・題材の特徴〉

世界一だと思いこんでいた「わし」が、自分よりも大きな「でかえび」に会い、今度は「でかえび」が自分よりも大きな「くじらの赤ちゃん」に会い、それよりももっと大きな「親のくじら」がいることを知る。自分よりも大きな存在の生き物が次々に出て来て、登場人物の思い込みがどんどん裏切られていくことを物語の展開とともに楽しめる話である。また、それぞれの生き物が登場するときは体の一部分の描写のみのため、次はどのような生き物が出てくるのか予想しながら読み進めることができる。例えば、「なみの上」「ぴょっこり黒いしま」「右のはなのあな」「左のはなのあな」という言葉をヒントに、次はどのような生き物が出てきそうか、予想させた上で、お話の続きを読む。そうすることで、物語の展開や生き物の名前に着目して読み聞かせを聞くことができるようにする。

〈言語活動の工夫〉

本単元では、一番おもしろいと思った場面とその理由を伝え合う活動を行う。一番おもしろい場面を見つけるには、物語全体を捉えたり、場面の様子を想像したりする必要がある。挿絵を手がかりに、物語の大まかな流れがつかめるようにしたり、動作化をして場面の様子を具体的に想像したりして、一番おもしろい場面を見つけることができるようにする。

[具体例]

○おもしろい場面を伝え合う活動では、まず、同じ場面を選んだ人と伝え合うことで、選んだ理由を比べることで、同じ場面を選んでも理由が違うことに気付けるようにする。次に、違う場面を選んだ人と伝え合うことで、自分が気付かなかったお話のおもしろさに気付けるようにする。

〈ICT の効果的な活用〉

共有：教科書には、全ての生き物が示されているが、読み聞かせをするときに、場面ごとに登場する生き物を一つ一つ示していくことで、次に登場する生き物が何か、子供が想像しながら読み聞かせを聞くことができるようにする。また、「せかい一の話」の絵本を活用し、ダイナミックな絵を表示することで、よりお話の世界に入り込むことができるようにすることも考えられる。

整理：導入や終末において、子供が読んだことがありそうな昔話や、教師がおすすめする昔話の表紙を表示することで、いろいろな昔話があることを知り、読書へつなげることができるようにする。

本時案

聞いて楽しもう せかい一の話

本時の目標

・昔話の読み聞かせを聞くなどして、我が国の伝統的な言語文化に親しむことができる。

本時の主な評価

❶昔話や神話・伝承などの読み聞かせを聞くなどして、我が国の伝統的な言語文化に親しんでいる。【知・技】
❷進んで読み聞かせを聞き、学習課題に沿って内容や感想を友達に話そうとしている。【態度】

資料等の準備

・教科書または絵本「せかい一の話」の挿絵
・紹介用の昔話の本

・どんどん生きものが大きくなるところ。
・せかい一の生きものがなにかわからないところ。
○ことば
・ザブランザブラン
・バホラバホラ
・ごちょらごちょら

授業の流れ ▷▷▷

1 学習のめあてを確認する 〈5分〉

T みなさんはどんな日本の昔話を知っていますか。
・「ももたろう」「かぐやひめ」「うらしまたろう」
T これから「せかい一の話」という昔話を読みます。どんなお話でしょう。
・せかい一すごいものが出てきそう。
・なにが出てくるのかな。
T 青森県の昔話です。いちばんおもしろいと思ったところについて、あとで伝え合いましょう。
○本時のめあてを板書する。

ICT端末の活用ポイント

見通しの場面で、いくつかの昔話の絵本を映し、読書経験を想起させる。

2 昔話を聞きながら、動作化等をして場面ごとの様子を想像する〈15分〉

○読み聞かせをしながら、各場面で次のように問いかける。
T （わしの場面で拡大した挿絵を映す）「ながあい羽をゆさぶって、バホラバホラ、バホラバホラと東の海へとんでった」どんなふうにわしはとんだと思いますか。
○動作化する。
T （えびの場面に行く前に予想させる。）次はどんな生き物が出てきそうですか。ヒントはひげのある生き物です。
○えびの場面を読み聞かせる。

ICT端末の活用ポイント

場面ごとに登場する生き物を映し、次に登場する生き物を予想しながら楽しんで話を聞ける。

せかい一の話（むかし話）

1 いちばんおもしろいとおもったところについてつたえ合おう

3 ○お話のないよう
・わしがじまんしているところ。

〈ICTの活用〉
実物投影機等を活用して以下のものを映す。
・見通す場面で、昔話の絵本の表紙を映す。
・読み聞かせで、場面ごとに出てくる生き物の挿絵を映す。
・振り返る場面で、教師が紹介する昔話の絵本の表紙を映す。

3 一番おもしろいと思ったところについて伝え合う 〈20分〉

T　どんな生き物が出てきましたか。
・わし、えび、かめ、くじらの順番です。
T　いちばんおもしろいと思ったところはどんなところですか。となりやまわりの友達に伝えましょう。そのときに「〜が〜するところです。なぜかというと、」という言葉を使って伝えましょう。
・わしが「せかい一でっかいおれさま」と言うところです。なぜかというと、自分よりもっと大きい生き物がこのあと出てくることを知らずに世界一だと思っているからです。
・どんどん大きな生き物が出てきたところです。なぜかというと、次はどんな大きな生き物が出てくるかわくわくしたからです。

4 学習を振り返る 〈5分〉

T　今日はみんなで日本の昔話を楽しみましたね。他にはこんな本がありますよ。
○いくつかの昔話の簡単なあらすじや登場人物を紹介する。
T　読んで見たいと思った昔話や、今日の「せかい一の話」のおもしろかったところについて振り返りに書きましょう。
・私はいろいろな生き物が出てきたところがおもしろいなと思いました。生き物が出てくる昔話をもっと読みたいです。

ICT 端末の活用ポイント

紹介する昔話の表紙を映して、お話のイメージをもてるようにする。また実物の本を教室に用意し読書活動につなげる。

1年生でならったかん字

かん字のひろば④ (2時間扱い)

単元の目標

知識及び技能	・第1学年に配当されている漢字を書き、文や文章の中で使うことができる。((1)エ)
思考力、判断力、表現力等	・語と語の続き方に注意することができる。(B ウ)
学びに向かう力、人間性等	・言葉がもつよさを感じるとともに、楽しんで読書をし、国語を大切にして、思いや考えを伝え合おうとする。

評価規準

知識・技能	❶前学年で配当されている漢字を文の中で使っている。(〔知識及び技能〕(1)エ)
思考・判断・表現	❷「書くこと」において、語と語の続き方に注意している。(〔思考力、判断力、表現力等〕B ウ)
主体的に学習に取り組む態度	❸今までの学習を生かして、進んで第1学年に配当されている漢字を使って文を書こうとしている。

単元の流れ

時	主な学習活動	評価
1	学習の見通しをもつ 1年生で習った漢字を復習する。絵の様子を想像する。 学習課題を設定する。 1年生でならったかん字をつかって算数の問題を作ろう。 例文を読み、文の書き方を確かめる。 絵の言葉を使って文を書く。	❶
2	絵の中の言葉を使って、問題づくりをする。 書いた文を読み合う。 学習を振り返る 文を書くときに気を付けたいこと、工夫したことをノートに書く。	❷❸

授業づくりのポイント

〈単元で育てたい資質・能力〉

この単元では、1年生で配当された漢字を正しく書き、文や文章の中で適切に使う力を身に付けさせたい。2年生の現段階において、ほとんどの子供は1年生の漢字を正しく書くことができるが、作文やノートなどの毎日の書字活動については、1年生で習った漢字を使えていなかったり、音に引きずられて誤字を書いたりしている子供も少なくない。漢字を文や文章の中で正しく使えるようにするには、自分なりに工夫した文の中で実際に使ってみることが必要である。教材に配置された言葉を用いて、楽しく文を書いたり読んだりすることで、漢字を使うよさに気付かせることができるようにする。

[具体例]
○それぞれの漢字の読み方、書き方を丁寧に復習する。字形や筆順、画数などにも触れ、1年生で習った漢字を一字ずつ丁寧に扱い確認する。自分が書ける漢字が増えてきていることに気付かせ、文章の中でも使えそうだという実感をもたせる。
○教科書に配置されている言葉が数を表す言葉であることに気付かせる。算数でよく使う言葉であることを想起させ、「算数の問題づくりをしよう」という学習への意欲を高める。
○例文をモデルにし、問題づくりを行う。絵の中の様子を話し合いながら、足し算や引き算の問題を作るために必要な語句を考え、文章を書く際のヒントになるようにする。

〈語彙を広げる指導の工夫〉

教科書に提示されている数詞には数が変わると言い方に変化があるものもある。一つ一つ挿絵と対応させながら読むことで、その違いにも気付かせる。子供によっては、あまり使ったことがない数詞もあると思われるので、一つ一つ確認しながら指導したい。

[具体例]
○「5ひき」「3びき」など、数によって読み方が変化する数詞を確認する。また、同じ花でも「〜はち」と数える場合と「〜たば」と数える場合があることに気付かせる。
○他のものを数えるときはどんな言葉を使うか考えさせる。「車は〜台」「おかしは〜こ」など、算数科の学習を想起し、様々な数詞があることを確認する。

[具体例]
○書いた文を短冊に書き教室内に掲示し、子供が見られるようにする。また、毎日1つ、朝の会で例文を音読する。授業開始の5分間に継続して問題づくりに取り組む。漢字を○個使って短文づくりをする等、単元の学習のみでなく、日常的に継続して取り組むことで漢字を正しく書いたり読んだりする力を身に付けさせていく。また、日常的に数詞に興味をもたせていくことも大切である。

〈ICT の効果的な活用〉

共有：子供が書いた例文をスライドショーにし、導入の5分間に全員で音読する。文を書く意欲を高めることにもつながり、正しく漢字を読むことの練習にもなる。また、算数の学習の時間に問題として活用し、実際に解いてみるのもおもしろい。

本時案

かん字のひろば④

本時の目標

・１年生で習った漢字や数を表す語句を使って、文を書くことができる。

本時の主な評価

❶第１学年で配当されている漢字を文の中で使っている。【知・技】
❷語と語の続き方に注意している。【思・判・表】
❸今までの学習を生かして、進んで第１学年に配当されている漢字を使って文を書こうとしている。【態度】

資料等の準備

・文を書くカード

3
①何がどれだけあるか
（ねこが五ひきいます。
六百円のおべんとうがあります。）
②どうなるか
（○ひきくる。○円はらうと　など）
③何をきくか
（おつりは、ぜんぶで　など）
ことばのじゅんばんがおかしくないかたしかめる
→もんだいを出し合おう
4

授業の流れ ▷▷▷

1 学習の見通しをもつ 〈20分〉

T　教科書に書かれた漢字を読んでみましょう。子供は何人いますか。犬は何匹いますか。その他にも数えられそうなものはありますか。
○漢字を正しく読み、空書きしたり画数を確認したりしながら、既習の漢字を復習する。書き方や読み方が分からない漢字について全体で確認する。
○数に関する情報を中心に、絵から読み取れることを学級全体で共有する。絵を見ながら十分に話し合うことで、文を書こうという意欲につながるようにする。また、数詞には数が変わると言い方に変化があるものもある。一つ一つ挿絵と対応させながら読むことで、その違いにも気付かせる。

2 学習課題を設定する 〈25分〉

T　数を表す言葉がたくさん出てきましたね。この言葉を使って算数の問題を作りましょう。
○学習課題を板書する。
T　例文を声に出して読みましょう。どんな言葉があると、算数の問題になりますか。
・たし算…あわせて、全部で、みんなで
・ひき算…のこりは、どちらが多い、おつりは
○絵の中の言葉を使って、学級全体で問題を１問作り、文の書き方を確認する。
・600円のお弁当を買います。千円札を出すとおつりはいくらでしょうか。

一年生でならったかん字

かん字のひろば④

1

一本　八人　犬
二ひき　九はち
四たば　百円玉
五ひき　千円さつ
五百円
六百円
七十円

☆数をあらわすことばは、数がかわると言い方がかわるものがあります。

一本（ぽん）　一ぴき
二本（ほん）　二ひき
三本（ぼん）　三びき

読みや画数を板書したり、書き順を確認したりする。

2

一年生でならったかん字をつかって、算数のもんだいを作ろう。

○もんだいの作り方

☆書いたらじぶんで声に出して読みかえす。

たし算にするとき
…あわせて、ぜんぶで、みんなで

ひき算にするとき
…のこりは、どちらがおおい、おつりは

3 絵の中の言葉を使って、算数の問題を作る 〈25分〉

T　絵の中にある言葉を使って、算数の問題を作りましょう。

○あとで交流をしやすいように、1つのカードにつき1つの問題を書かせていく。

○書き出せない子供のために、書き出しの例をいくつか提示するとよい。

・「子供が8人います。…」
・「1本70円のだいこんがあります。…」
・「犬が2匹います。…」

○使った言葉は教科書に○で囲むなどして、なるべく多くの言葉を使えるようにする。

○書いた問題は自分で一度声に出して読み、数が変わることで読み方が変わるものも、正しく使うことができているか確かめる。

4 グループで問題を交換して読み合い、学習を振り返る 〈20分〉

T　作った問題を友達と交換して解いてみましょう。

○3～4人のグループに分かれて、問題を解く。裏返した問題カードを机の真ん中に集め、それぞれ1枚引き、その問題を解く。答えはそれぞれ自分のノートに書いておく。誰が書いた問題かが分かるように、「名前―①」のように番号をふっておくとよい。

○問題を解く際には、一度声に出して読んでから答えを考えるようにする。漢字が間違っていたり、数詞が正しくなかったりした場合は、互いにアドバイスすることを伝えておく。

T　文を書くときに気を付けたこと、工夫したことをノートに書きましょう。

思いうかべたことをもとに、お話をしょうかいしよう

みきのたからもの （10時間扱い）

単元の目標

知識及び技能	・文の中における主語と述語との関係に気付くことができる。((1)カ) ・読書に親しみ、いろいろな本があることを知ることができる。((3)エ)
思考力、判断力、表現力等	・場面の様子に着目して、登場人物の行動を具体的に想像することができる。(C エ) ・場面の様子や登場人物の行動など、内容の大体を捉えることができる。(C イ)
学びに向かう力、人間性等	・言葉がもつよさを感じるとともに、楽しんで読書をし、国語を大切にして、思いや考えを伝え合おうとする。

評価規準

知識・技能	❶文の中における主語と述語との関係に気付いている。(〔知識及び技能〕(1)カ) ❷読書に親しみ、いろいろな本があることを知っている。(〔知識及び技能〕(3)エ)
思考・判断・表現	❸「読むこと」において、場面の様子に着目して、登場人物の行動を具体的に想像している。(〔思考力、判断力、表現力等〕C(1)エ) ❹「読むこと」において、場面の様子や登場人物の行動など、内容の大体を捉えている。(〔思考力、判断力、表現力等〕C(1)イ)
主体的に学習に取り組む態度	❺積極的に登場人物の様子を具体的に想像し、学習の見通しをもってお話を紹介する文を書こうとしている。

単元の流れ

次	時	主な学習活動	評価
一	1 2	学習の見通しをもつ ・全文を読み、「おもしろいな」「ふしぎだな」と感じたところについて伝え合う。 ・学習の見通しをもち、学習課題を設定する。 思いうかべたことをもとに、すきなところが伝わるようにお話をしょうかいしよう	
二	3 4	・誰が何をしたのか、どんなできごとがおこったのかを確かめ、あらすじをまとめる。	❶ ❹
	5 ≀ 7	・登場人物がしたことや言ったことで、「おもしろいな」「ふしぎだな」と感じたところについて、様子を具体的にイメージしたり、行動の理由を想像したりする。 ・登場人物の様子や行動の理由について想像したことを、友達に話す。	❸
三	8 9	・思いうかべたことを基に、自分の好きなところが家の人に伝わるようにお話を紹介する文章を書く。 ・書いた文章を友達と読み合い、よいところを伝え合う。	❸ ❺

	10	学習を振り返る ・「この本、読もう」で読書への意欲をもつ。	❷

授業づくりのポイント

〈単元で育てたい資質・能力〉

本単元のねらいは、場面の様子に着目して、登場人物の行動を具体的に想像する力を育むことである。そのためには、人物の様子が分かる言葉を見つけ、その言葉を手がかりに想像することが重要である。例えば「おそるおそる近よる」という言葉に着目させて、「誰が何に近よったのか」「どのように近よったのか」、その人物になりきって動作化をさせたり、なぜそのような行動をとったのか理由を考えさせたりすることで、登場人物の行動を具体的に想像することができる。

〈教材・題材の特徴〉

「みきのたからもの」は、「みき」が遠い星から「ナニヌネノン」という不思議な生き物と出会うお話であり、「ナニヌネノン」の正体は最後まで明確には示されていない。そのため、子供たちが、「みき」と一緒になって、おそるおそる不思議な生き物と出会い、徐々に心を通わせていくことができるお話である。普段見なれない生き物と触れ合うお話は他にもあり、この学習で、お話のおもしろさや不思議さについて伝え合う楽しさを味わうことで、より一層読書に興味をもつことができるだろう。

〈言語活動の工夫〉

本単元では、場面の様子に着目して、登場人物の行動を具体的に想像したことを生かして、このお話の一番好きなところを決めて、お家の人に紹介する活動を設定している。このお話を知らないお家の人に好きなところを伝えるためには、どのような場面なのか、人物のどのような行動をおもしろい（不思議、いいな）と思ったのかを具体的に伝える必要がある。子供が必要感をもって学ぶことができるような言語活動を設定することが重要である。

［具体例］
○お家の人には、「紹介カード」を書いて好きなところを伝える。「紹介カード」には、簡単なあらすじを書いた後に、好きなところとその理由を書く。好きなところには、そこからどのような人物の様子を想像したのか、お話を知らないお家の人に伝わるように書く。

〈ICT の効果的な活用〉

表現：学習の初めに、正体が明かされていない「ナニヌネノン」の姿を、お絵かきソフトを使って描いて共有する。個々のイメージで、お話を読み進めてよいことを伝え、楽しみながら学習をスタートさせる。

共有：好きなところを紹介する文章を書くときに、人物の様子や好きな理由を、相手に伝わるように具体的に書けている子供の文章を、学習支援ソフトを使って紹介することで、よさを共有できるようにする。

分類：誰が、どの場面の様子に着目したのか、分かるように表計算ソフトを使って整理することで、自分と同じ場面を選んだ人や違う場面を選んだ人が分かるように一覧にする。交流のときは、この一覧を見て、聞いてみたい人のところに行って、交流できるようにする。

本時案

みきのたからもの

本時の目標

・初発の感想を基に、学習の見通しをもとうとする。

本時の主な評価

・「いいな。」「おもしろいな。」「ふしぎだな。」と感じたところについて感想を書こうとしている。

資料等の準備

・特になし

「おもしろいな。」

・○○が○○したことがおもしろかったです。なぜかというと、…。

「ふしぎだな。」

・○○がふしぎでした。…かなと思いました。

感想は、次時でくわしく取り上げるので、本時では、簡単な板書とする。

授業の流れ ▷▷▷

1 「みきのたからもの」という題名や教科書の扉絵からお話の内容を予想する〈5分〉

T　みなさんのたからものは何ですか。
・お誕生日に買ってもらったお洋服
・家で飼っているねこ
・お友達からもらったおてがみ
T　「みきのたからもの」というお話です。みきのたからものとは、何でしょう。
T　教科書のこの絵（扉絵）を見てください。みきがカードをひろうところからお話が始まります。このカードはだれの物でしょうか。
○本時のめあてを板書する。
T　これから「みきのたからもの」というお話を読みます。「いいな。」「おもしろいな。」「ふしぎだな。」と感じたことをあとで教えてくださいね。

2 「みきのたからもの」の教師の範読を聞く〈15分〉

○範読の途中で挿絵を手がかりに場面の様子を想像できるようにする。
（例）この乗り物できたのかな。
　　どこからきたのかな。
　　ナニヌネノンどんな生きものかな。
○子供たちの反応を基に、教師がお絵かきソフトを使って描いて見せる。
　　ポロロン星はどんな星かな。
　　みきのたからものとは何だろう。

ICT 端末の活用ポイント

・場面ごとの挿絵を映し、挿絵を手がかりに、場面のようすを想像できるようにする。
・また、お絵かきソフトなどを活用し、子供たちそれぞれが想像したナニヌネノンを共有する。

みきのたからもの　　はちかい　みみ

ICTの活用
・範読のときに、場面ごとの挿絵を映す。
・子供たちが想像したナニヌネノンをお絵かきソフトを使って描いて映す。
・感想の書き方の例を示す。

1
お話を読んで「いいな。」「おもしろいな。」「ふしぎだな。」とかんじたことをつたえ合おう。

3
「いいな。」
・いいなと思ったことは、〇〇です。
なぜかというと…。

3 「いいな。」「おもしろいな。」「ふしぎだな。」と感じたことを伝え合う〈10分〉

T　このお話のどんなところを「いいな。」「おもしろいな。」「ふしぎだな。」と感じましたか。となりの人に伝えましょう。
・みきとナニヌネノンがなかよくなれてよかったです。
・ナニヌネノンという生き物の名前や、ポロロン星という名前がおもしろかったです。
・ナニヌネノンは何をしに来たのか知りたいなと思いました。
・石がどうやって案内してくれるのかなとふしぎに思いました。
・ナニヌネノンはどんな生きものなのかなと思いました。きっとかわいくて小さい生き物だと思います。

4 初めて読んだ感想を書く〈15分〉

T　このお話の「いいな。」「おもしろいな。」「ふしぎだな。」と感じたことについて感想をノートに書きましょう。
〇感想の書き方の例を映す。
・いいなと思ったことは、〇〇です。なぜかというと…。
・〇〇が〇〇したことがおもしろかったです。なぜかというと、…。
・〇〇がふしぎでした。…かなと思いました。
T　次の時間に、クラスの友達がどんな感想を書いたか、伝え合いましょう。

ICT 端末の活用ポイント

感想の書き方の例を、いくつか示し、書くときの手がかりとする。

本時案

みきのたからもの

本時の目標

・初めて読んだ感想を基に、学習の見通しをもとうとする。

本時の主な評価

・「いいな。」「おもしろいな。」「ふしぎだな。」と感じたことから問いをもっている。
・この学習の見通しをもとうとしている。

資料等の準備

・紹介カードのサンプル 10-01

○しょうかいカードの文しょうのれい

〈しょうかいカード〉
「みきのたからもの」は
・・・・・・・・・・・
・・・・・・・・・・・
・・・・・・・・・・・
・・・です。

いちばんすきなところ
は、・・・・・・・・・
です。なぜかというと
・・・・・・・・・・・
からです。

あらすじ

・いちばんしょうかいしたいすきなところ
・すきなりゆう

☆ふりかえり
・がんばりたいこと
・たのしみなこと

授業の流れ ▷▷▷

1 前時の振り返りをして、本時の見通しをもつ 〈15分〉

T　前の時間はどのようなことをしましたか。
・「みきのたからもの」というお話を読みました。
・「いいな。」と思ったことについて感想を書きました。
・私は、「ふしぎだな。」と思ったことについて感想を書きました。
・友達がどんなことを書いたのか知りたいな。
T　今日はみなさんが前の時間にどのような感想を書いたのか、伝え合いましょう。
○本時のめあてを板書する。
○「みきのたからもの」の範読をする。

2 初めの感想を伝え合う 〈15分〉

T　初めの感想をグループの人に伝えましょう。自分と比べて同じなのか違うのかに気を付けて聞きましょう。
○「いいな。」「ふしぎだな。」「おもしろいな。」のそれぞれの感想が混ざるような3人程度のグループをつくる。
T　友達の感想と比べて気付いたことや感じたことはありますか。
・みんな「ふしぎだな。」と思うところがちがったよ。
・「いいな。」と思った理由がちがったよ。
・他にもふしぎなところがないかさがしてみたいな。
・おもしろいなと思ったことを友達やお家の人にも教えてあげたいな。

みきのたからもの

1
お話を読んで「いいな。」「おもしろいな。」「ふしぎだな。」とかんじたことをつたえ合おう。

2
「いいな。」
・みきがナニヌネノンとなかよくなれたところ。
・みきがうちゅうひこうしになるゆめをもったところ。
・みきがやさしいところ。

「おもしろいな。」
・マヨネーズのようきみたいな形ののりもの。
・ナニヌネノン、ポロロン星という名前。

「ふしぎだな。」
・ナニヌネノンはどうしてみきをポロロン星にしょうたいしたのかな。
・ナニヌネノンはどんな生きものなのかな。

3
思いうかべたことをもとに、すきなところが伝わるようにお話をしょうかいしよう。

3 学習課題を立てる 〈15分〉

○紹介カードを示す。

T　みなさんは、この学習でどんなことを頑張りたいですか、またはどんなことが楽しみですか。振り返りに書きましょう。

・このお話のおもしろいところをもっとたくさん見つけたいです。
・いいなと思った理由が書けるようになりたいです。
・お家の人がこのお話を読みたくなるといいです。

T　お話のすきなところが気になっている人が多いようなので、この学習では、このお話のすきなところを見つけて、お家の人に紹介しましょう。

○学習課題を板書する。

よりよい授業へのステップアップ

聞き方の工夫（比べながら聞く）

他の人と考えを伝え合うときには自分の考えと比べさせる。自分と同じなのか違うのかを比べながら、他者には自分にはない考えがあり、交流することで自分の考えが広がるということを実感させるとよいだろう。また、発表の中で「〜さんと似ていて」「〜さんとはすこし違って」という言葉を使い、他者と比べて発表している子供を取り上げ、比べたことを発表の中に取り入れるための言葉も指導することができる。

本時案

みきのたからもの

本時の目標

・物語の設定を確かめ、大まかなあらすじをつかむことができる。

本時の主な評価

❶文の中における主語と述語との関係に気付いている。【知・技】

❹場面の様子や登場人物の行動など、内容の大体を捉えている。【思・判・表】

資料等の準備

・みきがしたことやできごとを短くまとめたカード（ICT）

・だれが（だれと）なにをしたお話
・だれになにがおきたお話
・だれがなにをしてどうなったお話

だれが

・みき
・ナニヌネノン　ふしぎな生きもの
　ポロロン星からきた　遠い星

だれが

何をしたか

どんなできごとがおこったか

授業の流れ ▷▷▷

1 本時のめあてを確認する 〈10分〉

T　前の時間は、学習課題を考えましたね。どんな学習課題にしましたか。

・思いうかべたことをもとに、すきなところが伝わるように、お話をしょうかいしよう。

〇学習課題を板書する。

T　いちばんすきなところやおもしろいところなどを伝えられるといいですね。

T　今日はそのために、大まかなあらすじをつかみましょう。

〇本時のめあてを板書する。

2 「あらすじ」の意味を確認して、教師の範読を聞く 〈15分〉

T　「あらすじ」とは、お話の内容をみじかくまとめたものです。例えば、「ももたろう」だったら…。
これから、「みきのたからもの」を読みます。お話を聞きながら、あらすじに必要なことを見つけましょう。

〇以下のカードを黒板にはる。

だれが

何をしたか

どんなできごとがおこったか

ICT 端末の活用ポイント

子供たちがよく知っている物語のあらすじを例として示すことで、あらすじのイメージをもてるようにする。

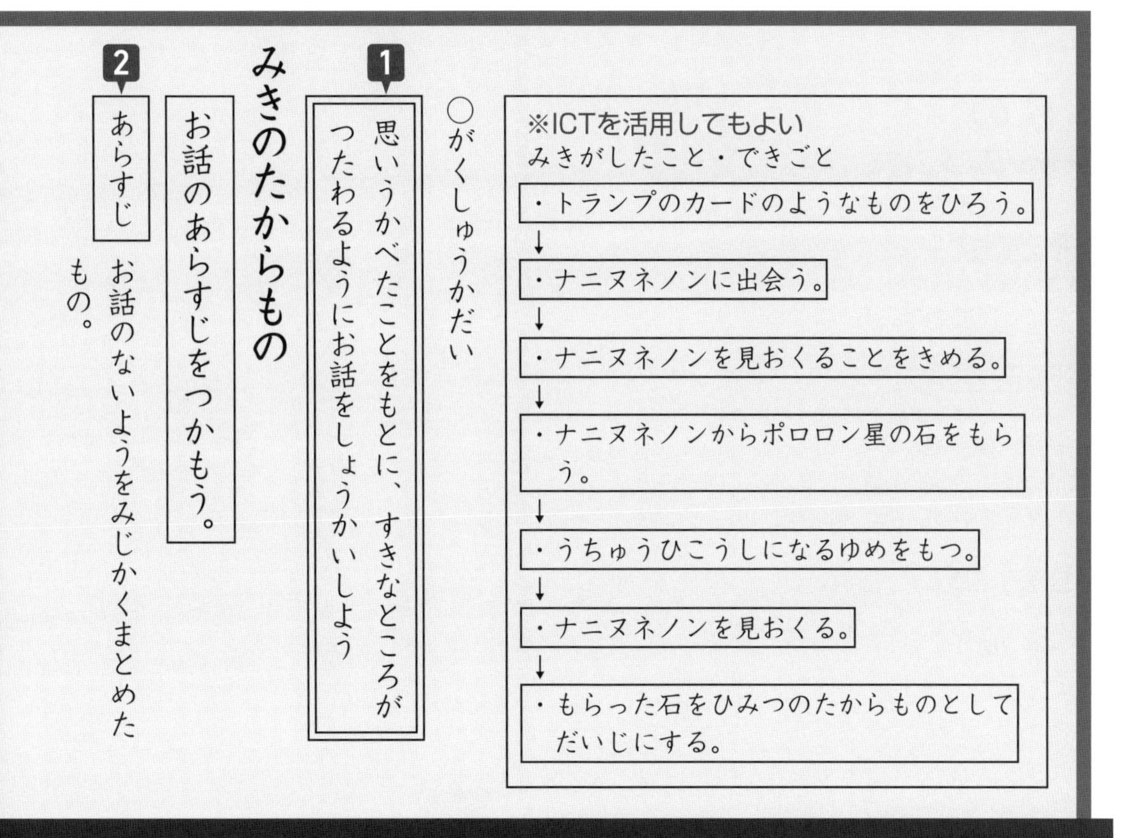

3 物語のあらすじを全体で確認する〈10分〉

T　だれがでてくるお話ですか。
・みき　・ナニヌネノン
T　みきが何をしたのか、どんなできごとが起こったのか、カードを順番に並べてみましょう。
・カードをひろったことは最初のできごとだね。
・みきが見送りの話をしたあとに、石をもらったね。
・みきが「うちゅうひこうし」とこたえるようになったところは最後だね。

ICT 端末の活用ポイント

ふせんで並び替えができる機能を活用し、操作しながら物語の順番を捉えられるようにする。その際に、記憶を頼りに並び替えるのではなく、教科書でできごとを確かめながら並び替えるように指導する。

4 物語の簡単なあらすじを友達に伝える〈5分〉

T　となりの人にあらすじを伝えましょう。
○あらすじの言い方の例を示す。
・みきがナニヌネノンに出会って、なかよくなるお話です。
・みきがナニヌネノンに出会って、うちゅうひこうしになるゆめをもつお話です。
・みきがナニヌネノンというふしぎな生き物に会って、もらった小さな石をひみつのたからものにするお話です。
T　次の時間は、あらすじを文章にして書けるようにしましょう。

本時案

みきのたからもの

本時の目標

・物語の設定を確かめ、大まかなあらすじをつかむことができる。

本時の主な評価

❶文の中における主語と述語との関係に気付いている。【知・技】
❹場面の様子や登場人物の行動など、内容の大体を捉えている。【思・判・表】

資料等の準備

・前時でならべたできごとやみきがしたことのカード（ICT）

「みきのたからもの」はみきとナニヌネノンが出て
くるお話です。ある日、みきは、公園の入り口で
トランプのカードのようなものをひろいました。
そして、…

4 ☆ふりかえり
あらすじをかくときに、がんばったことやくふう
したこと。

授業の流れ ▷▷▷

1 学習課題と本時のめあてを確認する 〈5分〉

T　学習課題を見てみましょう。
・「みきのたからもの」というお話のあらすじとすきなところをお家の人にしょうかいするよ。
・この前は大まかなあらすじを伝えたね。
・みじかくするのがむずかしかったよ。
T　今日は、このお話のことを知らないお家の人が「みきのたからもの」がどんなお話か分かるようにあらすじを伝えられるようになりましょう。
○本時のめあてを板書する。

2 前時の学習を生かしてあらすじを文章にまとめる 〈15分〉

○前時の学習で押さえた物語の設定やできごとを掲示する。
T　前回の学習を生かしてあらすじを文章にまとめましょう。「だれがなにをしてどうなった話」なのかを文章にしましょう。
○あらすじの初めの文章は提示して、その続きを文章にする。

（例）
・ある日、みきは公園の入り口で、カードをひろいます。そして、うちゅうから来たナニヌネノンと出会います。カードをかえしたみきは、ナニヌネノンを見おくることにします。よろこんだナニヌネノンは小さい石をくれました。

〈ICTの活用〉

・あらすじを文章にするときに、前時におさえた物語のできごとをならべたカードを提示する。

・あらすじの文章を読み比べた後に、複数の子供のあらすじを提示する。

○がくしゅうかだい

1 思いうかべたことをもとに、すきなところがつたわるようにお話をしょうかいしよう

みきのたからもの

お話のあらすじを文しょうにまとめよう。

2 あらすじ

お話のないようをみじかくまとめたもの。

3 あらすじの文章を読み比べて修正する 〈15分〉

T　書いたあらすじをお友達と比べましょう。友達のあらすじのよいところを見つけましょう。

・物語のじゅんばんを正しく書いていていいなと思いました。

・分かりにくいところは、この前並べ替えたカードの文章に付け足していていいなと思いました。

ICT 端末の活用ポイント

いくつかのあらすじを拡大して提示し、どこがどのようによいのか教室全体で共有をする。

(例)・主語と述語がつながっている文章

・前回ならべかえたカードの文章をもとに、分かりやすいように説明を加えている文章

4 本時の学習を振り返る 〈10分〉

T　このお話のことを知らないお家の人に伝わるようなあらすじが書けましたか。あらすじを書くときに頑張ったことや工夫したことを振り返りましょう。

・友達のよいところをまねして、あらすじを書き直したことを頑張りました。

・だいじな出来事を順番に気を付けて書くことを頑張りました。

T　次の時間からお話の内容をくわしく読んでいきましょう。お家の人に紹介したいところが見つけられるといいですね。

本時案

みきのたからもの

本時の目標

・登場人物のしたことや言ったことを具体的に想像したり、その理由を考えたりすることができる。

本時の主な評価

❸場面の様子に着目して、登場人物の行動を具体的に想像している。【思・判・表】
・積極的に登場人物の様子を具体的に想像し、学習の見通しをもってお話を紹介する文を書こうとしている。

資料等の準備

・特になし

・ひとりぼっちでかわいそうだから。
・どんなふうにこののりものがとぶのか見たいから。
・

3 ☆ふりかえり
お家のひとにしょうかいしたいことと、その理由。

授業の流れ ▷▷▷

1 学習課題と本時のめあてを確認する 〈5分〉

T　学習課題は何ですか。
・「みきのたからもの」というお話のあらすじとすきなところをお家の人にしょうかいするよ。
・この前はあらすじを文章にまとめたね。
・あとは、すきなところとその理由を見つけられるといいね。
T　今日は1つめの場面をくわしく読んで、すきなところや紹介したいところを見つけていきましょう。
○本時のめあてを板書する。

2 みきがカードをひろった場面からリボンをわたす場面までの、みきやナニヌネノンの様子を具体的に想像する 〈25分〉

○本時で学習する場面を範読する。範読しながら次のことを確かめる。
T　「おそるおそる近よる」「目を丸くする」とはどのようなことかみんなでやってみましょう。
○動作化する。
T　みきは、どうしてナニヌネノンを見おくろうと思ったのでしょうか。みきになって「リボンが見えなくなるまで、ここで見おくりたいの。」の続きに「だって…」と言葉を付け足してとなりの人に伝えてみましょう。
・「……だって、ちゃんと帰れるか心配だから。」
○様々な行動の理由を話している子供を意図的に取り上げて、全体で共有する。
T　話し合ったことを基にノートに、「だって」に続けて、みきのせりふを書きましょう。

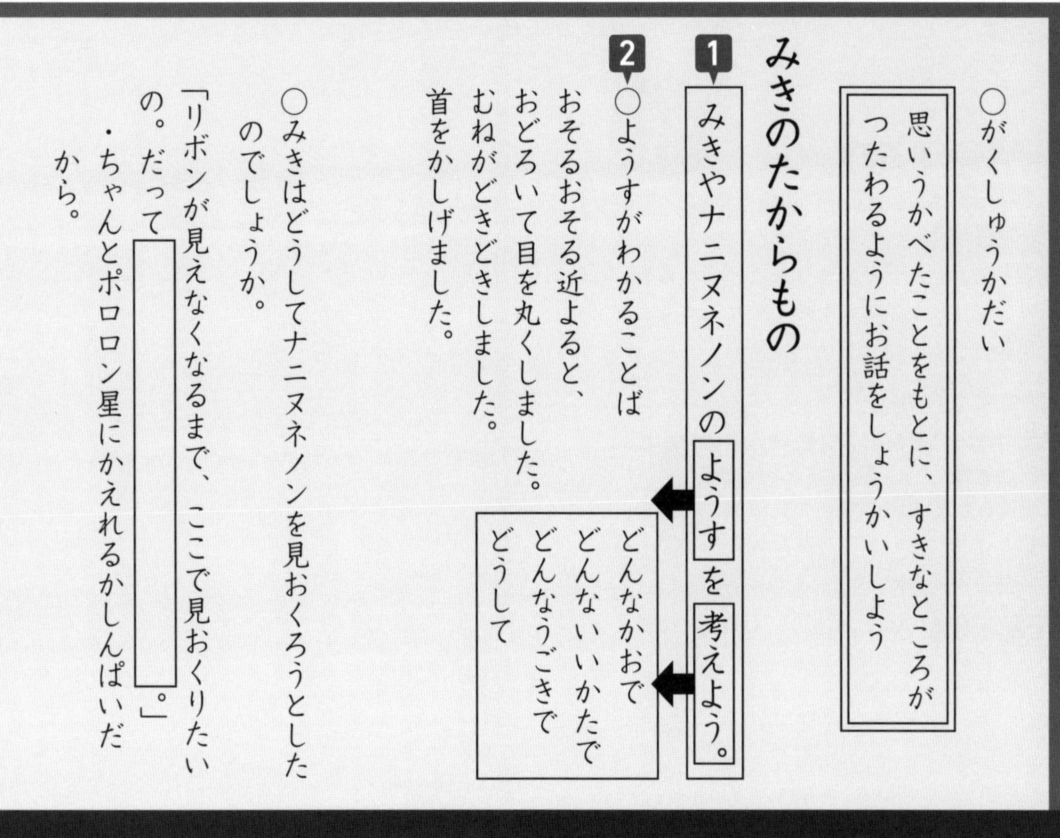

3 この場面で一番紹介したいことについて振り返りに書く 〈15分〉

T　今日の場面でお家の人に紹介したいなと思ったことはどんなことですか。

・私は、みきがナニヌネノンにやさしいところがいいなと思ったので、お家の人につたえたいです。

T　次の場面でもお家の人に伝えたいところが見つけられるといいですね。

よりよい授業へのステップアップ

様子を具体的に想像する工夫

人物の様子を具体的に想像するというのはどういうことなのか次のような視点を与えるとよい。

・どんな顔か。（表情）
・どんな言い方か。（口調）
・どんな動作か。（様子）

このような視点で、実際に動作化をさせることで、具体的に登場人物の様子を想像できるようになる。

第８時と関連付ける工夫

場面ごとに、お家の人に紹介したいところを簡単な感想として書きためておく。それを第８時で活用するとよい。

本時案

みきのたからもの 6/10

本時の目標

・登場人物のしたことや言ったことを具体的に想像したり、その理由を考えたりすることができる。

本時の主な評価

❸場面の様子に着目して、登場人物の行動を具体的に想像している。【思・判・表】
・積極的に登場人物の様子を具体的に想像し、学習の見通しをもってお話を紹介する文を書こうとしている。

資料等の準備

・特になし

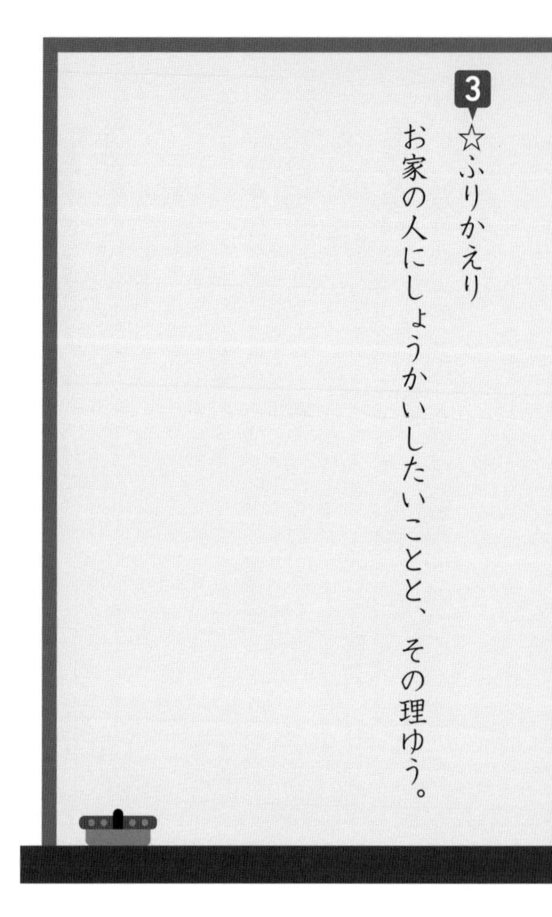

授業の流れ ▷▷▷

1 学習課題と本時のめあてを確認する 〈5分〉

T　学習課題は何ですか。
・「みきのたからもの」というお話のあらすじとすきなところをお家の人に紹介するよ。
○学習計画を見て確かめる。
T　今日はそのために何をしますか。
・次の場面のみきがしたことをくわしく読みます。
・次の場面の紹介したいところを見つけます。
○本時のめあてを板書する。

2 みきが小さな石をもらう場面からナニヌネノンと別れる場面までの様子を具体的に想像する 〈25分〉

○本時で学習する場面を範読する。
○動作化したり意味を確認したりする。
T　もしみんなが、みきやナニヌネノンだったら、どんなことを言いながら、手をふりますか。
○みきの役割とナニヌネノンの役割でせりふを言いながら手をふる。
・（みきの場合の例）ナニヌネノン、ぜったいにうちゅうひこうしになって遊びにいくからね。
○違うせりふを話している子供を意図的に取り上げて、全体で共有する。
T　話し合ったことをもとに、みきやナニヌネノンのどちらかを選んで、手をふりながら言った言葉をノートに書きましょう。

○がくしゅうかだい

思いうかべたことをもとに、すきなところがつたわるようにお話をしょうかいしよう

みきのたからもの

1 みきやナニヌネノンのようすを考えよう。

どんなかおで
どんないいかたで
どんなうごきで
どうして

2 ようすがわかることば

目をかがやかせて
少しいそぐように言いました
なんども手をふりました

○みきとナニヌネノンはどんなことをいいながらどんなふうに手をふったのだろう。

みきだったら
・「ぜったいにうちゅうひこうしになるよ。」
・「いなくなってさみしいよ。またあいにいくよ。」
ナニヌネノンだったら
・「カードをひろってくれてありがとう。」
・「ぜったいにあそびにきてね。まってるよ。」

3 この場面で一番紹介したいことについて振り返りに書く 〈15分〉

T　今日の場面でお家の人に紹介したいなと思ったことはどんなことですか。

・私は、みきがうちゅうひこうしになろうと決めたところをしょうかいしたいです。みきちゃんのことをおうえんしたくなりました。

T　次の場面でもお家の人に伝えたいところが見つけられるといいですね。

よりよい授業へのステップアップ

人物の様子を具体的に想像するための工夫

本時では、具体的に想像するために、手をふりながらどんなことを言ったのか具体的なせりふを言いながら役割演技をしている。初めに、教師がサンプルを見せると子供は活動のイメージをもちやすいだろう。具体的にどのようなせりふを言ったのか、どのように手をふったのか役割演技をする中で具体的に想像できるようにしたい。

本時案

みきのたからもの

7/10

本時の目標

・登場人物のしたことや言ったことを具体的に想像したり、その理由を考えたりすることができる。

本時の主な評価

❸場面の様子に着目して、登場人物の行動を具体的に想像している。【思・判・表】
・積極的に登場人物の様子を具体的に想像し、学習の見通しをもってお話を紹介する文を書こうとしている。

資料等の準備

・特になし

3
☆ふりかえり
お家のひとにしょうかいしたいことと、その理ゆう。

授業の流れ ▷▷▷

1 学習課題と本時のめあてを確認する 〈5分〉

T　学習課題は何ですか。
・「みきのたからもの」というお話のあらすじとすきなところをお家の人に紹介するよ。
〇学習計画を見て確かめる。
T　今日はそのために何をしますか。
・次の場面のみきがしたことをくわしく読みます。
・前の時間みたいに、みきになりきって、せりふや動きを考えたりするとよさそうだね。
・次の場面の紹介したいところを見つけます。
〇本時のめあてを板書する。

2 みきがナニヌネノンと別れた場面から最後の場面までを具体的に想像する 〈25分〉

〇本時で学習する場面を範読する。範読しながら次のことを確かめる。
T　「ぎゅっとにぎったまま」とはどのようなことかみんなでやってみましょう。
〇動作化したり意味を確認したりする。
T　もしみんなが、みきだったら、どんなことをひとりごとで言いながら、ナニヌネノンからもらった小さな石をぎゅっとにぎりますか。となりの人にやってみせましょう。
〇みきのせりふを言いながら、役割演技をする。
・「ナニヌネノンのことは忘れないよ。」
・「ポロロン星に行く約束はぜったいに守るよ。」
T　話し合ったことを基に、みきの言葉をノートに書きましょう。

○がくしゅうかだい

思いうかべたことをもとに、すきなところがつたわるようにお話をしょうかいしよう

みきのたからもの

1 みきやナニヌネノンのようすを考えよう。

どんなかおで
どんないいかたで
どんなうごきで
どうして

2 ようすがわかることば

目でおいかけました
ぎゅっとにぎったまま

○みきはどんなことを言いながら小さな石をぎゅっとにぎったのだろう。

・「ナニヌネノンのことはわすれないよ。」
・「ポロロン星に行くやくそくはぜったいに守るよ。」
・「うちゅうひこうしになってみせるよ。」
・「この石はつぎに会うときまでだいじにするよ。」
・「ナニヌネノンのことは、わたしとナニヌネノンだけのひみつだよ。」

3 この場面で一番紹介したいことについて振り返りに書く 〈15分〉

T　今日の場面でお家の人に紹介したいなと思ったことはどんなことですか。
・私は、みきがナニヌネノンからもらった小さな石をひみつのたからものにしていることを紹介したいです。私だったら他の人にしゃべってしまうかもしれません。みきはどうしてひみつにしたのか気になったからです。
T　次の場面でもお家の人に伝えたいところが見つけられるといいですね。

よりよい授業へのステップアップ

他の物語でも登場人物の様子を具体的に想像できるようにする工夫

第５時から第７時は、登場人物の様子を具体的に想像するために同じような学習の流れで授業を展開している。

第７時ぐらいになると、「登場人物の様子を想像する」とは、表情、口調、動作を具体的に思い浮かべたり、行動の理由を考えたりすることであると理解している子供も多いだろう。そこで、自力解決をさせた上で、全体共有の場で、人物の様子を想像するとはどういうことなのか確認するとよいだろう。

本時案

みきの たからもの

8/10

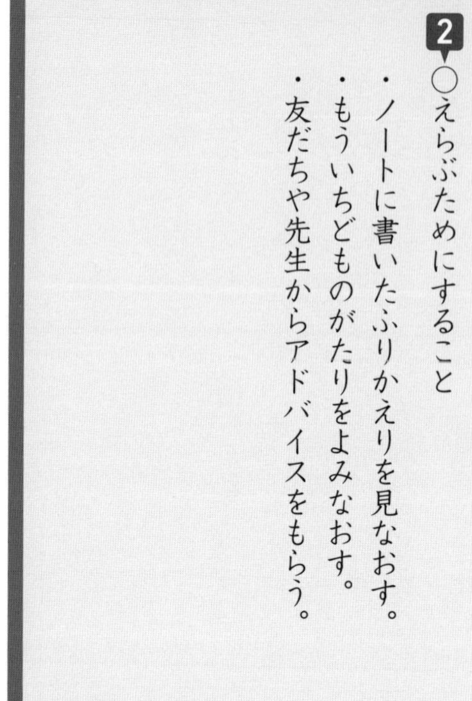

2
○えらぶためにすること
・ノートに書いたふりかえりを見なおす。
・もういちどものがたりをよみなおす。
・友だちや先生からアドバイスをもらう。

本時の目標

・思いうかべたことをもとに、自分の好きなところが家の人に伝わるようにお話を紹介する文章を書くことができる。

本時の主な評価

❸場面の様子に着目して、登場人物の行動を具体的に想像している。【思・判・表】

❺積極的に登場人物の様子を具体的に想像し、学習の見通しをもってお話を紹介する文を書こうとしている。【態度】

資料等の準備

・紹介カードのサンプル 10–01

授業の流れ ▷▷▷

1 学習課題と本時のめあてを確認する 〈5分〉

T　学習課題は何ですか。

・「みきのたからもの」というお話のあらすじとすきなところをお家の人に紹介するよ。

T　今日はそのために何をしますか。

・このお話のぜんぶの場面をくわしく読み終わったね。

・今日は、すきな場面を選んで、お家の人に伝わるように文章にまとめるよ。

・どれを伝えようかな。えらべるかな。

・伝わるように文章にできるかな。

○本時のめあてを板書する。

2 一番紹介したい、好きなところを選ぶ 〈20分〉

○教師が範読する。

T　今までに、振り返りに書いてきたことから選べそうですか。（選ぶ時間をとる。）

・もう決まっています。

・理由がうまく書けるかしんぱいです。

・迷っているから友達に相談したいです。

・もう一度、物語を読みたいです。

○子供の目的に合った交流の仕方や学び方を指導する。

・決まっている子はなぜそれがいちばんなのかの理由を伝えることで考えを明確にする。

・迷っている子供は、どれとどれで迷っているのかを友達に伝え、助言をもらう。

・もう一度教科書を読み直したい子供は読み直してから、交流をする。

みきのたからもの

1 いちばんしょうかいしたいすきなところをえらぼう。

思いうかべたことをもとに、すきなところが伝わるようにお話をしょうかいしよう

○がくしゅうかだい

ICTの活用
〈しょうかいカード〉のサンプルを映す。

「みきのたからもの」は、みきとナニヌネノンが出てくるお話です。ある日・・・・・・・・・・。
わたしがいちばんすきなのは、・・・・・・・・ところです。
なぜかというと、
・・・・・・・・・・からです。

すきなところとそのりゆう

あらすじ

3 一番紹介したいことについて伝え合い、ノートにまとめる 〈20分〉

T いちばん伝えたいことや理由を比べながら友達の話を聞きましょう。
・私は、ナニヌネノンとみきが手をふるところを伝えたいです。なぜかというと、２人がおたがいのことをとても大好きなようすが伝わってくるからです。お家の人にも知ってほしいです。
・私は、みきが見おくることをナニヌネノンに伝えるところです。なぜかというと、みきがとてもやさしくていいなと思ったからです。私もみきと友達になりたいなと思いました。
T 次の時間は、紹介カードにまとめます。いちばん紹介したいこととその理由をノートに残しておきましょう。

よりよい授業へのステップアップ

考えを形成するための工夫①

本時は、一番紹介したいこととその理由を明確にする時間である。おそらく個人差が出ることが考えられる。そこで、2の活動では、子供の目的に合った交流や学び方ができるようにする。次の時間は、紹介カードを書くので、本時では、どの子供も紹介したいこととその理由を明確にできるように指導する。

本時案

みきのたからもの

本時の目標

・思いうかべたことをもとに、自分の好きなところが家の人に伝わるようにお話を紹介する文章を書くことができる。

本時の主な評価

❸場面の様子に着目して、登場人物の行動を具体的に想像している。【思・判・表】

❺積極的に登場人物の様子を具体的に想像し、学習の見通しをもってお話を紹介する文を書こうとしている。【態度】

資料等の準備

・紹介カードのサンプル 10-01

・紹介カード（児童記入例） 10-02

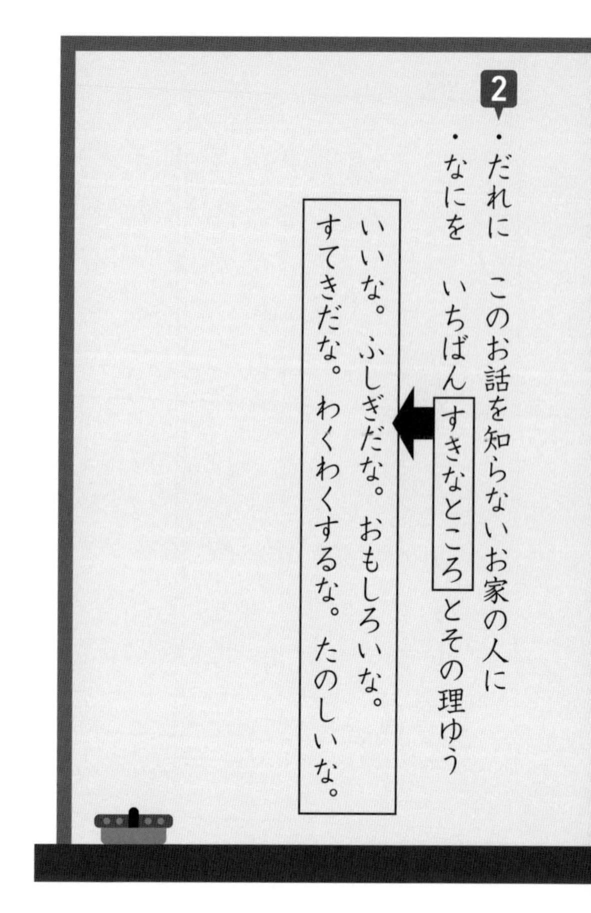

授業の流れ ▷▷▷

1 本時のめあてを確認する 〈5分〉

T　この学習のゴールは何ですか。

・「みきのたからもの」というお話のあらすじとすきなところをお家の人に紹介するよ。

○学習計画を見て確かめる。

T　今日はそのために何をしますか。

・この前の学習を生かして、紹介カードにまとめます。

○本時のめあてを板書する。

2 一番好きなところについて紹介カードにまとめる 〈25分〉

○紹介カードのサンプルを示す。

T　紹介カードの最初には何が書いてありますか。

・あらすじです。

・この学習の初めに考えてノートに書いたね。それを使えば書けそうだね。

T　その次には何が書いてありますか。

・いちばん紹介したい、すきなところとその理由が書いてあります。

・いいなと思ったことや、ふしぎだと思ったことだね。

・前の時間に書いたことを使えば書けそうだね。

○紹介カードを書かせる。

みきのたからもの

1

学んだことをつかって、しょうかいカードを書こう。

思いうかべたことをもとに、すきなところがつたわるようにお話をしょうかいしよう

○がくしゅうかだい

2

ICTの活用
〈しょうかいカード〉のサンプルを映す。

「みきのたからもの」は、みきとナニヌネノンが出てくるお話です。ある日・・・・・・・・・。
わたしがいちばんすきなのは、・・・・・・・・ところです。
なぜかというと、
・・・・・・・・からです。

すきなところとそのりゆう

あらすじ

3 紹介カードを読み合い本時の学習を振り返る 〈15分〉

T 書き終わった人から紹介カードを読み合いましょう。伝えたいことが伝わるか友達に読んでもらいましょう。

・声に出して読んで読みづらいところはないか。
・正しい字で書けているか。
・あらすじの順番は正しいか。
・いちばんすきなこととその理由が書けているか。

T 紹介カードを書くときにがんばったことや工夫したことを振り返って書きましょう。

・友だちがすきな理由をくわしく書いていていいなと思いました。わたしもナニヌネノンを見おくる場面がすきな理由をくわしく書きました。お家の人に伝わるといいなと思います。

よりよい授業へのステップアップ

考えを形成するための工夫②

本時は、紹介カードを書く時間である。この時間にゼロから書くのではなく、今までの学習を生かして書くことが大切である。そのために、今までのどの学習が、紹介カードのどこにつながっているのか確かめることが大事になる。また、第3時から第7時において、その時間の学習がゴールの紹介カードとどのようにつながっているのか、見通しをもたせることも大事になる。

本時案

みきの たからもの

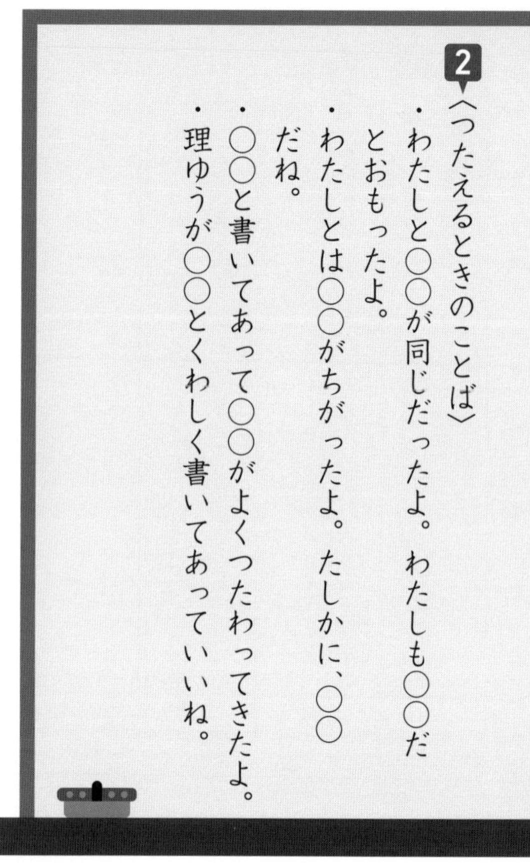

本時の目標

・書いた文章を友達と読み合い、よいところを伝え合うことができる。
・「この本、読もう」で読書への意欲をもつことができる。

本時の主な評価

❷読書に親しみ、いろいろな本があることを知っている。【知・技】
・積極的に登場人物の様子を具体的に想像し、学習の見通しをもってお話を紹介する文を書こうとしている。

資料等の準備

・子供の書いた紹介カード
・だれがどこをえらんで紹介したのかが分かる表

授業の流れ ▷▷▷

1 本時のめあてを確認する 〈5分〉

T　今日は、紹介カードを読み合って、よいところや感じたことを友達に伝えましょう。
○本時のめあてを板書する。
〈伝え方〉
・私と○○が同じだったよ。私も○○だとおもったよ。
・私とは○○がちがったよ。たしかに、○○だね。
・○○と書いてあって○○がよく伝わってきたよ。
・理由が○○とくわしく書いてあっていいね。
○よかったところを伝えるときは、どこがよかったのか、紹介カードの文章を使って伝えるように指導する。

2 紹介カードのよいところをみんなで共有する 〈20分〉

○紹介カードを映す。
T　みんなに教えたい紹介カードはありますか。
○教師も、いくつかの紹介カードを示して、よかったところを伝える。
・○さんの紹介カードです。なぜかというと、好きな理由が…と書いてあって好きなことがとてもよく伝わってきました。
・○さんの紹介カードです。なぜかというと、私が気付かなかったおもしろいところが書いてあるからです。読みたくなりました。
T　紹介カードをお家の人に見せましょう。

ICTの活用

・紹介カードを映してよさをみんなで共有できるようにする。
・「この本、読もう」の本を映して、表紙を手がかりにお話の内容を想像できるようにする。

○がくしゅうかだい

思いうかべたことをもとに、すきなところがつたわるようにお話をしょうかいしよう。

みきのたからもの

1 しょうかいカードをよみ合って、よいところを友だちにつたえよう。

3 「この本、読もう」の本を紹介し、学習を振り返る 〈20分〉

○「この本、読もう」の本の実物を用意する。また、表紙を拡大して映して、どんなお話か想像させた後で、おおまかなあらすじを伝える。

T　図書の時間に、お気に入りの本を紹介するときに、どのように伝えたいですか。また、これからどんな本を読んでみたいですか。

・これから本を紹介するときには、おすすめの理由をしっかり伝えたいと思います。ふしぎな生き物が出てくるお話がおもしろかったので、ナニヌネノンみたいなうちゅうの生き物が出てくるお話を読みたいです。

よりよい授業へのステップアップ

学習全体の振り返り

本時は本単元の最後の時間である。「みきのたからもの」の学習で何を学んだのかを振り返らせる。また、今回は、学習したことを読書活動につなげるために、本を紹介するときに生かしたいことや読んでみたい本について振り返らせるようにする。

振り返るときは、記憶をたよりに振り返るのではなく、ノートや紹介カードを見直して振り返るように声を掛けたい。

資料

1 第2時資料　紹介カードのサンプル 10-01

子供の文例①

「みきのたからもの」は、みきという女の子とナニヌネノンが出てくるお話です。

ある日、みきは公園の入り口で、カードをひろいます。そして、うちゅうからきたナニヌネノンと出会います。カードをかえしたみきは、ナニヌネノンを見おくることにします。よろこんだナニヌネノンは小さい石をくれました。みきは、ナニヌネノンのすんでいるポロロン星に行くためにうちゅうひこうしになることにきめます。ナニヌネノンはポロロン星に帰りますが、みきは、もらった石をひみつのたからものにしてだいじにします。

わたしは、みきがうちゅうひこうしになることをきめるところがすきです。なぜかというと、「もらった小さな石を、ぎゅっとにぎったまま」というところから、なかよくなったナニヌネノンとのやくそくをまもろうとしていてすごいなとおもったからです。おうえんしたくなりました。

2 第9時資料　紹介カード（児童記入例） 10-02

子供の文例②

「みきのたからもの」は、みきという女の子とナニヌネノンが出てくるお話です。

ある日、みきは公園の入り口で、カードをひろいます。そして、うちゅうからきたナニヌネノンと出会います。カードをかえしたみきは、ナニヌネノンを見おくることにします。よろこんだナニヌネノンは小さい石をくれました。みきは、ナニヌネノンのすんでいるポロロン星に行くためにうちゅうひこうしになることにきめます。ナニヌネノンはポロロン星に帰りますが、みきは、もらった石をひみつのたからものにしてだいじにします。

わたしは、みきがナニヌネノンがのっていたマヨネーズのようなのりものに近づくところがすきです。「おそるおそる近よると」というみきのようすから、ふしぎなのりものにどきどきしながら近づいていることがつたわってきます。わたしだったら、こわくなってにげてしまうかもしれません。みきはかっこいいなと思いました。

組み立てを考えて、お話を書こう

お話のさくしゃになろう （10時間扱い）

単元の目標

知識及び技能	・文の中における主語と述語の関係に気付くことができる。((1)カ)
思考力、判断力、表現力等	・自分の思いや考えが明確になるように、事柄の順序に沿って簡単な構成を考えることができる。(Bイ)
学びに向かう力、人間性等	・言葉がもつよさを感じるとともに、楽しんで読書をし、国語を大切にして、思いや考えを伝え合おうとする。

評価規準

知識・技能	❶文の中における主語と述語の関係に気付いている。(〔知識及び技能〕(1)カ)
思考・判断・表現	❷「書くこと」において、自分の思いや考えが明確になるように、事柄の順序に沿って簡単な構成を考えている。(〔思考力、判断力、表現力等〕Bイ)
主体的に学習に取り組む態度	❸事柄の順序に沿って粘り強く構成を考え、学習課題に沿って、物語を書こうとしている。

単元の流れ

次	時	主な学習活動	評価
一	1	学習の見通しをもつ 「といをもとう」「もくひょう」を基に、学習課題を設定し、学習計画を立てる。 お話を書いて、友達と読み合おう。	
二	2 3	教科書の絵を見て登場人物の性格やお話のあらすじを考える。	❶
	4	自分の考えた話を、まとまりに分けて友達に話す。	❷
	5 6 7 8 9	書き出しを考え、「はじめ」の部分を書く。 できごとの様子が伝わるように「中」の部分を書く。 最後がどうなったか分かるように、「おわり」の部分を書く。 題名を付け、清書をする。	❷❸
三	10	でき上がった作品を読み合い、おもしろかったところや、言葉の遣い方で気付いたことなどを伝え合う。 学習を振り返る 教科書 p.79に示された観点で学習を振り返り、発表する。	

授業づくりのポイント

〈単元で育てたい資質・能力〉

本単元のねらいは、物語の順序を明確にして構成を考え、「はじめ」「中」「おわり」の構成の簡単なお話を書くことである。また、表現の方法にはいろいろな書き方があることを知り、語彙を豊かにすることも同時にねらっている。

子供自身が想像を広げ、楽しみながら語ったことを文章にすることが大切である。また、文章を表現する際に、「　」を使ったり、様子を表す言葉を使ったりすることができるような技能を身に付けることも必要である。

[具体例]

一次で学習の見通しをもたせる際、既習学習の「スイミー」や「ミリーのすてきなぼうし」などの文学作品をモデルにして物語の展開や文章の書き方について指導する。「スイミー」の展開は、スイミーのしょうかい→マグロがきてひとりぼっちになる→海を旅して、いろいろな生き物に出会う→新しい仲間に出会ってマグロを追い払う、という流れになっていることを押さえ、物語にもできごとにまとまりがあることを指導する。

〈「話すこと」や音読の活用〉

この単元では、自分の文章を読み返す習慣を付け、間違いを正したり、語や文の続き方を確かめたりするために、声を出して読む活動を大切にしたい。自分で文章を音読したり、友達に音読してもらったりすることで、自分の文章を客観的に見つめ直す習慣が身に付くように指導することが大切である。

また、構成を考える際に、友達に自分が考えた話を楽しくおしゃべりすることで発想が広がったり、自分の考えを整理したりすることができる。

[具体例]

「はじめ」「中」「おわり」を書く活動をする際、文章を書き終わったら、その都度自分の文章を音読させる。また、早く書き終わった子供同士でペアになり、お互いの文章を音読し合う。自分で間違いを見つけることが難しい子供も、友達の声を通して間違いに気付いたり、友達から感想をもらったりすることで、自分の文章に向き合うことができる。

〈既習学習「主語と述語に気をつけよう」の活用〉

物語を書く際に、特に会話文などは主語が重要である。既習学習の「主語と述語に気をつけよう」(p.29) を振り返り、主語をはっきりさせる必要に気付かせたい。

〈ICT の効果的な活用〉

表現：構成を考える際に挿絵を並び替える活動を行う。その際、ICT を活用することで、順序の入れ替えがスムーズにできる。また、プレゼンテーションソフトなどを使ってスライドにすることで、紙芝居のように提示し、友達に自分の話を伝える際に活用することができる。

本時案

お話のさくしゃになろう 1/10

本時の目標

・学習の見通しをもち、進んで物語を書こうという思いをもとうとする。

本時の主な評価

・進んで内容のまとまりが分かるようにお話の書き表し方を工夫し、見通しをもって物語を書こうとしている。

資料等の準備

・「お手紙」のはじめとおわりの絵
・教科書 p.74の絵
・学習計画表 11-01

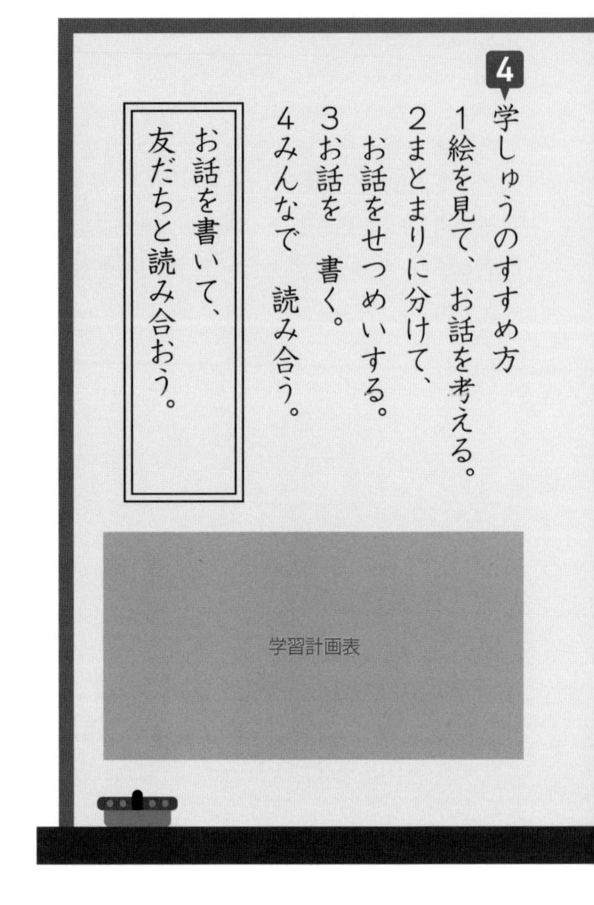

授業の流れ ▷▷▷

1 今まで読んだお話やお話の作者を思い出す 〈10分〉

T　今まで学習してきたお話には、どのようなお話がありましたか。
・スイミー
・お手紙
・くじらぐも　など
T　これらのお話を作った人は誰ですか。
・スイミー　→　レオ・レオニ
・お手紙　→　アーノルド・ローベル
・くじらぐも　→　中川李枝子　など
○教科書以外の作品も取り上げてもよい。

2 「お手紙」のはじめとおわりの挿絵を提示し、中の部分を思い出し、お話の構成を知る 〈10分〉

T　皆さんが学習した「お手紙」はどんなお話だったか思い出してみましょう。
○「はじめ」と「おわり」の場面の絵を提示する。
T　がまくんがこのように変わったのは、何があったからですか。
・かえるくんがお手紙を書いてくれたから。
・かたつむりくんをまつのが楽しいから。
・はじめてお手紙をもらったから。
○物語は、「はじめ」「中」「おわり」の構成になっていることを確認する。

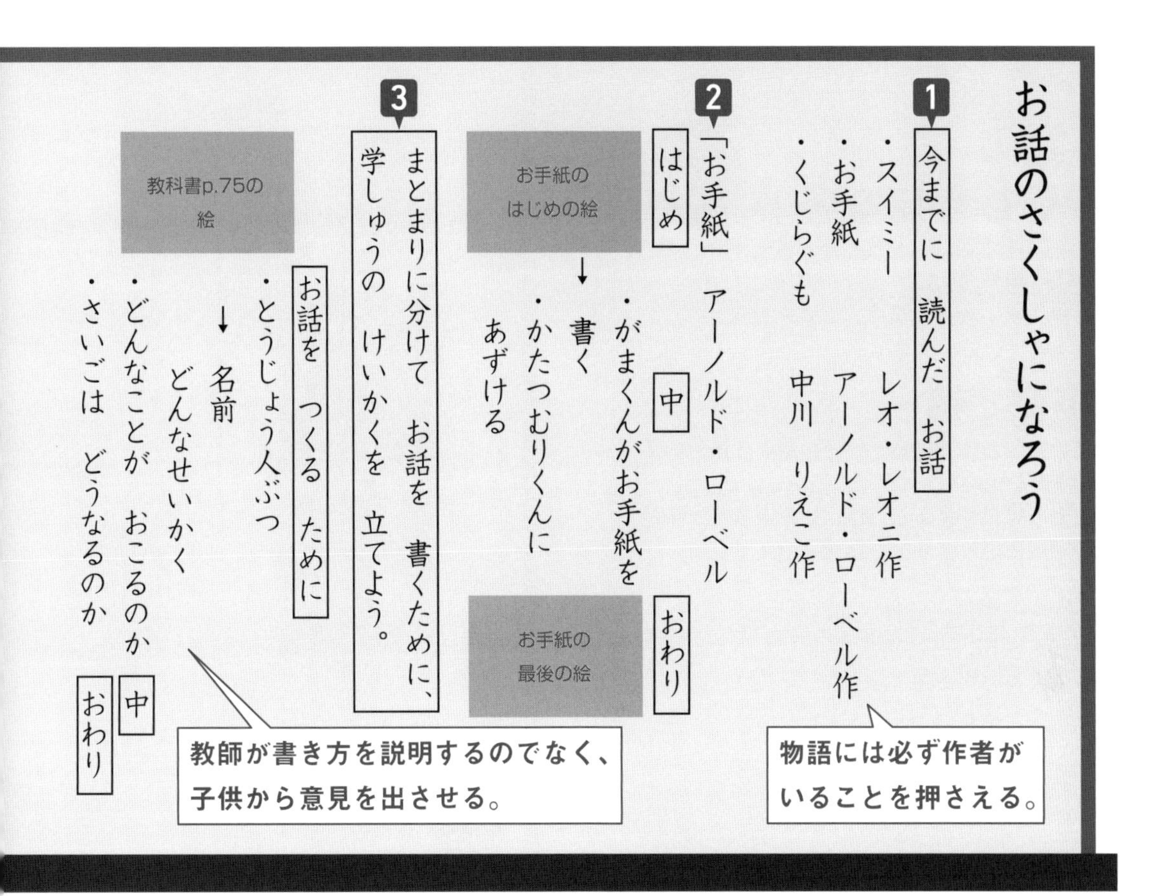

3 教科書 p.74の絵を見て、どんなことが分かるとお話を作ることができるか考える〈15分〉

○本時のめあてを板書する。

T　みなさんも「はじめ」「中」「おわり」を考えて、お話を作ってみましょう。教科書74ページの絵を見てみましょう。「中」の部分で、どんな出来事が起こると、おもしろいお話になりますか？

・宝物を見つけるといいと思います。
　→「何かを見つける」
・モンスターと戦うのはどうかな？
　→「困ったことが起こる」
・ピクニックに行くのかな。
　→「どこかにでかける」　など

○子供たちからいくつか例を出させ、出来事の例を分類する。

○「いつ」「どこで」などの５Ｗ１Ｈを押さえる。

4 教科書 p.74を読み、学習の進め方を確認する〈10分〉

T　教科書74ページを読んで、学習の見通しをもちましょう。まず、何をしますか。

・どんな出来事が起こるか、考えたいです。
・１人で考えるのは難しそうなので、お友達にお話をしながら考えたいです。

T　そうですね。では、考えたお話は、まとまりごとに、友達にお話をするようにしましょう。次は、どうでしょうか。

・お話を書きます。
・「はじめ」「中」「おわり」に分けて書く。

T　いいですね。できた作品は、みんなで読み合うようにしましょう。

○お話づくりの流れを教科書で確認する。

○学習計画一覧表に10時間分の予定を書き込ませる。

本時案

お話のさくしゃになろう 2/10

本時の目標

・登場人物や物語の構成を事柄の順序に沿って考えることができる。

本時の主な評価

❶文の中における主語と述語の関係に気付いている。【知・技】
・自分の思いや考えが明確になるように、事柄の順序に沿って簡単な構成を考えている。

資料等の準備

・教科書 p.74、75の絵
・登場人物の拡大図
・ワークシート① 11-02

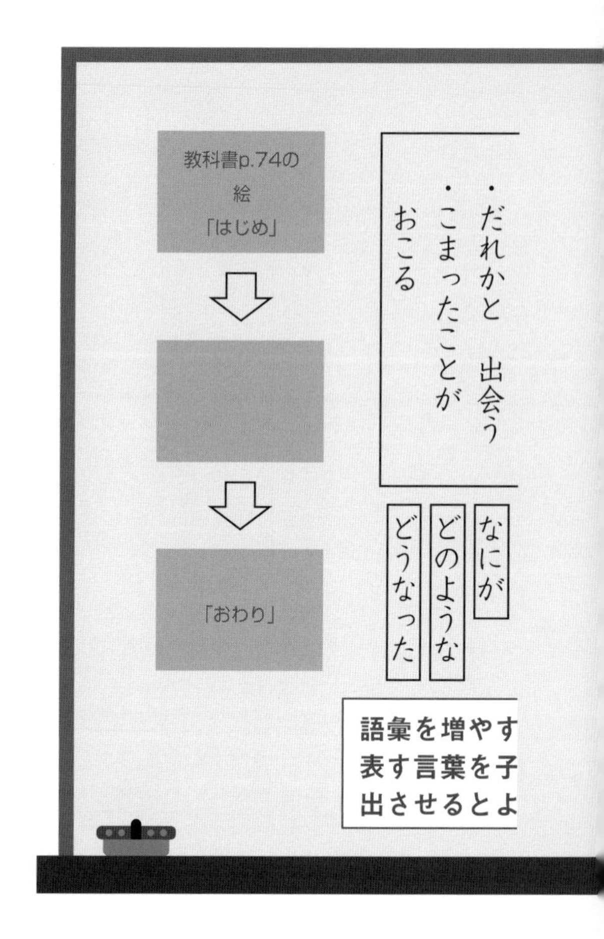

授業の流れ ▷▷▷

1 教科書 p.75を読み、学習の見通しをもつ 〈10分〉

○本時のめあてを板書する。
T 今日は、楽しいお話を書くために、どのような登場人物が、どんなことをするお話を作るのかを考えましょう。
○教科書 p.74の絵を提示して、前時の内容を振り返る。
○教科書 p.75を読み、学習内容を知る。

2 登場人物について考える 〈15分〉

T 絵の中に登場する２匹のねずみについて考えましょう。
○ p.75の絵からどのような人物か想像を広げるとよい。
・お菓子に喜んでいるから、食いしん坊かもしれないな。
・フクロウから守っているから、勇気があると思う。

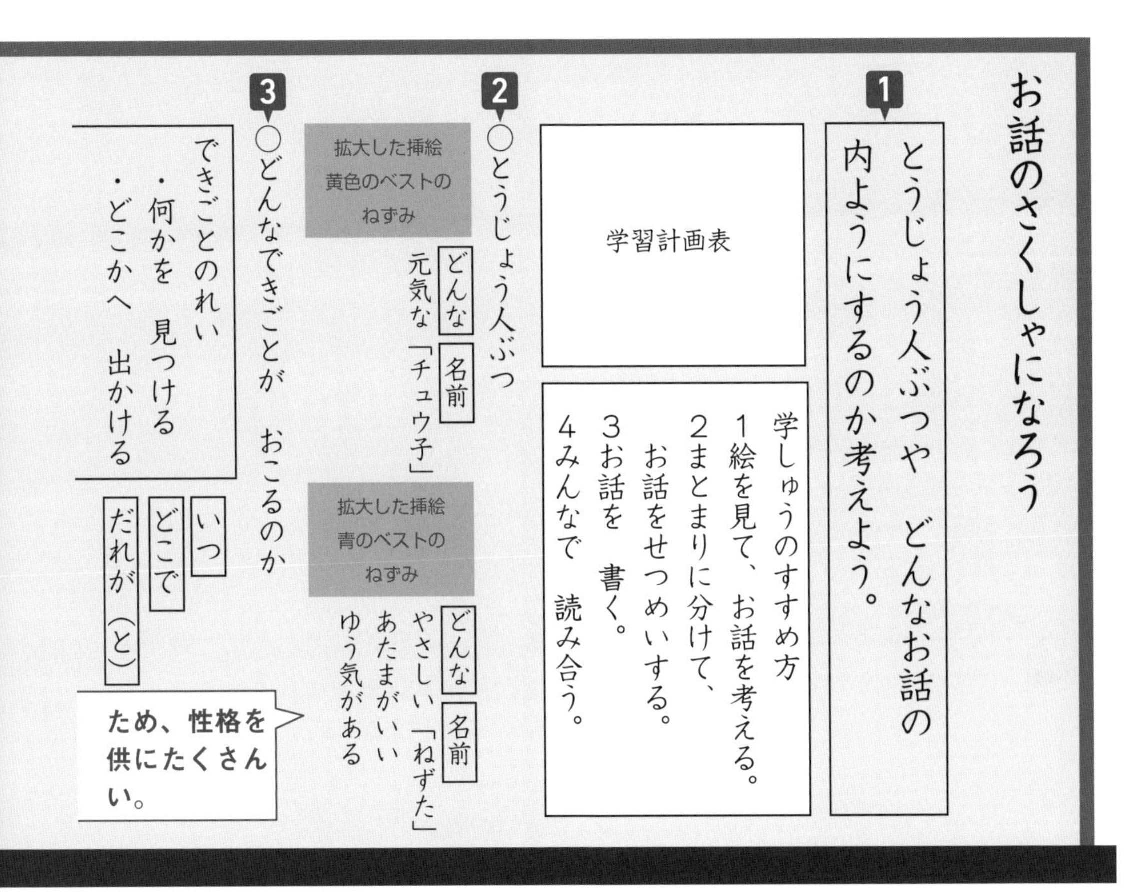

3 お話づくりについて考える〈20分〉

T　この絵（教科書 p.74の絵）からお話を作ります。この絵以外になにが分かると、楽しいお話になりそうですか？

・登場人物に名前があると楽しいです。

・これからどんなことがあるのかを書くといいと思います。など

○どのような出来事が起こるか考える際は、5W1Hや物語の結果を意識させるとよい。

○戦争や殺害に関わる内容、人権侵害の内容は避ける。

○自分たちで、何を書いたら楽しいお話になるのか考えさせ、学習の見通しをもたせることが大切である。

よりよい授業へのステップアップ

○語彙を増やすために

語彙の少ない子供は人物像を考える際に「やさしい」など平易な言葉になりがちである。語彙を増やすために、性格を表現するための手引きを作成するとよい。

【言葉の例】

・やさしい　・明るい　・勇気がある
・元気　・頭がいい　・運動ができる
・友達思い　・おもしろい（おちゃめ）
・強い　・きれい好き　・食いしん坊
・勉強が苦手　・いじわる　・ずるい
・なまけもの　　など、子供と一緒に考えてもよい。

本時案

お話のさくしゃになろう 3/10

本時の目標

・登場人物や物語の構成を事柄の順序に沿って考えることができる。

本時の主な評価

・物語のまとまりごとに、出来事の内容を考えている。

資料等の準備

・教科書 p.74、75の絵
・ワークシート① 11-02
・「いつ」「どこで」「だれが」などの短冊 11-03

3
○はじめ・中・おわりの絵をかこう。

短冊にしておくと、日常の日記指導などでも使うことができる。

授業の流れ ▷▷▷

1 教科書 p.75を読み、学習の見通しをもつ 〈10分〉

○本時のめあてを板書する。

T　今日は、「はじめ」「中」「おわり」の順番に、お話を考えましょう。

○教科書 p.74、75の絵を提示して、どんなことが起きたのか想像を広げる。

・木の実を探しに行くのかな。
・ふくろうに出会うんだね。
・ねずみさんたち、食べられちゃったら大変だ。
・袋が膨らんでるから、きっと木の実をたくさんとったんだ。 など

○教科書 p.75の下段を読み、学習の見通しをもたせる。

2 「はじめ」「中」「おわり」のまとまりごとに、お話を考える 〈20分〉

T　どのような出来事が起こるのか隣の友達に説明しましょう。

・ぼくは、途中で落とし物を拾って、持ち主を探す話を考えたよ。
・お花を探しに行くお話を考えたよ。など

○「これはどうかな？」など、ペアで相談しながら内容を考えるとよい。

○出来事を声に出して説明をすることで、自分の考えを整理することができるようにする。

T　教科書の文を参考にして、自分のお話の大体の内容を書きましょう。

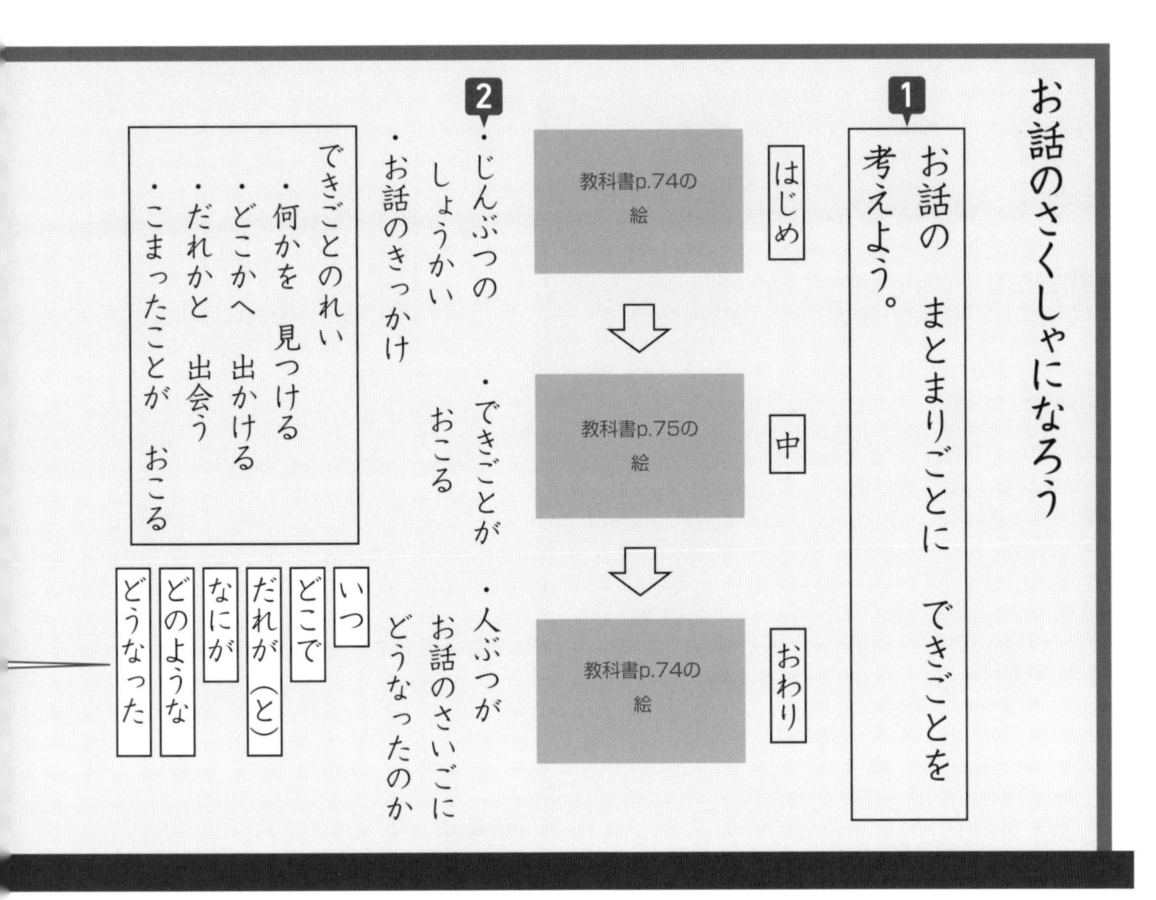

3 「中」の内容をくわしくする絵を描く　〈15分〉

T　次に、「中」の部分をふくらませるための絵を描いてみましょう。

○それぞれ自由に考えさせた「はじめ」「中」「おわり」をつなぐ絵を考えさせ、描かせる。

○簡単に描かせる。早く描き終わった場合は、色を付ける。

○画用紙（B６程度）に描き、紙芝居のように友達に説明できるようにする。その絵は清書の紙に貼り付けるようにする。

T　友達にお話を説明するための絵を描きましょう。

ICT 端末の活用ポイント

プレゼンテーションソフトに教科書の挿絵を入れたものを用意し、お話の順番に並び替えさせたり選ばせたりしてもよい。

よりよい授業へのステップアップ

○絵の取り扱いについて

絵を上手に描くことにこだわり、先に進まない子供がいる場合、学習のめあては「物語を書くこと」（→国語）であって、「絵を描くこと」（→図画工作）ではないことを確認するとよい。

○音読や対話の活用

自分の考えを整理したり、文章を振り返ったりする際には、音読や声に出すことが有効である。お話が思いつかない子供がいた場合、教師や友達と対話しながら考えを整理して、書けるようにする。

本時案

お話のさくしゃになろう 4/10

本時の目標

・物語の構成を事柄の順序に沿って、説明することができる。

本時の主な評価

❷自分の思いや考えが明確になるように、事柄の順序に沿って簡単な構成を考えている。【思・判・表】

資料等の準備

・教科書 p.74、75の絵
・ワークシート① 11-02
・「いつ」「どこで」「だれが」などの短冊

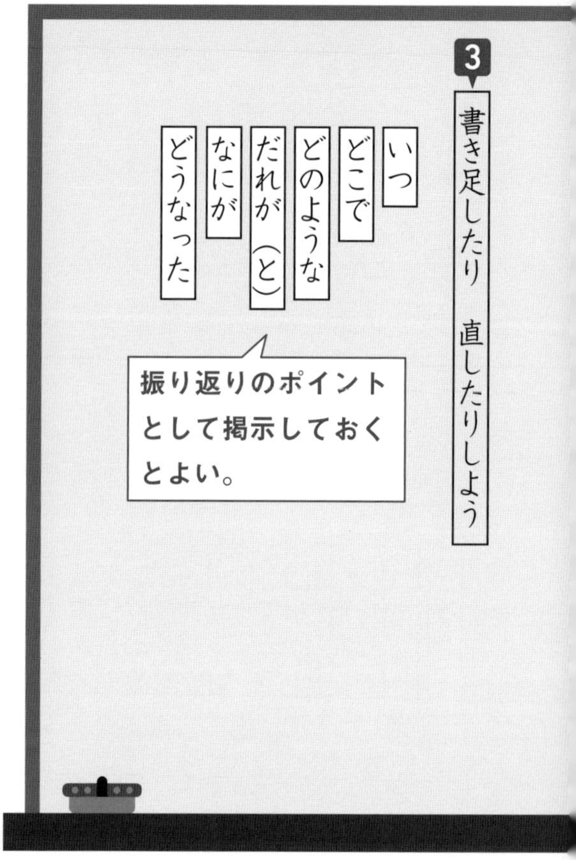

3 書き足したり　直したりしよう

いつ

どこで

どのような

だれが（と）

なにが

どうなった

振り返りのポイントとして掲示しておくとよい。

授業の流れ ▷▷▷

1 本時のめあてや学習内容を確認する 〈10分〉

○本時のめあてを板書する。

T　今日は、友達に自分の考えたお話を説明したり、友達のお話を聞いたりします。

○前時を思い出すために、p.74、75の絵を提示する。

T　お話を説明するときと、友達のお話を聞くときに気を付けることを考えましょう。

・絵を見せると分かりやすいよ。
・お話の順序に気を付けるといいと思う。
・分からないときは質問するといいと思う。
・相談するのもいいんじゃないかな。

2 友達にお話を紹介する 〈25分〉

T　友達に自分の作ったお話を説明しましょう。

・ぼくはこんなお話を考えたよ。はじめは～で、中は○○がおきて、最後はこうなるんだよ。など

○紙芝居のように絵を見せながら紹介させる。

○早く終わったら、相談する時間に当てる。

○はじめは隣同士のペアで交流し、次は班の友達とペアで交流する。繰り返し説明することで、内容を吟味できるようにする。

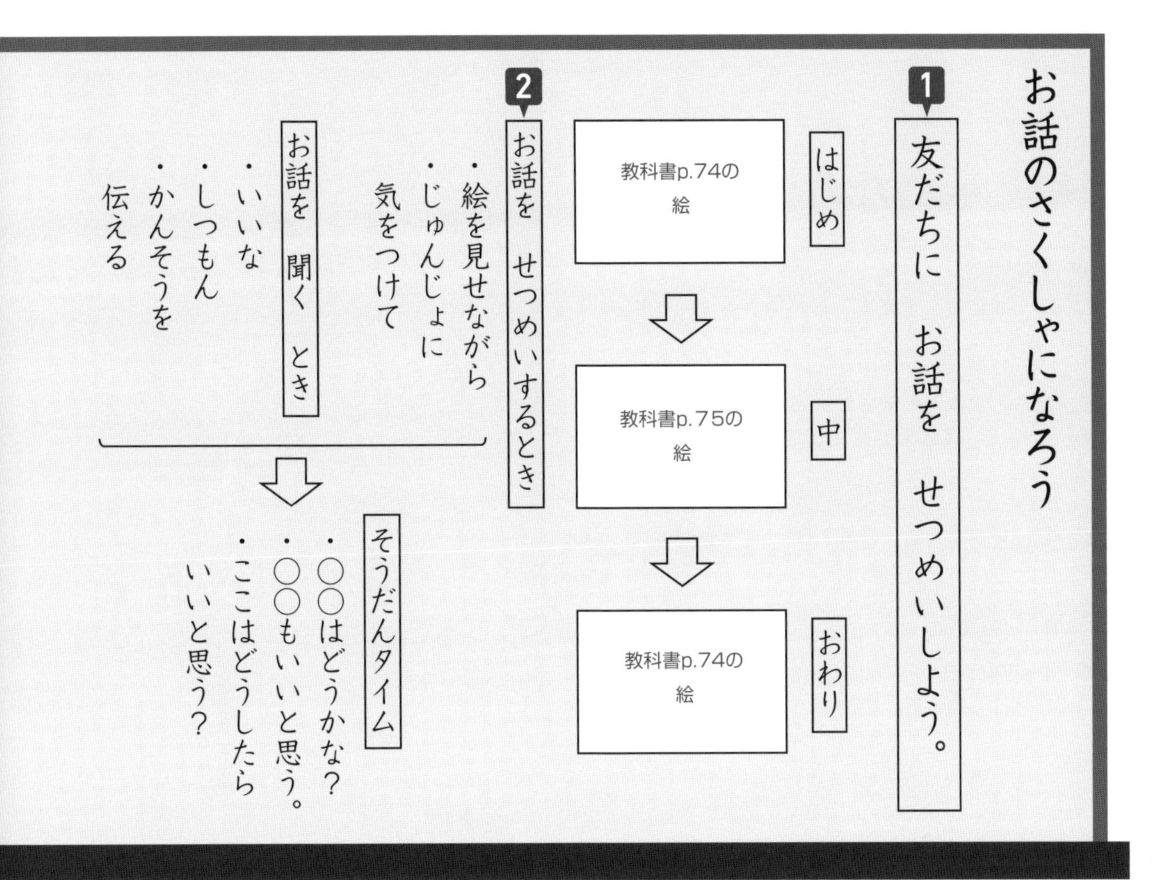

3 書き直したり、絵を付け加えたりする〈10分〉

T　友達に説明したり、相談したりして、直したり書き足したりしたいところはありましたか。自分のお話を見直しましょう。

〇振り返るポイント（いつ、どこで、どのようななど）を提示する。

〇赤で書き足したり、直したりする。

〇早く終わった子供は、挿絵を描き足したり、色塗りをしたりしてよいことを伝える。

よりよい授業へのステップアップ

ペアについて

多様な考えを知り、友達と学び合うことができるようにする。隣同士、班、1列ずれるなどして、ペアも意図的に変えることが必要である。

考えたことを残す工夫

子供が自分の考えを振り返ったり、教師が評価したりするためにも、基本的には消しゴムを使わない。直すときには、赤鉛筆や青鉛筆を使うとよい。また、書き足したり、大幅に直すときには、付箋紙を使ったり、新しい紙に書いたりするのも有効的である。

本時案

お話のさくしゃになろう 5/10

本時の目標

・物語の「はじめ」を書くことができる。

本時の主な評価

❷自分の思いや考えが明確になるように事柄の順序に沿って構成を考えている。【思・判・表】

❸進んで内容のまとまりが分かるようにお話の書き表し方を工夫し、見通しをもって物語を書こうとしている。【態度】

資料等の準備

・教科書 p.74の絵
・「スイミー」「お手紙」の絵
・ワークシート② 11-04

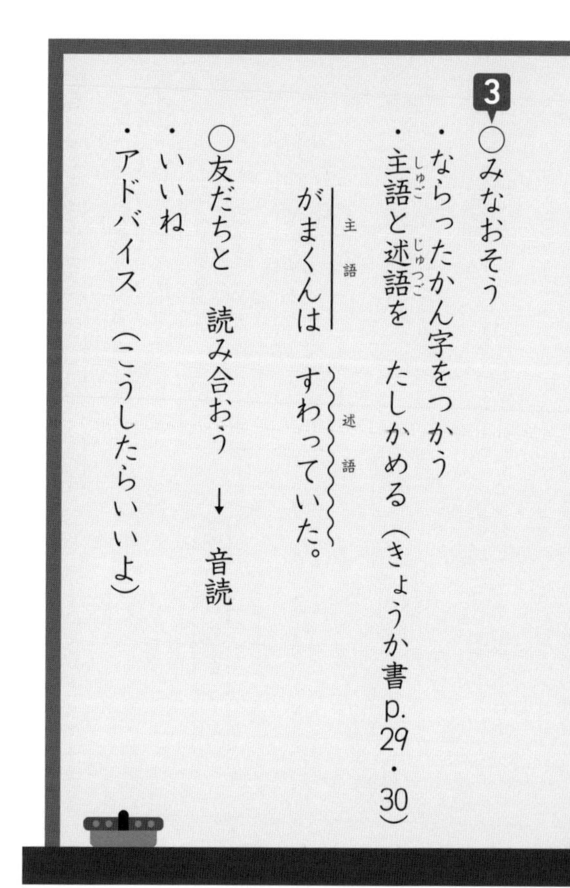

授業の流れ ▷▷▷

1 本時の学習のめあてを確認し、様々な書き出し方を知る 〈10分〉

○本時のめあてを板書する。

T　今日は、いよいよ物語の「はじめ」の部分を書きます。自分の考えが伝わるような書き出しを工夫して書きましょう。

T　「スイミー」や「お手紙」の書き出しを読んでみよう。どんなことが書いてあるかな？

・「広い海」って、場所が書いてあるよ。
・「小さい魚の兄弟」って書いてある。
・がまくんが、どこにいるのか分かるね。

○教科書 p.76の「はじめ」の文章も読む。

2 書き出しを工夫して、「はじめ」を書く 〈25分〉

T　書き出しを考えて、「はじめ」の部分を書きましょう。

○文章を書く際の基本（習った漢字を使うこと、主語と述語に気を付けること、など）を示す。

○絵本を教室に準備しておき、なかなか書き出せない子供がいた場合、提示するとよい。

○早く書き終わった子がいた場合、微音読させて自分の文章を見直させる。また、絵を仕上げてもよい。

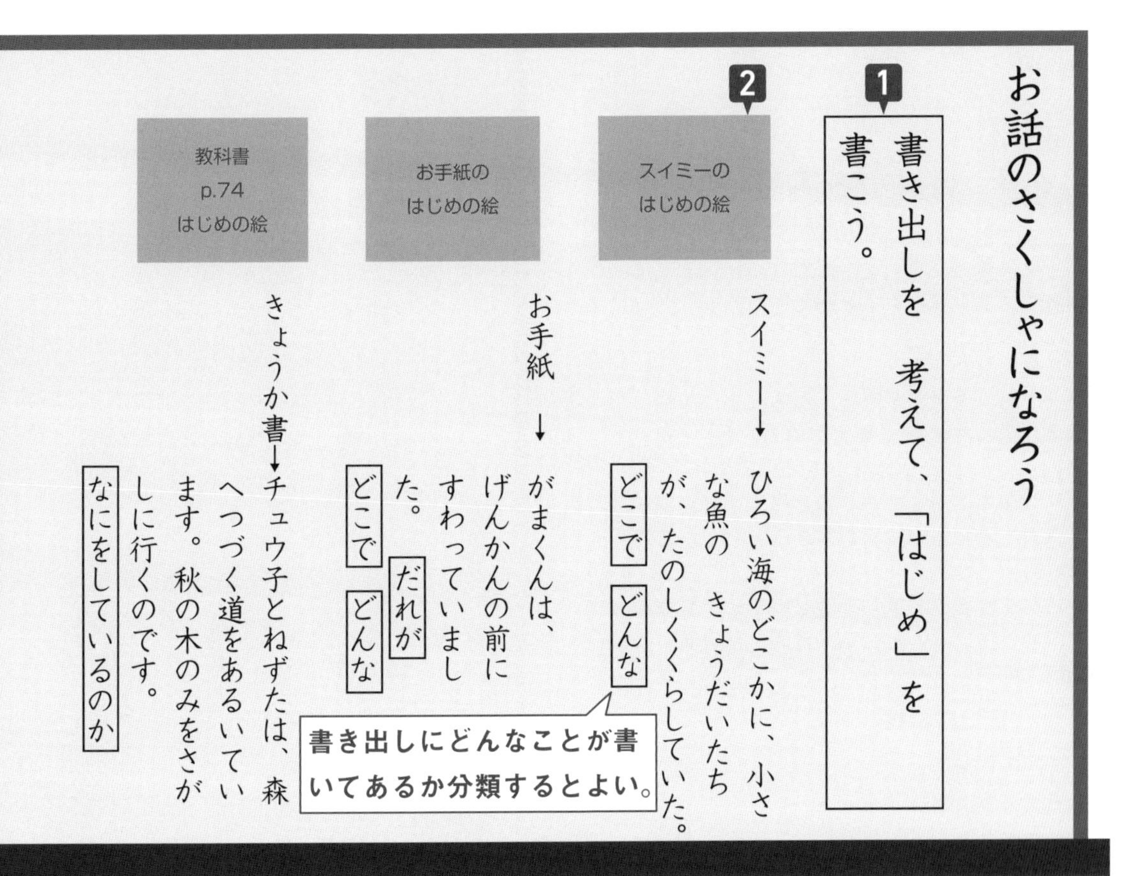

3 友達と読み合い、アドバイスし合う〈10分〉

T　友達に文章を音読してもらいましょう。

○友達に音読してもらうことで、客観的に自分の文章を振り返ることができるようにする。

T　自分のお話を見直して、直したり書き足したりしましょう。

○赤で書き足したり、直したりする。

○既習漢字は、教科書の巻末付録を参考にさせる。

よりよい授業へのステップアップ

絵本の活用

日本の昔話、外国の絵本、日本の作家の絵本、詩人が翻訳している絵本（レオ・レオニは谷川俊太郎）など学級文庫に様々な種類の絵本を用意する。

それらの絵本の書き出しを参考にさせたり、教師が絵本の書き出しを紹介したりして、様々な絵本の書き出しを知ることで、子供の語彙も豊かになる。

主語と述語

自分の伝えたいことが読み手にも伝わるように書くために、既習学習の「主語と述語に気をつけよう」を振り返るとよい。

本時案

お話のさくしゃになろう 6・7/10

本時の目標

・物語の「中」を書くことができる。

本時の主な評価

❷自分の思いや考えが明確になるように事柄の順序に沿って構成を考えている。【思・判・表】

❸事柄の順序に沿って粘り強く構成を考え、学習課題に沿って、物語を書こうとしている。【態度】

・身近なことを表す語句の量を増やし、文章の中で使っているとともに、言葉には意味による語句のまとまりがあることに気付き、語彙を豊かにしている。

資料等の準備

・教科書 p.75の絵
・ワークシート② 11-04

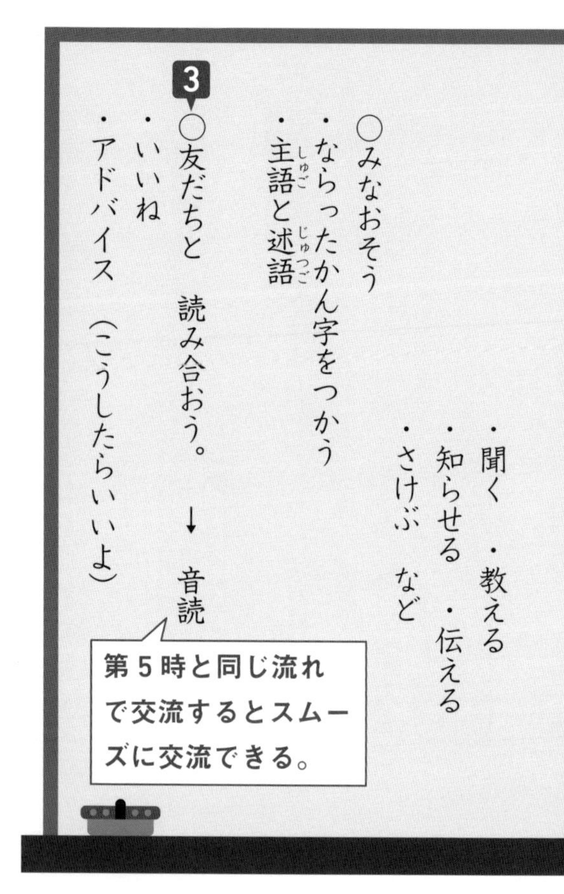

授業の流れ ▷▷▷

1 本時の学習のめあてを確認し、「中」の書き方を知る 〈25分〉

○本時のめあてを板書する。

T　今日は、「中」の部分を書きます。出来事の様子が伝わるような書き方を工夫して書きましょう。

○教科書 p.78の中の文章を提示し、書き方の工夫を見つける。

・言ったことが書いてあります。 →「　」を使う。

・困った顔ってあるから、どんな様子か分かりやすいです。 →人物の様子

・「言いました」じゃなくて「たずねました」にしています。

2 場面の様子が伝わるように、「中」を書く 〈45分〉

T　様子が伝わるように、言葉を選びながら「中」を書きましょう。

○前時に書いた冒頭部分を一度読み直し、文がつながるようにする。

○文章を書く際の基本（既習漢字の使用、主語と述語に気を付けること、など）を示す。

○早く書き終わった子供がいた場合、小さな声で音読させ、自分の文章を見直させる。

お話のさくしゃになろう

1

できごとのようすが伝わるように、「中」を書こう。

2

教科書 p.75の ふくろうの絵

ふくろうのおじいさんは、こまった顔になって、「わたしのめがねを、どこかで見かけなかったか。」とたずねました。

「むこうの木に引っかかっていたよ。ぼくたちがとってきてあげるよ。」と、ねずたがこたえると、ふくろうのおじいさんは、

かいわ文「　」

人ぶつの　ようす

・こまっている　・わらっている

・にこにこして　・ないている

・あわてている　・かなしそうに

・うれしそうに　・おこっている

教科書なども参考にさせるとよい。

ちがう　書き方をする

・言いました　→　・たずねる　・こたえる

3 友達と読み合い、アドバイスし合う 〈20分〉

T　友達に文章を音読してもらいましょう。

○友達に音読してもらうことで、客観的に自分の文章を振り返ることができるようにする。

T　自分のお話を見直し、直したり書き足したりできるようにしましょう。

○赤で書き足したり、直したりする。

○既習漢字は、教科書の巻末付録を参考にさせる。

○書く活動は個人差があるが、完成していなくても１回は交流させることで、誤字などを早めに見つけさせる。

よりよい授業へのステップアップ

語彙を増やす

様子を表す言葉や、文末表現の語彙を増やしたい。例文以外の言葉を考えさせたり、手引きを作ったりして文章を書く際に活用できるようにする。

ダラダラ文に気を付けよう

「〜ので、〜ので…。」と、一文が長くなってしまう子供が出てくることがある。書いている本人は気が付かないので、指導が必要である。「１つの文に、『、(点)』は２つまで」「『〜ので』は１つまで」などのルールを個別に示す。「口語」との違いを意識させるとよい。

本時案

お話のさくしゃになろう 8/10

本時の目標

・物語の「おわり」を書くことができる。

本時の主な評価

❸事柄の順序に沿って粘り強く構成を考え、学習課題に沿って、物語を書こうとしている。【態度】

・文章を読み返す習慣を付けるとともに、間違いを正したり、語と語や文と文との続き方を確かめたりしている。

資料等の準備

・教科書 p.74の絵

・ワークシート② 11-04

3

○みなおそう

・ならったかん字をつかう

・主語（しゅご）と述語（じゅつご）

○友だちと　読み合おう　→　音読

・いいね

・アドバイス　（こうしたらいいよ）

第5～7時と同じ流れで交流するとスムーズに交流できる。

授業の流れ ▷▷▷

1 本時の学習のめあてを確認し、「おわり」の書き方を知る〈10分〉

○本時のめあてを板書する。

T　今日は、「おわり」の部分を書きます。最後に2人がどうなったか、分かるように書きましょう。

○教科書 p.78の終わりの文章を提示し、書き方の工夫を見つける。

・「歌を歌って」が、楽しそうな様子が伝わるよ。

・かばんの様子も変わったことが分かるね。

○「スイミー」や「お手紙」の終わり部分に着目させてもよい。

2 場面の様子がつたわるように、「おわり」を書く〈15分〉

T　様子が伝わるように、言葉を選びながら「おわり」を書きましょう。

○「はじめ」と「中」を一度読み直し、文がつながるようにする。

○文章を書く際の基本（既習漢字の使用、主語と述語に気を付けること、など）を示す。

○早く書き終わった子がいた場合、小さな声で音読させ自分の文章の見直しをさせる。

お話のさくしゃになろう

1

二ひきがどうなったかが分かる「おわり」を　書こう。

二ひきのかばんは、木のみでいっぱいになりました。
そして、それをもって、
歌を歌いながら、野原に帰りました。

2

教科書
p.74の
最後の絵

人ぶつの　ようす
・歌を歌いながら　→　楽しそう
・かばんが、木のみでいっぱいに　なる

ちがう　書き方をする
・帰りました　→　・もどりました　など

かいわ文「　」

3 友達と読み合い、アドバイスし合う 〈20分〉

T　友達に文章を音読してもらいましょう。直したり書き足したりできるように、自分のお話を見直しましょう。

○友達に音読してもらうことで、客観的に自分の文章を振り返ることができるようにする。
○赤で書き足したり、直したりする。
○既習漢字は、教科書の巻末付録を参考にさせる。
○時間があったら、全体を自分でもう一度音読する。

よりよい授業へのステップアップ

全体を見直す

はじめ、中、終わりがつながっているかを最後に確認することが大切である。その際、3、4時間目で作ったお話の流れをもう一度見直すとよい。

絵をかく時間は…。

絵を描きたいために文章を書く活動がおろそかになってしまう子供もいる。国語の時間で挿絵を描くのが難しい場合は、図工の時間を1時間使うなどし、時間を確保する。国語の時間は、自分の文章に向き合うことができるように、カリキュラムマネジメントが必要である。

本時案

お話のさくしゃになろう 9/10

本時の目標

・題名を考えて、物語を読み返し、清書をすることができる。

本時の主な評価

・文章を読み返す習慣を付けるとともに、間違いを正したり、語と語や文と文との続き方を確かめたりしている。

資料等の準備

・清書用の原稿用紙やワークシート

授業の流れ ▷▷▷

1 本時の学習のめあてを確認し、題名を付ける 〈5分〉

○本時のめあてを板書する。

T　今日は、題名を考えて、物語を完成するために清書をします。

T　どのように題名を付けるか考えましょう。

・「スイミー」は主人公の名前だよ。

・「お手紙」は、お話の中に出てきたよ。

○既習学習の物語の題名の付け方を知り、自分の物語の題名の参考にさせる。

○題名を付ける。

2 清書のしかたを確認する 〈10分〉

T　友達に読んでもらうために、清書で気を付けることを考えましょう。

・ていねいな字で書く。

・習った漢字を使うといい。

・間違いを直して清書するといい。

○「読み手」を意識して、清書することを伝える。

お話のさくしゃになろう

1

だい名を考えて、お話を　かんせいさせよう。

○だい名を考える
→　スイミー　→　じんぶつの　名前
お手紙　→　お話の　大切な　アイテム

題名にも作者の伝えたいことが含まれていることを確認する。

2

3

○せい書する
・ていねいに
・ならった　かん字をつかう
・主語と　述語
・ちがう　書き方で
言いました。→　聞きました。など

読んでくれる人を意識して清書できるように声を掛けるとよい。

3 清書する 〈30分〉

T　相手に伝わるように、ていねいに清書をしましょう。

○丸（。）や点（、）、「　」の使い方が正しいか見直す。

○早く仕上がった子は、音読して見直したり、絵を描いたりして仕上げる。

よりよい授業へのステップアップ

表紙をつけて意欲アップ

画用紙で表紙をつけると、書き上げたという達成感を味わうことができる。早く仕上がった場合は、表紙をかかせてもよい。

個人差に対応する

時間内に仕上げるのが理想だが、欠席や個人差によって仕上がらない場合も考えられる。その場合、清書のときに教師が文章を読んであげたり、休み時間に一緒にかいたりするなど、次時までに完成できるように支援する。

本時案

お話の さくしゃになろう 10/10

本時の目標

・仕上がった作品を読み合い、よいところを伝え合おうとする。

本時の主な評価

・文章に対する感想を伝え合い、自分の文章の内容や表現の良いところを見つけようとしている。

資料等の準備

・特になし

○分かりやすく書けたところ
○お話の組み立てで気をつけたところ
○これから　書いてみたいこと

授業の流れ ▷▷▷

1 本時の学習のめあてを確認し、交流の視点を考える 〈5分〉

○本時のめあてを板書する。

T　今日は、作ったお話をみんなで読み合います。読み合うときの注意点を考えましょう。

・よかったところを伝えると、喜んでくれると思います。

・おもしろかったところを伝えるといいと思います。

○間違いを指摘するのでなく、楽しい雰囲気で交流できるようによい面を探すことを確認する。

2 友達の作品を読む 〈20分〉

T　友達のお話をたくさん読んで、よいところを見つけましょう。

○お話をペアで交換する。交換する前に、自分が工夫したことを一言相手に伝えるとよい。

○隣同士→班の友達→クラスの友達の順に交流し、たくさんの友達の作品を読めるようにする。

○付箋を使ってコメントしたり、小さなメモによいところを書いたりして共有するとよい。

お話のさくしゃになろう

1 みんなで　読み合って　かんそうを伝えよう。

読み合うときの　ポイント

↓
・よかったところ
・おもしろかったところ
・すごいな、と思ったところ
・自分のお話とくらべる

2 ○友だちのお話を　たくさん読もう

3 ○ふりかえり
・文しょうが書けるようになったよ
・こんなことばをつかったよ
・ここをがんばったよ
←

どんな国語（言葉）の力が身に付いたのか、文章を書くときに頑張ったことなどを振り返らせるとよい。

3 学習を振り返り、感想を書く〈20分〉

T　この学習で自分が一番頑張ったことや、自分の文章のよいところを振り返り、まとめの感想を書きましょう。
・大変だったけれど、仕上がってよかったよ。
・楽しい話が出来上がったよ。
・友達に読んでもらってうれしかったよ。など
○子供の言葉をもとに、教科書 p.79の振り返りの視点を示す。
○友達のことでなく、自分の成長を書かせる。

よりよい授業へのステップアップ

作者の視点をもつきっかけに

この学習で自分自身が「作者」になったことで、物語を読むときに、「作者」の視点も考えられるようになる。物語を書いて終わりではなく、次に物語を読むときに、この体験を生かして読むように声掛けしていくとよい。

日常の指導に取り入れる

日記などの宿題の代わりに、「お話づくり」を出してもよい。その際、テーマ「雪」「海」など、お題を出しても楽しく取り組める。

資料

1 第1時資料　学習計画表 11-01

お話のさくしゃになろう

月　日（　）名前

○学しゅうけいかくを　立てよう

①1時　学習計画表

月日	学しゅう	ふりかえり
／	学しゅうの　すすめ方を　知る（学しゅうけいかく）	
／	とうじょう人ぶつや　どんなお話にするのか考える。	
／	お話の　まとまりごとにできごとを　考える。	
／	さし絵を　見せながら友だちにお話を　せつめいする。	
／	書き出しを　くふうして「はじめ」を書く。	
／	できごとの　ようすが　伝わるように「中」を書く。	
／		
／	「おわり」を書き、読みなおす。	
／	だい名を　考えて、かんせいさせる。	
／	みんなで　読み合ってかんそうを　伝える。	
／		

お話の　内ようを考える。　文しょうを書く　伝え合う

2 第2～4時資料　ワークシート① 11-02

お話のさくしゃになろう

月　日（　）名前

○とうじょうじんぶつについて　考えよう。

黄色いベストのネズミの絵

○名前　ねず子

○どんなじんぶつか
元気　ゆう気がある

青いベストのネズミの絵

○名前　ねずた

○どんなじんぶつか
やさしい　こまったときにたすけてくれる

○どんな　できごとが　おこるのか

森でふくろうのおじいさんに　会い、おいしい木のみがあるばしょを　教えてもらう。
川をこえて　木のみをとりに行く。

○まとまりごとに　せつめいしよう。

はじめ

中

おわり

お話のさくしゃになろう

月　　日（　　）名前

○かんたんな　お話メモを書こう

はじめ	……	じんぶつの　しょうかい　ばしょ　など
中	……	できごと
おわり	……	じんぶつが　お話の　さいごに　どうなったか

お話	せつめい
はじめ	いつも元気な　ねずみと　やさしいねずみふたりで秋の
	木のみを　さがしに行きました。
中	森に入ると、ふくろうの　おじいさんに　出会う。
	おじいさんは　森はあぶない　と教えてくれる。
おわり	ふたりは、たくさんの　木のみをもらって　野原に　帰る。

きせつのことば4

冬がいっぱい　（2時間扱い）

単元の目標

知識及び技能	・言葉には、事物の内容を表す働きがあることに気付くことができる。((1)ア) ・身近なことを表す語句の量を増し、話や文章の中で使うことで、語彙を豊かにすることができる。((1)オ)
思考力、判断力、表現力等	・経験したことなどから書くことを見つけ、必要な事柄を集めたり確かめたりして、伝えたいことを明確にすることができる。(B ア)
学びに向かう力、人間性等	・言葉がもつよさを感じるとともに、楽しんで読書をし、国語を大切にして、思いや考えを伝え合おうとする。

評価規準

知識・技能	❶言葉には事物の内容を表す働きがあることに気付いている。(〔知識及び技能〕(1)ア)
思考・判断・表現	❷「書くこと」において、経験したことや想像したことから書くことを見つけている。(〔思考力、判断力、表現力等〕B ア)
主体的に学習に取り組む態度	❸積極的に言葉の働きに気付き、学習の課題に沿って経験を文章に表そうとしている。

単元の流れ

時	主な学習活動	評価
1	学習の見通しをもつ 学習課題を設定する。 冬を感じることばをあつめよう。 挿絵を手掛かりに、冬に関わる言葉から想像したり、自分たちで冬の言葉を探したりする。 唱歌「ゆき」を音読する。	❶
2	冬の訪れを感じるのはどんなときか話し合い、冬についてのイメージを広げる。 冬を感じたときの経験を文章に書く。 学習を振り返る 書いたものを読み合い、感想を交流する。	❷❸

授業づくりのポイント

〈単元で育てたい資質・能力〉

本単元では、冬の言葉を探したり思い出したりしながら、季節の言葉のもつ語感を十分に味わい、言葉と自分の経験とを結び付けて文章に表す力を身に付けさせたい。日本では「冬」と直接的に表現しなくても、「木枯らし」「小春日和」など様々な言葉で「冬」という季節を表してきた。子供にはあまりなじみのない言葉も紹介するなどして、美しい日本語にも触れさせたい。

[具体例]
○「せんりょう」や「ひいらぎ」など、生活経験によっては見たことのないものもあると思われる。一つ一つ丁寧に経験を思い出しながら話し合わせる。場合によっては写真や動画で確認したり、実物を用意したりするのも効果的である。
○示されている言葉について、知っているものはあるか、それはいつ頃、どこで見たことがあるかなどを交流させる。例えば、「ゆき」について知っていること、見たことがあることを話し合わせ、雪にまつわる様々な言葉に触れる。「あられ」「みぞれ」「粉雪」「ぼたん雪」「ふぶき」「風花」「初雪」「新雪」「つらら」「樹氷」など、降り方や様子によって様々な言い方ができることに気付かせる。そしてその一つ一つに美しい名前を付けてきた日本語の文化の美しさにも気付かせたい。新しい言葉を知り、経験と結び付けることで子供の語彙を豊かに広げる学習となることを期待したい。

〈他教材との関連〉

本単元は「季節の言葉」として第2学年から第6学年まで系統設定されている単元の1つである。また、第2学年では「春がいっぱい」から系統設定されてきた、季節の言葉を扱う単元の4回目である。これまでの学習を想起し、まとめとなる単元にしたい。

[具体例]
第2学年で設定されている「○○がいっぱい」の単元にはそれぞれ季節の言葉と経験を結び付けて書いた例文が配置されている。春がいっぱいでは「いつ、どこで、見つけたか」「そのときどう思ったか」の2文で構成されているが、夏がいっぱいでは「そのときの会話」や「食べたときのこと」が、さらに秋がいっぱいでは「これからどうしたいか」、冬がいっぱいでは「分かったこと」が書かれている。これまで書いてきたカードを振り返りながら、季節の言葉をたくさん見つけてきたことや、文章を書く力が身に付いてきたことを賞賛し、自らの成長を実感できる単元になることを期待したい。

〈ICT の効果的な活用〉

記録：1）端末のカメラ機能や録画機能を用いて、生活の中で見つけた「冬らしいもの」を保存しておくと、言葉探しやカードを書く際に活用できる。また、冬休み中も端末を使えば、家や外出先でも撮影することができる。
2）1年間続けてきた季節のカードを毎回写真に撮って記録し、共有フォルダに入れておく。自身の学びを振り返ることができるし、友達のカードもすぐに見ることができ、よさや共通点を見つけることができる。

本時案

冬がいっぱい

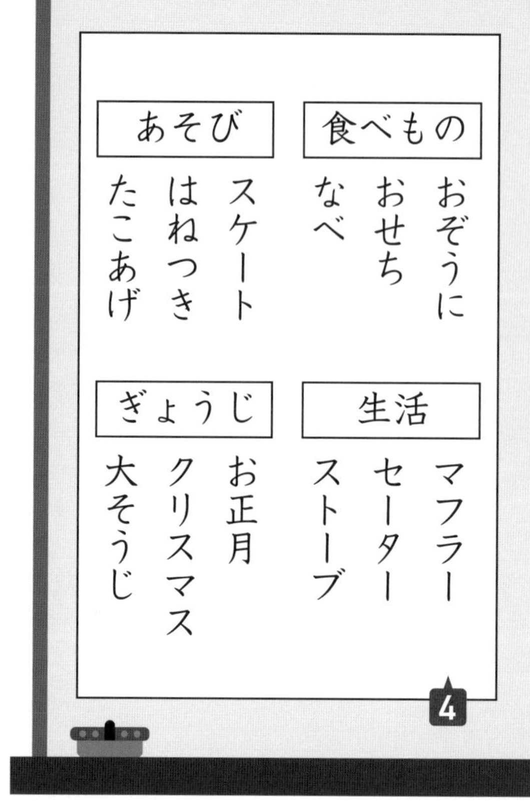

本時の目標

・身近なものの中から冬を感じる言葉を探すことができる。

本時の主な評価

❶経験を思い出したり、友達と交流したりしながら、冬を感じる言葉を探して、ノートに書いている。【知・技】

資料等の準備

・教科書の拡大掲示（デジタル教科書や書画カメラでもよい）
・冬に関わる動植物の写真や実物等
・模造紙

授業の流れ ▷▷▷

1 冬のイメージをふくらませ、学習の見通しをもつ 〈7分〉

○学習課題を板書する。
T 「ゆき」を音読しましょう。どんな感じがしますか。
○雪のイメージを膨らませ、知っていることや経験を話し合わせる。
T 冬を感じる言葉を集めてみましょう。
T 「雪」には様々な言い方があります。知っているものはありますか。
○「ぼたん雪」「粉雪」など、様々な雪の表し方を紹介し、日本語には様々な表現の仕方があることに気付かせる。
・「みぞれ」は雪の仲間だね。
・スキーに行ったとき、お父さんが「ぼたん雪が降ってきたよ」と言っていたな。

2 教科書に示された言葉について話し合う 〈8分〉

T 教科書の言葉を声に出して読んでみましょう。
○声に出して読み、経験したことや知っていることを話し合う。十分にイメージを膨らませ、季節の言葉を集めたいという意欲を高める。
○同じような経験をしたことがあるか、他にもその言葉について知っていることはあるか問い、考えを広げる。
・ひいらぎは聞いたことはあるけれど見たことがないよ。
・ぎざぎざの形の葉だよ。
・知ってるよ。節分のときに飾ることもあるよね。

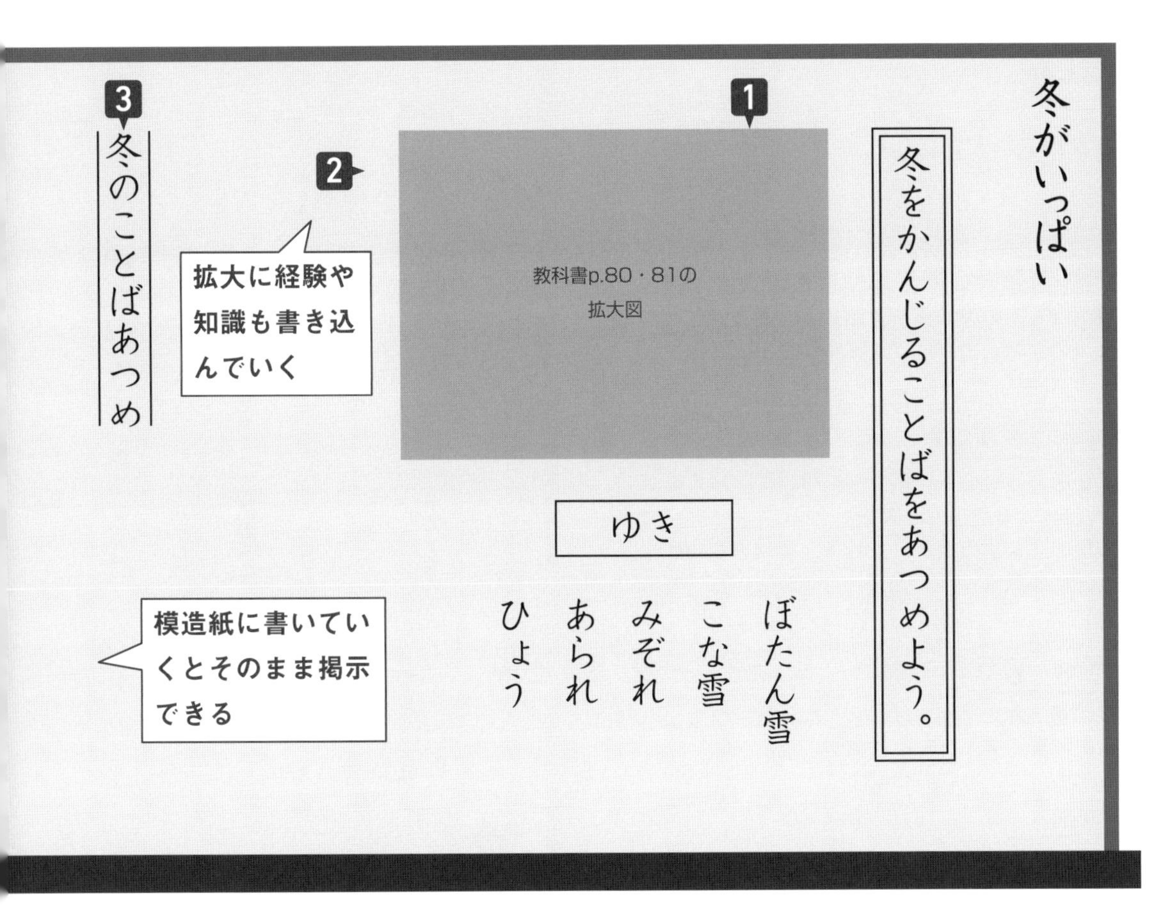

3 冬を感じる言葉集めをする 〈15分〉

T　他にも冬を感じるもので知っている言葉はありますか。冬だなあと感じる言葉を仲間分けしながら集めましょう。

○ノートに思い付くものを書かせていく。近くの席の子供と協力してもよいこととし、多様な考えが出るようにする。

○年間を通して設定されてきた単元であるので、これまで学習してきたことを想起させながら、取り組ませる。

○それぞれの地域の特色や、生活経験から出される言葉を大切に扱い、経験と言葉を結び付けて考えさせる。

4 集めた言葉を発表し、言葉を仲間分けする 〈15分〉

T　集めた「冬を感じる言葉」を発表しましょう。

○分類・整理しながら板書する。模造紙に書いていくとそのまま教室掲示することができる。

○できるだけ多くの言葉を取りあげる。

○年末年始やクリスマスなど、冬ならではの言葉をたくさん思い付くであろう。一つ一つ経験を話させ、「自分にも同じようなことがあったな。」と経験を思い出せるようにする。

T　仲間分けしながら冬を感じる言葉を黒板に書きました。仲間に名前を付けてみましょう。

・おぞうに、おせち、なべは、「食べ物」の仲間です。

本時案

冬がいっぱい

本時の目標

・身近なものの中から冬を感じる言葉を探し、自分の経験と結び付けて文章に表すことができる。

本時の主な評価

❷冬を感じるものと経験を結び付けて文章を書いている。【思・判・表】
❸積極的に言葉の働きに気付き、学習の課題に沿って経験を文章に表そうとしている。【態度】

資料等の準備

・教科書 p.80　「はくさい」「みかん」のカードの拡大（デジタル教科書でもよい）
・言葉集めカード ⤓ 12-01
・諸感覚カード ⤓ 12-02～12-06

3
○春夏秋冬のカードをまとめよう
○一年間のがくしゅうをふりかえってかんそうを書こう。
・きせつのことばをたくさん知ることができた。
・もっと長い文が書けるようになりたい。

子供の言葉を書いていく

授業の流れ ▷▷▷

1 カードの書き方を話し合う 〈5分〉

T　これまで春夏秋と、季節のカードを書いてきましたね。今日は冬を感じるものをカードに書きましょう。カードの書き方で気付いたことはありますか。
○教科書の「はくさい」「みかん」のモデル文を拡大し、これまでのカードの書き方を想起させる。
○子供の気付きを基に、板書していく。
○はじめ、中、おわりの簡単な構成で書く。また、諸感覚を使って書くことに気付かせる。

2 冬を感じるものをカードにかく 〈20分〉

T　冬を感じるものをカードに書きましょう。
○五感を使って書いている子供、経験や知識を基に書いている子供、かぎを使って会話を書いている子供など、よい作品は学習活動を一度途中で止め、全体で共有するとよい。

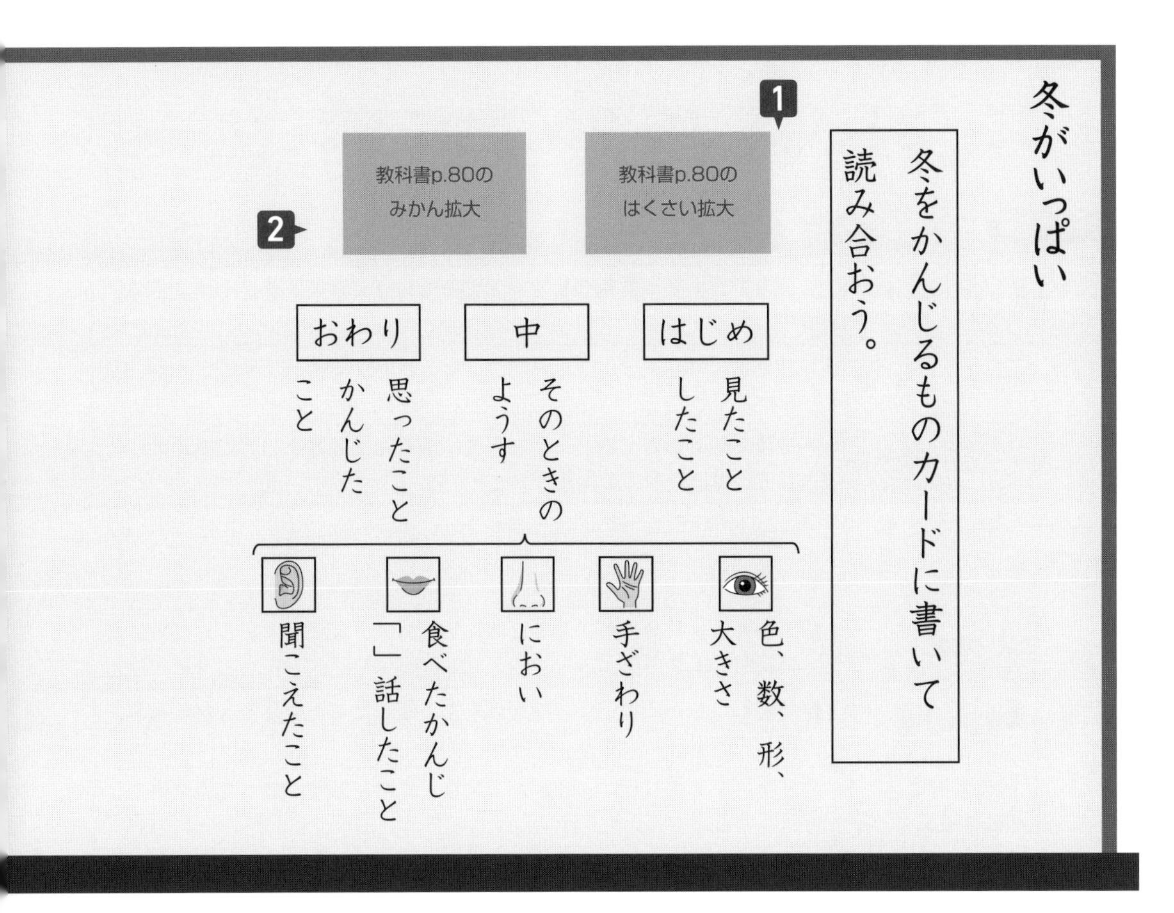

3 これまでの季節のカードをまとめる 〈10分〉

T　春から冬までカードをかいてきました。全部のカードをまとめて、自分の「きせつがいっぱいブック」にしましょう。

○これまでのカードを季節の順に机の上に並べる。季節の言葉の捉え方や文のかき方について自分の成長を実感させたい。

・春の頃は、いつどこで見つけたかしかかいてないけれど、今はかぎを使ってそのとき話したことも書けるようになりました。

・他にもまだ季節を感じる言葉はありそうだから探したいです。

○これまでのカードに穴をあけておき、紐などで綴じる。1冊の本になることで1年間言葉について学んだ達成感をもたせたい。

4 学習を振り返る 〈10分〉

T　1年間、季節の言葉を学習してきました。どんなことができるようになりましたか。どんなことをもっと知りたいですか。また、どんなことができるようになりたいですか。まとめの感想を書きましょう。

○振り返る観点を示し、ノートに振り返りを書かせる。

○全体で共有し、価値付ける。この時期の子供にとって1年の自分の成長を感じることは大きな達成感がある。肯定的に言葉を受け止め、これからも言葉について学習していこうとする意欲を高める。

詩の楽しみ方を見つけよう

ねこのこ／おとのはなびら／はんたいことば　（2時間扱い）

単元の目標

知識及び技能	・語のまとまりや言葉の響きなどに気を付けて音読することができる。((1)ク)
思考力、判断力、表現力等	・詩を読んで、感じたことや分かったことを共有することができる。(C カ)
学びに向かう力、人間性等	・言葉がもつよさを感じるとともに、楽しんで読書をし、国語を大切にして、思いや考えを伝え合おうとする。

評価規準

知識・技能	❶語のまとまりや言葉の響きなどに気を付けて音読している。(〔知識及び技能〕(1)ク)
思考・判断・表現	❷「読むこと」において、詩を読んで、感じたことや分かったことを共有している。(〔思考力、判断力、表現力等〕C カ)
主体的に学習に取り組む態度	❸詩を読んで感じたことを進んで共有し、学習課題に沿って詩を紹介しようとしている。

単元の流れ

時	主な学習活動	評価
1	学習の見通しをもつ ・三つの詩を読み、好きな詩を選んで暗唱したり、視写したりして楽しむ。 自分で詩を決めて、「詩のおくりもの」を作ろう。	❶
2	・友達に紹介する詩を図書館などで探す。 ・詩と、その詩を選んだ理由をカードに書き、紹介し合う。 学習を振り返る	❷ ❸

授業づくりのポイント

〈単元で育てたい資質・能力〉

本単元のねらいは、様子を思い浮かべたり、言葉の響きを楽しんだりしながら詩を読み、感じたことを友達と共有することである。そのためには、詩の表現のおもしろさを感じたり、詩の中に出てくる言葉の意味を考えたりすることが必要である。

〈教材・題材の特徴〉

教科書には、「ねこのこ」「おとのはなびら」「はんたいことば」という３つの詩が出てくる。「ねこのこ」には、「ゆうゆう」や「ごろごろ」「ちりん」などのオノマトペが一文につき１つ出てくる。一文ずつねこの動作や様子が変化し、どんなねこなのかがよく伝わる。「おとのはなびら」には、「ポロン　ピアノがなるたびに」や「○○にあふれて」という繰り返しの表現が出てくる。繰り返しの表現がどのような効果をもたらすのかを考えると、「おとのはなびら」がどんどん増えていく様子が想像できる。また、「はんたいことば」は、「うれしい」のはんたいことばは何かがテーマになった詩である。子供はこれまで「似た意味の言葉、反対の意味の言葉」を学習しており、通常であれば「悲しい」が出てくるが、この詩の中では、それだけが正解ではないことが書かれていて、おもしろさや、考えることの多様さを感じることができる。

〈言語活動の工夫〉

１時間目では、それぞれの詩のリズムのよさや表現のおもしろさが伝わるように、まずはどの詩も音読させたり、暗唱に取り組ませたりする。何度もそれぞれの詩を読むことで、特徴やおもしろさに気付くことができるだろう。その上で、図書館などで借りた詩集から、「一番のお気に入り」の詩を選ばせる。理由を書かせるときには、「こういう様子が思い浮かぶ」「こういうことが伝わってくる」「こんなところが面白い」などの観点を示す。書くことが苦手な子供にとっても、３つの中から「選ぶ」ということをさせることで、理由が思い浮かびやすくなり、具体的にどんなところがお気に入りのポイントなのかを考えやすくなるだろう。また、選んだ詩や、その理由を友達同士と交流し合うことで、自分が気付かなかった詩の面白さに気付くことができる。

１時間目にこの活動を行うことで、２時間目に自分が好きな詩を選んだり、理由を書いたりするときにも生かすことができると考える。

〈ICT の効果的な活用〉

共有：端末の学習支援ソフトなどを用いて、自分が選んだ詩や、選んだ理由を紹介し合うのもよい。タイピングなどして入力するのが難しかったり、時間がかかったりするようならば、カードに書いたものを端末の写真機能などを用いて記録させ、共有させると、手軽にクラスの友達が選んだ詩に触れることができる。

本時案

ねこのこ／おとのはなびら／はんたいことば

本時の目標

・教科書に取り上げられている詩を読むことを通して、様子を思い浮かべたり言葉の響きを楽しんだりして、詩を味わうことができる。

本時の主な評価

❶語のまとまりや言葉の響きなどに気を付けて音読している。【知・技】
・場面の様子など、内容の大体を捉えている。

資料等の準備

・３つの詩それぞれを拡大コピーしたもの

○「いしれう」もはんたいことば
↓おもしろい
○ほかのことばで作ってみたい。

3 教科書p.83
はんたいことば
拡大

上
えう
上ではない
下

4 自分で詩をきめて、「詩のおくりもの」を作ろう。

授業の流れ ▷▷▷

1 「ねこのこ」を読む 〈10分〉

○本時のめあてを板書する。

T 「ねこのこ」を読みましょう。読んで思ったことを発表しましょう。

○一度範読したのち、繰り返し音読させて言葉の響きを楽しませる。３回程度音読させたのち、感想を発表させる。
・「ごろごろ」のあとに「ころころ」があったり、「もしゃもしゃ」ってあったり、言葉がおもしろかったです。
・私の家で飼っている猫も同じようなことするなあって思って読んでいました。きっと、作者の大久保さんは家で猫を飼っているんだなと思いました。

○子供の意見は詩の拡大コピー下に板書する。

2 「おとのはなびら」を読む 〈10分〉

T 「おとのはなびら」を読みましょう。読んで思ったことを発表しましょう。

○一度範読したのち、繰り返し音読させて言葉の響きを楽しませる。３回程度音読させたのち、感想を発表させる。
・音は目に見えないけれど、花びらに例えてあっておもしろかったです。
・私が音に色を付けるとしたら、虹のような色にしたいです。低い音は青色や紫色、高い音は黄色や赤色がいいなと思います。
・２行目と３行目が全く同じなのはなぜなのか気になりました。

○子供の意見は詩の拡大コピー下に板書する。

詩の楽しみ方を見つけよう

ようすを思いうかべたり、ことばのひびきを楽しんだりしながら読もう。

1

教科書p.82
ねこのこ拡大

○ことばがおもしろい。
　ごろごろ・ころころ
　もしゃもしゃ
○わたしのいえのねこと同じ。
　さくしゃのいえでも、ねこをかっているのかな。

2

教科書p.82
おとのはなびら
拡大

○音は目に見えないけれど、
　花びらにたとえていて、
　おもしろい。
○にじ色にしてみたい。
　高い音・・黄色、赤
　ひくい音・・青、むらさき
○二行目と三行目はなぜ同じ？

3 「はんたいことば」を読む〈10分〉

T　「はんたいことば」を読みましょう。読んで思ったことを発表しましょう。

○一度範読したのち、繰り返し音読させて言葉の響きを楽しませる。３回程度音読させたのち、感想を発表させる。

・私は「うれしい」の反対は？と聞かれたら「かなしい」って答えるけれど、「いしれう」も正解というのがおもしろいと思いました。

・他にも自分で作ってみたいなと思いました。例えば「上」だったら、「えう」「上ではない」「下」になるのかなと思います。

○子供の意見は詩の拡大コピー下に板書する。

4 友達に紹介する詩を探す〈15分〉

T　今度は、友達に「詩のおくりもの」として紹介するために、いろいろな詩を読んでみましょう。

○学習課題を板書する。

○次時の活動の見通しをもたせるために、図書館司書と連携して、詩集の本を１人１冊程度準備しておく。校内の図書館だけでは足りない場合、地域の図書館から団体貸出を利用して準備しておく。

・私は「くどうなおこ」さんの詩がおもしろそうなので、この本の中から選びたいです。作者の名前が、動物や植物の名前が使われていて、「かまきり　りゅうじ」など人間の名前と合わさっているのもおもしろいし、詩の文も楽しかったからです。

本時案

ねこのこ／おとのはなびら／はんたいことば

本時の目標

・自分の好きな詩を選び、どんなところがよいと思ったのかを書いたり、友達と共有したりすることができる。

本時の主な評価

❷詩を読んで感じたことや分かったことを共有している。【思・判・表】
❸詩を読んで感じたことを共有し、詩を紹介しようとしている。【態度】

資料等の準備

・ICT 端末
・詩の本

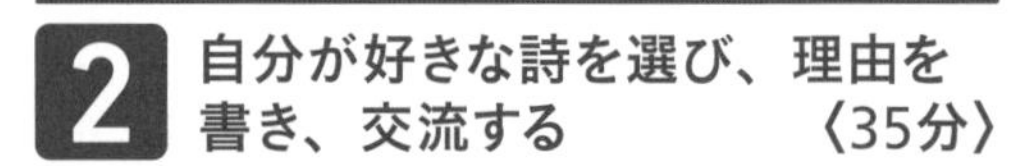

授業の流れ ▷▷▷

1 学習の見通しをもつ 〈5 分〉

T　今日は、図書室の詩の本からお気に入りを一つ選んで、友達と紹介し合いましょう。
選べた人は、まずタブレットでその詩のページの写真を撮るようにしましょう。
撮れた人は、視写してからお気に入りポイントを書いてもいいし、すぐにお気に入りポイントを書いてもよいです。

○書くことに抵抗がある子供もいるであろうし、長い詩も短い詩もある。レイアウトに工夫がされている場合もあるので、視写するのは必須の活動とはしない。

ICT 端末の活用ポイント

好きな詩を選べた子供は、タブレット端末の写真撮影機能を活用して記録させる。学習支援ソフトなどを活用し、理由を入力させてもよい。

2 自分が好きな詩を選び、理由を書き、交流する 〈35分〉

・私は谷川俊太郎さんの「いるか」がお気に入りです。「いるか」って何回も出てくるんだけど、だじゃれになっているところがあってすごくおもしろいです。読んでみると、全部「か」で終わっていてリズムがいいのも好きです。あと、最初はいなかったいるかが、夜になったらいっぱいいたのも嬉しくなるし、どんな夢を見ているのかな～って気になりました。
・たしかにおもしろい詩だね。いっぱいいたらさみしくなさそうでいいね。ぼくが選んだのは角野栄子さんの「なぞなぞあそびうた」だよ。詩なのになぞなぞっていうのがすごくおもしろいんだ。

詩の楽しみ方を見つけよう

自分のすきな詩を一つえらび、友だちとしょうかいし合おう。

①本の中から自分のすきな詩を一つえらび、しゃしんをとる

1

②どんなところがお気に入りポイントか考えて書く（ノートでも入力でもOK）

③友だちとしょうかいし合う

3 学習を振り返る 〈5分〉

T　友達と詩を紹介し合って、どんなことに気付いたり、考えたりしましたか。

・おもしろい詩がたくさんあった。ことばあそびみたいなのもあったし、内容がすてきっていうのもあった。詩っておもしろいんだなって思いました。

・○○さんが自分の選んだ詩について質問してくれて、ちょっとみんなでおしゃべりしたのが楽しかったです。みんなでもっと詩について考えてみたいです。

ICT 端末の活用ポイント

自分が書いた理由を入力させたり、書いたものを写真に撮ったりさせ、選んだ詩の写真とともに学習支援ソフトで共有し、それを見ながら振り返りをさせるとよい。

ICT 等活用アイデア

好きな詩を写真で撮る

図書室で詩の本から、自分の好きな詩を選ぶ。１人１冊の本を用意することはなかなか難しいだろう。本の中から好きな詩を見つけても、書き写すのにも時間がかかる。そんなときにICT 端末のカメラ機能で該当のページだけ撮れるようにすれば、書くのが苦手な子供にとっても負担が減り、理由を書くのに多くの時間を割ける。好きな詩を見つけて写真を撮れた子供は、その本自体は不要になるので、１人１冊なくても学びを進めることができる。

ことば

かたかなで書くことば　（2時間扱い）

単元の目標

知識及び技能	・片仮名を読み、書くとともに、片仮名で書く語の種類を知り、文や文章の中で使うことができる。((1)ウ)
思考力、判断力、表現力等	・語と語の続き方に注意することができる。(B ウ)
学びに向かう力、人間性等	・言葉がもつよさを感じるとともに、楽しんで読書をし、国語を大切にして、思いや考えを伝え合おうとする。

評価規準

知識・技能	❶片仮名を読み、書くとともに、片仮名で書く語の種類を知り、文や文章の中で使っている。(〔知識及び技能〕(1)ウ)
思考・判断・表現	❷「書くこと」において、語と語の続き方に注意している。(〔思考力、判断力、表現力等〕B ウ)
主体的に学習に取り組む態度	❸積極的に片仮名で書く言語の種類を知り、今までの学習を生かして、片仮名を使って文を書こうとしている。

単元の流れ

時	主な学習活動	評価
1	学習の見通しをもつ 「といをもとう」を基に、普段の生活でどのように平仮名と片仮名を使い分けているのか、違いを考える。片仮名で表記する言葉の種類を知り、種類ごとに言葉集めをする。	❶
2	学習課題を設定する。 かたかなをつかって文を書こう。 言葉集めをしたものを紹介し合う。p.85の絵の中の言葉を使った文を作って、友達とレストランの様子を説明し合う。 学習を振り返る	❷❸

授業づくりのポイント

〈単元で育てたい資質・能力〉

本単元のねらいは、言葉には種類があること、特別に片仮名で書き表す言葉があることに気付き、それを正しく使うことができるようにすることである。

2年生の子供たちは、本単元で扱う前から片仮名を無意識に使いこなしていることも多い。しかし、言葉の種類を意識し、種類の違いを自覚して平仮名や漢字と片仮名を使い分けることはできていないこともあるだろう。本単元においては、新しいことを学ぶというよりは、知っていることをよりくわしく学んでいく、無自覚だったものを自覚化させていくというイメージをもつことが教師の構えとして大切である。

[具体例]

子供は生活経験から、感覚で「これは平仮名より片仮名で書いたほうがいい」と思っていることが多い。これを授業においても生かすとよいだろう。例えば、片仮名について学習するということは明かさずに、教科書に示されている例文を、一度平仮名の表記で示し、「何か書き直したいところはありますか？」と問うことで導入してみてもよい。

・犬が、わんわんほえています。
・かねが、ごーんとなりました。
・こっぷに麦茶を入れます。
・いんどの市場に行きました。

これらの文を示して「片仮名に書き直したいところがある」と子供から意見を引き出すことで、「他にも片仮名で書く言葉は身の回りにあるかな？」「どんな言葉の仲間が片仮名になるのかな？」と問うて展開していくとよい。

〈言語活動の工夫（日常生活にひらく）〉

身の回りから、片仮名で表す言葉を集めることを家庭学習とすると、子供も意欲的に活動するだろう。もちろん、単に集めさせてもよいが、様々な視点を示すことで、さらに子供の気付きを増やすこともできるだろう。

[具体例]

教科書 p.85には、「レストラン」という場所が示されており、その中で「アイスクリーム」「オムレツ」「ケーキ」「メニュー」「エプロン」「ナイフ」「ハンバーグ」などの片仮名で表す言葉が紹介されている。これらは主に「外国から来たことば」の仲間である。

家庭学習として片仮名の言葉を集める際にも、「場所」を設定して探したり想像したりするようにしてもよい。例えば「動物園から探してみよう」と問えば、「ライオン」「パンダ」「ゴリラ」などの言葉以外にも「ガオー」「ヒヒーン」「ウホウホ」などの鳴き声も見つかるだろう。「音楽室の中から探してみよう」と問えば、「ドドーン」（大太鼓）、「シャンシャン」「リンリン」（鈴）、「ポロロン」（ギターやハープなどの弦楽器）などの楽器の音から探すことができる。

子供の実態によっては、場所を指定せず、むしろ「片仮名がたくさん見つかる場所はどこ？」と問うてもよいだろう。教師が、子供の実態、意欲の度合いをしっかりと見つめ、学習活動を工夫したい。

本時案

かたかなで書く ことば

本時の目標

・片仮名を読み、書くとともに、片仮名で書く語の種類を知り、文や文章の中で使うことができる。

本時の主な評価

❶片仮名を読み、書くとともに、片仮名で書く語の種類を知り、文や文章の中で使っている。【知・技】

資料等の準備

・ICT 端末

・外国の、国や土地、人の名前

○かたかなで書くことばをさがしてみよう！

かたかなをつかって文を書こう。

授業の流れ ▷▷▷

1 文の中から、片仮名で書き表す言葉を探す 〈10分〉

T　今から先生が言う言葉を、ノートに書いてください。いいですか。「いぬがわんわんほえています」、次に「こっぷにむぎちゃをいれます」。

・かんたんだよ！

・犬は、漢字で書けるよ。

・わんわんは、片仮名で書きたいな。

○口頭で伝え、子供が自由にノートに書くようにするとよい。いきなり正確に書くことは目的とせず、「ここは漢字」「ここは片仮名」など書き分けようとしている姿を認めていきたい。

2 どんな言葉を片仮名で書き表すのかを考える 〈25分〉

T　では、黒板に書いてください。

・私は、「わんわん」のところは片仮名にしました。

・「コップに麦茶を入れます」のコップは、片仮名にしました。

T　平仮名で書くか、片仮名で書くか迷った言葉がありましたね。そのような言葉は、どんな言葉でしたか？

・ワンワンは、犬の鳴き声だね。猫の「ニャーオ」とかも、片仮名で書くことがある。

・コップは、外国の言葉なんじゃないかな。おはしは平仮名だけど、スプーンやフォークは片仮名で書く。

○子供の生活経験から片仮名で書く言葉にはどのようなものがあるかを引き出すとよい。

1
先生が言ったことばを書いてみよう。

2
・犬がわんわんほえています。
ワンワン
・コップにむぎちゃを入れます。
こっぷ
ニャーオ　スプーン

3
○かたかなで書くことば
・どうぶつの鳴き声
・いろいろなものの音
・外国から来たことば

片仮名にサイドラインを引く

3 片仮名で書く言葉の種類を知る〈10分〉

T　片仮名で書くと分かりやすい言葉があるのですね。教科書84ページを見ましょう。
・そんなきまりがあるなんて知らなかった。いつもなんとなく片仮名を使っていた。
○ここで、教科書を使用して「どうぶつの鳴き声」「いろいろなものの音」「外国から来たことば」「外国の、国や土地、人の名前」という４種類を押さえる。
T　種類ごとに、言葉集めをしてみましょう。

ICT 端末の活用ポイント

片仮名で書く言葉を、ICT 端末などで検索してもよい。ただ、ICT 端末にこだわらず、教科書の中の文章から片仮名の言葉を探すなども効果的だろう。

よりよい授業へのステップアップ

日常生活とつなげる

子供の実態に応じて、家庭学習で、片仮名で書く言葉探しをすると効果的だろう。本時で学んだことを生かして、身の回りのものの見方が少しでも変わる実感が生まれるとよい。

また、単に「片仮名の言葉を探してみよう」と投げ掛けるのではなく、「片仮名の言葉が多い場所はどこかな？」「平仮名で書くか、片仮名で書くか迷ってしまう言葉はあるかな？」など、発展的な発問をして子供の意欲を引き出してもよいだろう。

本時案

かたかなで書くことば

・すすんで片仮名で書く言葉の種類を知り、今までの学習を生かして、片仮名を使って文を書こうとする。

本時の主な評価

❷語と語の続き方に注意している。【思・判・表】
❸積極的に片仮名で書く語の種類を知り、今までの学習を生かして、片仮名を使って文を書こうとしている。【態度】

資料等の準備

・特になし

・ライオンがハンバーグを食べています。
・ゴリラがミートソーススパゲッティを
食べています。

3
○かたかなはどんな場所で見つかる？
・どうぶつえん
・音楽しつ

授業の流れ ▷▷▷

1 言葉集めをしたものを紹介し合う 〈15分〉

T　家庭学習で片仮名の言葉集めをしてきたものを紹介し合いましょう。それが、４つの種類のうちどれかも分かるといいですね。
・雨がチャプチャプ降っている。
・それは「ものの音」だね！
・ヒヒーン！
・馬の鳴き声だね！
・僕はマウンテンバイクを持っています。
・外国から来た言葉だね！
・夏休みにハワイに行きました。
・外国の土地の名前だね！
T　いろんな片仮名の言葉を探すことができましたね！

2 p.85の中の言葉を使った文をつくって発表する 〈20分〉

T　85ページの絵をみて、片仮名で書く言葉が入った文を作って発表しましょう。
・キリンがアイスクリームとチョコレートを食べています。
・コアラがオムレツにケチャップをかけました。
・テーブルにメロンとバナナとパイナップルがおいてあります。
・ライオンがハンバーグを食べています。
・ゴリラがミートソーススパゲッティを食べています。
○レストランという場所に、様々な片仮名の言葉があることにも気付かせたい。

かたかなで書くことば

1 ○あつめたことばをしょうかいし合おう！

・チャプチャプ…ものの音

・ヒヒーン…どうぶつの鳴き声

・マウンテンバイク…外国から来たことば

2 ○レストランの中のかたかな

・キリンがアイスクリームとチョコレートを食べています。

・コアラがオムレツにケチャップをかけました。

・テーブルにメロンとバナナとパイナップルがおいてあります。

3 片仮名で書く言葉についてまとめる 〈10分〉

T　片仮名で書く言葉、たくさんありましたね。レストランにはたくさんの片仮名が隠れていました。他にはどんな場所で見つかりそうですか？

・どうぶつの名前や鳴き声は、動物園でたくさん見つかりそう！

・ものの音は、音楽室でたくさん見つかりそう！ドンドンとかリンリンとか。

T　片仮名で書く言葉をしっかり片仮名で書くと、その意味がよく分かりますね。これからも上手に使っていきましょう。

よりよい授業へのステップアップ

なぜその言葉を片仮名で書くのかを理解するために

本時ではまとめで「片仮名の言葉が多い場所はどこかな？」という問いを投げかけた。単に片仮名で書く言葉を書けるようになることを目指すのではなく、どんな言葉が片仮名で書く言葉なのかを理解できるように、そのような問いを考えさせるのも効果的だろう。「平仮名で書くか、片仮名で書くか迷ってしまう言葉はあるかな？」など、さらに発展的な発問をして子供の意欲を引き出してもよいだろう。

資料

1 〈読み物〉かたかなで書くことば 14-01

1 鳥の鳴き声
- あひる＝ガーガー
- うぐいす＝ホーホケキョ
- かっこう＝カッコー
- からす＝カーカー
- きじ＝ケンケン
- すずめ＝チュンチュン
- とんび＝ピーヒョロロ
- にわとり＝コケコッコー
- はと＝ポッポ
- ひよこ＝ピヨピヨ
- ふくろう＝ホーホー
- ほととぎす＝テッペンカケタカ
- やまどり＝ホロホロ

辞書には，動物の鳴き声をまとめたページがあることがある。まだ，辞書の使い方は習っていないが，興味・関心に合わせて紹介してもよいだろう。

2 動物の鳴き声
- いぬ＝ワンワン　キャンキャン
- うし＝モーモー
- うま＝ヒヒーン
- かえる＝ケロケロ　ゲロゲロ
- きつね＝コンコン
- ねこ＝ニャーニャー
- ねずみ＝チューチュー
- ぶた＝ブーブー
- やぎ＝メーメー

3 虫の鳴き声
- うまおい＝スイッチョ
- くつわむし＝ガチャガチャ
- けら＝ジー
- こおろぎ＝コロコロ
- すずむし＝リーンリーン
- せみ＝ジージー　ミーンミーン
- まつむし＝チンチロリン

日本のオノマトペの世界

教科書では，「いろいろなものの音」として，ガラガラ，ビュービュー，ゴーンという音が例示されている。本時では余裕がないかもしれないが，片仮名の学習と合わせて生活の場面で日本語のオノマトペの豊かさについて触れて子供と考えてもよいだろう。

例

〇雨の音

子供に，「雨の音ってどんなものがある？」と問えば，「ポツポツ」「ザアザア」「ピチャピチャ」など，様々なものが挙がるはずである。「どうして同じ雨なのに音が違うのかな？」「どっちの方が，たくさん雨が降っていそう？」「どこに降っている雨？」など追質問してイメージを深めてもよい。

ポツポツ，ザーザー，サーサー，
シトシト，ピチョンピチョン，ショボショボ
ザンザン，パラパラ，ジョボジョボ，
バシャバシャ，ジトジト　　　　など

〇風の音

雨と同じように風の音を問うてみてもイメージが広がる。日本には，季節に合わせて風に様々な名前がついているのも特徴的である。2 年生で扱うなら，春夏秋冬の季節で，風の音を考えさせるなどが効果的だろう。

春・・・ソヨソヨ，フワフワ
夏・・・スースー，ビュワッ
秋・・・ピューピュー，ヒュオオオー
冬・・・ゴーゴー，ビュンビュン

あくまで例である。子供の経験や自由な発想でオノマトペを考えてみてもおもしろい。

ことば

ことばを楽しもう　（1時間扱い）

単元の目標

知識及び技能	・長く親しまれている言葉遊びを通して、言葉の豊かさに気付くことができる。((3)イ)
学びに向かう力、人間性等	・言葉がもつよさを感じるとともに、楽しんで読書をし、国語を大切にして、思いや考えを伝え合おうとする。

評価規準

知識・技能	❶長く親しまれている言葉遊びを通して、言葉の豊かさに気付いている。(〔知識及び技能〕(3)イ)
主体的に学習に取り組む態度	❷積極的に言葉の豊かさに気付き、学習課題に沿って、折句づくりや回文づくりを楽しもうとしている。

単元の流れ

時	主な学習活動	評価
1	学習の見通しをもつ 教科書に載っている折句や回文を音読して、どのような決まりがあるか考える。 折句や回文を読んだり作ったりして楽しもう。 折句や回文の仕組みを知り、折句づくりや簡単な回文づくりを楽しむ。 学習を振り返る	❶ ❷

授業づくりのポイント

〈単元で育てたい資質・能力〉

本単元のねらいは、折句や回文を読んだり作ったりする活動を通して、言葉の豊かさに気付くことである。この単元においての「言葉の豊かさ」とは、折句における言葉と言葉の組み合わせ方のおもしろさ、回文のもつリズムのおもしろさや意味のおもしろさである。

特に、回文については、語のまとまりや言葉の響きなどに気を付けて十分に音読することが、言葉の豊かさに気付く力を育むことにつながる。なお、「折句」や「回文」という用語や定義も子供たちの実態に応じて伝えるとよい。

[具体例]

○折句とは…和歌の技法の１つで、古くから親しまれてきた言葉遊びです。お題となる単語の各文字を、句の頭文字において文をつくります。「あいうえお」作文とも言われます。

○回文とは…上から読んでも、下から読んでも同じ言葉や文のことで、言葉遊びの１つです。「しんぶんし」のような簡単で短いものから、「わたしまけましたわ」のような思わず笑ってしまうおもしろい回文まで様々あります。回文づくりを通して、言葉のおもしろさに気付かせていきたいですね。

○例えば、教科書に載っている【わるいにわとりとわにいるわ】を子供に提示した際、「この回文はどこで区切ると意味が分かりやすくなるでしょうか。」と投げ掛ける。そうすることで、子供は、語のまとまりや言葉の響きを意識して音読することができる。

〈教材・題材の特徴〉

子供が想像しやすいように、動物を取り上げた回文が載っている。また、挿絵もついており回文の意味をイメージしやすいように工夫されている。だからこそ、言葉の意味については丁寧に指導し、理解させたい。

また、これらの回文は、石津ちひろの『まさかさかさま動物回文集』に載っている。この本には、教科書の回文以外にも、子供が興味をもちそうな回文が印象的な絵とともにたくさん出てくる。およそ1ページにつき1つの回文が載っているので子供が手に取って読みやすい本であろう。教室の学級文庫などにおいておくと、子供の読書活動につながっていく。下記に示した本以外にも、回文を紹介した本はたくさんある。「回文の本を学校の図書館で探してごらん」と子供に投げ掛けることもよいだろう。

[具体例]
○子供に意識させたい言葉…「のんき」「おいら」「がん」「まいたった」
○『まさかさかさま動物回文集』文／石津ちひろ　絵／長新太　河出書房新社　2007年
○『ことばあそびの絵本　よるくまくるよ』文／石津ちひろ　絵／藤枝リュウジ　BL出版株式会社　2007年

〈ICTの効果的な活用〉

記録：ICT端末に、折句や回文を作らせる。低学年という実態に合わせ、文書作成アプリより、描画アプリを用いて、手書きで作らせたほうが、子供も取り組みやすい。また、折句に関しては、文の頭に入れる言葉が分かりやすくなるように、円い枠があらかじめ入ったものを用意しておく。また、回文づくりについては、上半分の言葉が入ったものを複数用意しておくと、苦手な子供も取り組みやすくなる。

記録：描画アプリで子供が作った折句や回文を、ICT端末を使って学級全体で共有できるようにする。学級の実態に合わせて、友達の作品で気に入ったものにスタンプやマークで反応したり、感想を伝え合ったりする活動を取り入れてもよい。

本時案

ことばを楽しもう

本時の目標

・折句や回文の音読や、簡単な折句づくり・回文づくりを通して、言葉の豊かさに気付くことができる。

本時の主な評価

❶折句や回文遊びを通して、言葉の豊かさに気付いている。【知・技】
❷進んで言葉の豊かさに気付き、学習課題に沿って折句づくりや回文づくりを楽しもうとしている。【態度】

資料等の準備

・並行読書の本（学級の実態に応じて、回文づくりで扱いたい題材を3～4こつ選んでおくとよい。）

・きんのはとはのんき
・このらいおんおいらのこ
・たったいまがんがまいたった

⇐ べつのことばに へんしん

3 おりくや回文を読んだり、作ったりして楽しもう

授業の流れ ▷▷▷

1 学習の見通しをもつ 〈5分〉

○いくつか教師が例を提示し、おもしろいなと感じた点を発表させることで、自然と本時の目標である「折句や回文」を意識させることができ、学習の見通しをもたせることができる。

T　これらの言葉を声に出して読んでみましょう。おもしろいなと感じたところは、どのようなところですか。
・言葉と言葉がくっついています。
・上から読んでも下から読んでも同じになるところです。
T　今日は、言葉と言葉を組み合わせた文や上から読んでも下から読んでも同じになる文を音読したり、作ったりして楽しみましょう。

2 折句や回文を音読して、どんな決まりがあるか考える 〈10分〉

T　教科書の文を音読してみましょう。
T　これらの文には、どのような決まりがあるでしょうか。
・横向きに読むと「あいうえお」に、言葉や文をくっつけています。
・ひっくり返すと後ろの3文字が「くうぞ」になっているね。
・ひっくり返したときは、言葉の切れ目がかわっているよ。
T　ある言葉の1文字1文字を他の言葉と組み合わせるのが折句です。ひっくり返したときに言葉の切れ目を変えて、別の言葉に変身させているのが回文です。

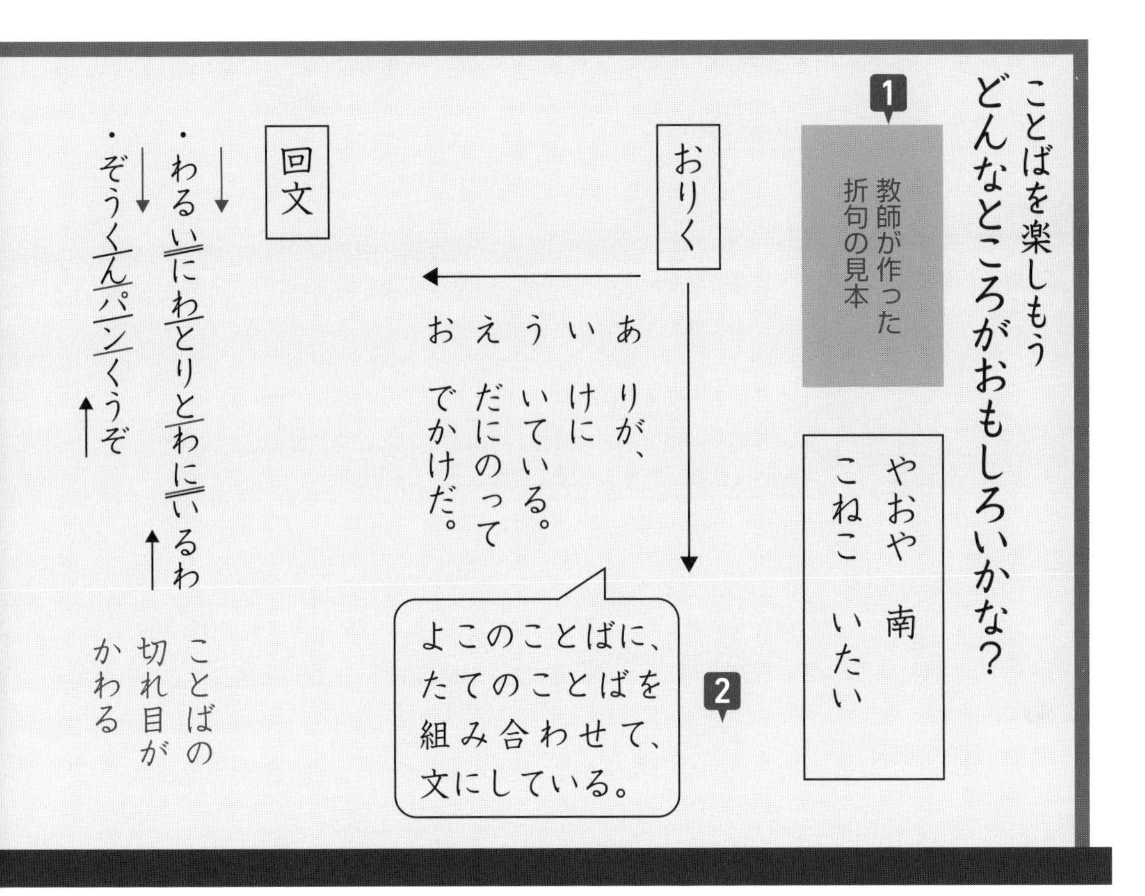

3 簡単な折句づくりや回文づくりを楽しむ　〈15分〉

T　音読して分かったことをもとに、自分で折句や回文を作ってみましょう。

○自由に回文を作ることが難しい子供には、並行読書の中から選んだ回文の後半を隠し、続きを考えさせるようにする。

T　でき上がった折句や回文を友達と読み合ってみましょう。

○読み合わせる際は、おもしろいと思う折句や回文を見つけさせるなど、交流する際の視点を提示するとよい。

ICT 端末の活用ポイント

描画アプリ等で、折句や回文を作らせる。また、作ったものを学級内ですぐに共有できるようにしておくと、苦手な子供への支援にもつながる。

4 学習を振り返る　〈15分〉

T　上から読んでも下から読んでも同じになる文を音読したり、作ったりしてみてどうでしたか。おもしろかったこと、難しかったこと、分かったこと、これからやってみたいことなどをノートに書きましょう。

・下から読んだときに、別の言葉に変身させることが難しかったです。
・○○さんの作った回文がとてもおもしろかったです。
・上から読んでも下から読んでも同じになる文をこれからも探してみたいです。

だいじなことばに気をつけて読み、分かったことを知らせよう

ロボット　12時間扱い

単元の目標

知識及び技能	・読書に親しみ、いろいろな本があることを知ることができる。((3)エ)
思考力、判断力、表現力等	・文章を読んで、感じたことや分かったことを共有することができる。(C カ) ・文章の中の重要な語や文を考えて選び出すことができる。(C ウ)
学びに向かう力、人間性等	・言葉がもつよさを感じるとともに、楽しんで読書をし、国語を大切にして、思いや考えを伝え合おうとする。

評価規準

知識・技能	❶読書に親しみ、いろいろな本があることを知っている。(〔知識及び技能〕(3)エ)
思考・判断・表現	❷「読むこと」において、文章を読んで、感じたことや分かったことを共有している。(〔思考力、判断力、表現力等〕C カ) ❸「読むこと」において、文章の中の重要な語や文を考えて選び出している。(〔思考力、判断力、表現力等〕C ウ)
主体的に学習に取り組む態度	❹文章を読んで、感じたことや分かったことを進んで共有し、学習の見通しをもって、本を読んで分かったことを説明しようとしている。

単元の流れ

次	時	主な学習活動	評価
一	1	学習の見通しをもつ p.87を読み、知っているロボットについて発表する。教材文を読み、感じたことや考えたことを発表する。学習課題を設定し、学習の見通しをもつ。 ロボットについて書かれた文章を読んで、分かったことや思ったことを友だちと伝え合おう。	
二	2	どこに、何が書かれているかを考えながら読み、内容の大体を捉える。	
	3 〜 7	3つのロボットそれぞれについて、どんなときに、何をして助けてくれるかを中心に、大事な言葉に着目して読み、初めて知ったことや「すごいな」と思ったことを伝え合う。	❸
	8 9	「ロボット」やp.97「もっと読もう」を読み、どんなロボットがあったらよいか、自分の考えとその理由を書き、友達と交流する。	❷ ❹
三	10 〜 11	学校図書館指導員のブックトークなどを聞き、ロボットについて書かれている、いろいろな本があることを知り、読みたい本や文章を見つけて読む。 あったら助かると思うロボットを選び、p.95「❷本を読んで、せつめいする」を参考にしながら友達に説明する。	❶

	12	学習を振り返る 「ふりかえろう」で単元の学びを振り返るとともに、「たいせつ」「いかそう」で身に付けた力を確認する。	

授業づくりのポイント

〈単元で育てたい資質・能力〉

本単元では、文や文章を読んで感じたことや考えたことを共有することができる力を高めることがねらいである。そのためには、文章全体の内容の大体を捉えることや、どこに、何が、どのように書かれているかを重要な語や文を考えながら読むことに加え、文や文章を読んで、自分の感想をもつことなど、これまで培ってきた「読むこと」の資質・能力を段階的に発揮できるように単元を構成することが大切である。その上で、文や文章を読んでもった感想や考えを友達と交流し、互いに共感し合ったり認め合ったりすることができるようになることをねらう。

〈教材・題材の特徴〉

本教材は、子供にとっても身近なロボットから興味を広げ、主に３つのロボットについて、どんなときに、何をして助けてくれるのか、を説明している文章である。文章には、「１つに、」「また、」「ほかに、」など、順序を整理する言葉が散りばめられている。ロボットを説明する際には、「このロボットは、」や「～かもしれません。」「このロボットがあれば、～ときでも」などの言葉が繰り返し使われている。内容を捉える際に、どんな言葉を使って書かれているかについても、子供が着目しながら読むことができる教材である。また、子供たちが教材を読んだ後に「デパートに行って困ったことがあったから……」「そういえば、この間ニュースを見たときに……」「他にも、こんなロボットがあったら……」など、感想や考えを自然と語りだすことが期待できる教材でもある。

〈言語活動の工夫〉

本単元では、学級全体で教材文を読んだ後、子供１人１人がロボットについて書かれている文や文章を読み、感じたことや考えたことを伝え合う活動を設定する。第二次で本を読んで分かったことを説明する方法を全体で確認した上で、第三次で各自の活動を行うことで、子供は第二次で学んだことを生かして読むことができるだろう。また、文や文章を読んで感じたり考えたりしたことを伝え合う際には、「私も同じことを思ったよ」や「たしかに、そんなロボットが近くにあるといいね」など、友達の考えに対する感想を述べ合うことを大切にする。そうした活動を通して、互いの感じ方や考え方を言葉で認め合うことができるようにすることが重要である。

〈ICT の効果的な活用〉

調査：発展的な活動として、人の役に立っているロボットについて、教科書や本、図鑑に載っていない情報を補助的に調べる活動も考えられる。その際、ウェブサイト上に書かれた情報でも、重要な語や文を意識して読むことが大切である。また、指導者は、文章全体を読まず、一部分だけを切り取って読むと、間違って解釈してしまうかもしれないことにも留意したい。

本時案

ロボット

1/12

本時の目標

・知っているロボットや見たことのあるロボットを想起して、学習への意欲をもつことができる。

本時の主な評価

・学習内容について興味をもち、学習の見通しをもとうとしている。
・知っているロボットや見たことのあるロボットを想起しながら、ロボットについて説明した文章を読もうとしている。

資料等の準備

・想定されるロボットの写真（おそうじロボット、犬のロボット、案内ロボットなど）

・つたえたいことを見つける。
・何をつたえればよいのかをかくにんする。
・友だちへの伝え方をかくにんする。
・ロボットについて書かれている本を見つける。

授業の流れ ▷▷▷

1 教科書 p.87を読み、知っているロボットについて発表する〈5分〉

T　題名とリード文を読んでみましょう。
○題名とリード文を音読する。
T　みなさんは、どんなロボットを見たことがありますか。
・レストランで、注文したものを運んでくれるロボットを見たことがあります。
・テレビで、ホテルを案内するロボットを見たことがあります。
・お家に、お掃除をしてくれるロボットがあります。
○これからの学習に前向きに取り組むことができるように、楽しい雰囲気で始めたい。子供によっては、ロボットを見たことがない場合もあるため、出てきたロボットを想起しやすいように写真などを準備しておく。

2 気付いたことや思ったことを発表する〈10分〉

T　出されたロボットを見て、気付いたことや思ったことはありますか。
・便利なロボットがたくさんあるなと思いました。
・私もロボットが欲しくなりました。
・他にも、どんなロボットがあるのか知りたいです。
T　なるほど。たしかに、いろいろなロボットがありそうですね。これから読む文章は、様々なロボットについて説明している文章です。みんなで読んでいきましょう。

ロボット

1

おそうじロボットの写真

レストランで食事を運ぶロボットの写真

デパートで案内をしてくれるロボットの写真

3

○「ロボット」を読んで、

・いろいろなロボットがある

・にもつをはこんでくれるロボットがべんり

・ほかのロボットについても、しらべてみたい。

4

ロボットについて書かれた文しょうを読んで、分かったことや思ったことを、友だちとつたえ合おう。

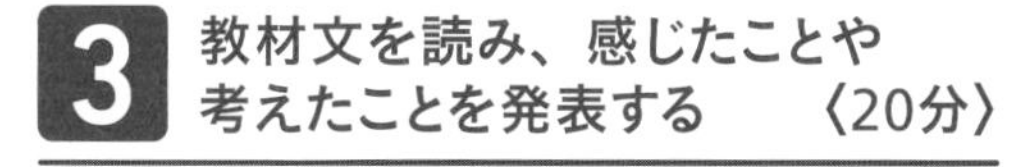

3 教材文を読み、感じたことや考えたことを発表する 〈20分〉

○教師が教材文を範読する。

○難しい言葉がある場合は、止まって、意味を確認しながら読む。

T 「ロボット」を読んで、感じたことや考えたことを発表しましょう。

・いろいろなロボットがあるんだなと思いました。

・荷物を運んでくれるロボットが便利だなと思いました。

・他のロボットについても、調べてみたいです。

T たしかに、他にもいろいろなロボットがありそうですね。また、自分が気になるロボットを見つけることができた人もいますね。

4 学習課題を設定し、学習の見通しをもつ 〈10分〉

T それでは、これから、ロボットについて書かれたいろいろな文章を読んで、自分のお気に入りのロボットについて、分かったことや思ったことを友達と伝え合いましょう。

○単元の学習課題を板書する。

T 友達と伝え合うために、どのような活動が必要ですか。

・何を伝えればよいのか、まだ分かりません。

・友達に、どうやって伝えればよいのか、みんなで確認したいです。

・もっとゆっくり、「ロボット」の文章を読みたいです。

・ロボットの本を見つける時間が欲しいです。

T では、これらのことに気を付けて「ロボット」を一緒に読んで確認していきましょう。

本時案

ロボット

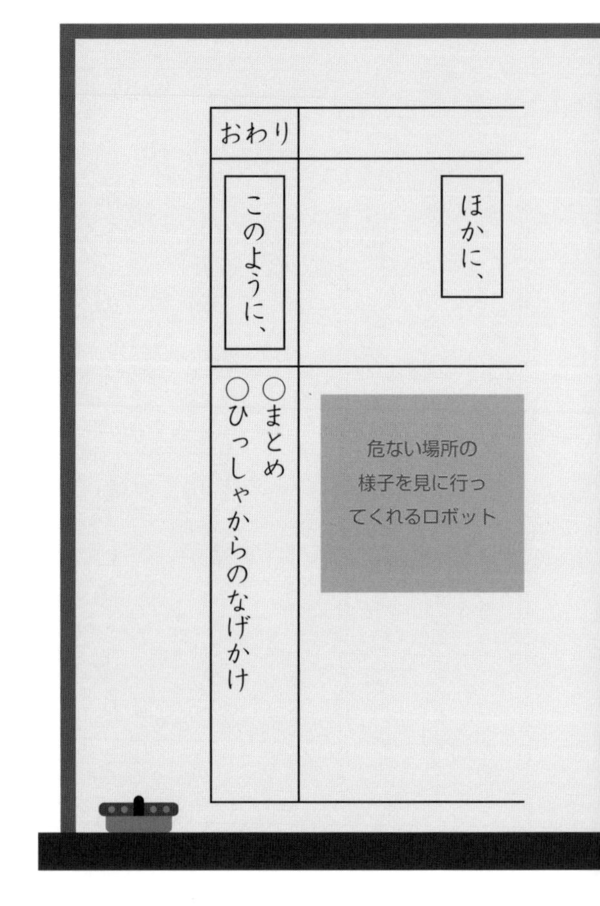

本時の目標

・「問いの文」に着目し、文章の中にどんな順でロボットが出てきたかを考えながら読み、内容の大体を捉えることができる。

本時の主な評価

・題名や写真などを手掛かりに、文章全体を読み、「はじめ」「中」「おわり」に何が書かれているかの大体を捉えている。

資料等の準備

・掲示用「学習のすすめ方」 16-01
・３つのロボットの写真
・ワークシート① 16-02

授業の流れ ▷▷▷

1 本時のめあてを確認する 〈５分〉

T　前時で、ロボットについての文章を読んで、友達と伝え合うことにしましたね。今日は、教科書の「ロボット」の文章を読みます。教科書の文章の題名と筆者をノートに書きましょう。何か分かることはありますか。
○本時のめあてを板書する。
・題名は「ロボット」です。
・筆者は、「さとう　ともまさ」さんです。
・さとうともまささんは、ロボットが好きなのかもしれません。
・さとうさんは、ロボットについて知っていることをみんなに伝えていると思います。
T　なるほど。では、これから、「ロボット」には何が書かれているのかを読んでいきましょう。

2 これまでの学習を振り返る 〈10分〉

T　これまでも、説明する文章を読んだり、書いたりしてきましたね。そのときに、大切にしていたことを思い出しましょう。
・「たんぽぽのちえ」では、順序の言葉を見つけながら読みました。
・「こんなもの、見つけたよ」では、「はじめ」「中」「おわり」のまとまりで文を書くと分かりやすかったです。
○教科書のページをめくりながら、これまでの学習を想起させるとよい。
T　そうですね。これまでの学習で学んだことを生かしながら読むことができるとよいですね。

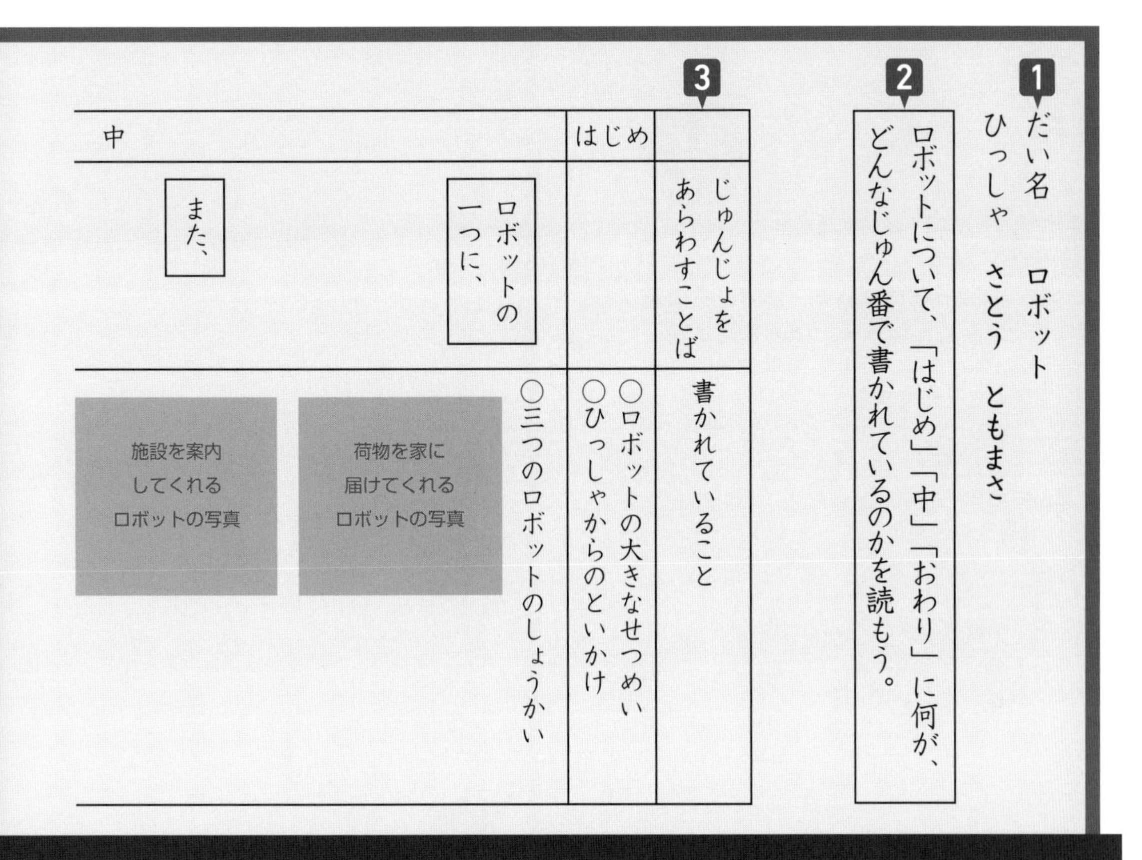

3 どこに、何が書かれているかに気を付けて「ロボット」を読む〈20分〉

○ワークシートを配付し、順序を表す言葉や、何が書かれているかを簡単にメモすることを伝える。

○自分のペースで読み進めていくことができる子供が多い学級の場合は、各自で読み進めさせる。教師は、支援が必要な子供と一緒に音読したり、線を引いて読んだりする。

○学級の実態に応じて、学級全体で音読をし、みんなでまとまりを考えたり、それぞれのまとまりにどのようなことが書かれているかを読んだりする方法もある。

T　「はじめ」には何が書かれていますか。

T　「中」にはいくつロボットが出てきましたか。

T　「おわり」はどこからですか。

4 読んだことを交流する　〈10分〉

T　読んだことを交流しましょう。

・「はじめ」には、「ロボットは、人をたすけてくれる、かしこいきかいです。」と、ロボットの大きな説明が書いてあります。

・「中」には、３つのロボットのくわしい説明が書いてありました。

・「はじめ」には、筆者からの質問もありました。「どんなロボットがあるのでしょう。」「どんなときに、たすけてくれるのでしょう。」の２つです。

・「おわり」にも、同じ問いがありました。こんどは、みんなになげかけていました。

・「おわり」は、「このように」とまとめていました。

本時案

ロボット

本時の目標

・１つ目のロボットについて、文章の中の重要な語や文を考えながら、「どんなロボットか」「どんなときに、何をして助けてくれるか」を読むことができる。

本時の主な評価

❸文章の中の重要な語や文を考えて選び出している。【思・判・表】

資料等の準備

・掲示用「学習のすすめ方」 16-01
・１つ目のロボットの写真
・ワークシート② 16-03

○どんなときに、たすけて
くれるのでしょう。

荷物を
受け取っている
写真

とどける人が足りないとき
でも、にもつをうけとるこ
とができます。

↓何ができるか

授業の流れ ▷▷▷

1 前時の学習を振り返り、本時の学習のめあてを確認する 〈10分〉

T　前回は、「はじめ」「中」「おわり」に何が書かれているかを簡単にまとめましたね。
T　「はじめ」を音読してみましょう。「はじめ」には何が書かれていましたか。
・筆者からの問い掛けが書かれていました。
・「どんなロボットがあるのでしょう。」「どんなときに、たすけてくれるのでしょう。」という２つの問いです。
T　ロボットは、いくつ出てきましたか。
・３つのロボットについてくわしく説明していました。
T　では、今日はその内の１つについて、筆者からの問いの答えを探しながら読んでいきましょう。
○本時のめあてを板書する。

2 １つ目のロボットについて読む 〈20分〉

○１つ目のロボットの写真２枚を黒板に貼る。
○筆者からの２つの問いを板書する。
T　写真に合わせて、１つ目のロボットについて、説明メモを書きましょう。
○ワークシートを配付し、筆者からの問いに答える形で説明を書く。
○１人で読むことが難しい子供には、教師が個別について、一文一文一緒に音読する、筆者の問いを言い換える、大事な言葉に○を付けながら読む等の支援をしながら読ませる。

ICT 端末の活用ポイント

友達に説明をするときは、ICT 端末に、教材の写真を入れておき、それを、説明に合ったタイミングで提示しながら説明させるとよい。（次時以降同様）

ロボット

1 一つ目のロボットについて読もう。

2 ○どんなロボットが
あるのでしょう。

3 新しく考えられている
ロボットの一つに、
にもつを家にとどけてくれる
ものがあります。
このロボットは、
ひとりでどうろをはしって、
人の家まで、にもつを
はこびます。

荷物を家に
届けてくれる
ロボットの写真

3 友達と説明し合う 〈10分〉

T 終わったら、1つ目のロボットについて、写真を見せながら、友達と説明し合いましょう。

○終わった人から、ペアで説明し合わせる。

・このロボットは、1人で道路を走って人の家まで荷物を運びます。届ける人が足りないときでも、荷物を受け取ることができます。

○ペアでの交流後、何人かの子供に、1つ目のロボットについて、みんなの前で説明してもらう。

ICT 端末の活用ポイント

友達の説明でいいなと思ったものは、ワークシートを写真で撮らせてもらうなどすると、参考にすることができる。(次時以降同様)

4 本時の学習を振り返る 〈5分〉

T 今日の学習を振り返りましょう。どんなことや言葉に気を付けて読みましたか。

・「はじめ」に書かれている筆者からの問い掛けを探しながら読むと、くわしく読むことができました。

・「このロボットがあれば」「ときでも」などの言葉に気を付けて読むと、どんなときに助けてくれるのかが分かります。

○各自が学習の振り返りをすることが大切である。先に何人かに発表してもらい、各自で書く方法も早く書き終わった子供の振り返りを紹介する方法もある。

本時案

ロボット

本時の目標

・２つ目のロボットについて、文章の中の重要な語や文を考えながら、「どんなロボットか」「どんなときに、何をして助けてくれるか」を読むことができる。

本時の主な評価

❸文章の中の重要な語や文を考えて選び出している。【思・判・表】

資料等の準備

・掲示用「学習のすすめ方」 16–01
・施設を案内してくれるロボットの写真２枚
・ワークシート③ 16–04

授業の流れ ▷▷▷

1 本時の学習のめあてを確認する 〈10分〉

T　前の学習では、紹介されているロボットの内の１つ目のロボットについて、友達と説明し合いましたね。今日は、２つ目のロボットについて読んでいきます。
○本時のめあてを板書する。
T　２つ目のロボットについて、書かれている部分をみんなで音読しましょう。どこに書かれていますか。
・「また」と書かれているところからです。「ほかに」からは違うロボットについてです。
・「このロボットがあれば、」で１つ目も終わっていたので、２つ目も、その文のところまでで終わりです。
○本文の言葉が出てきたら、板書をする。
○第３段落を全員で音読する。

2 ２つ目のロボットについて読む 〈15分〉

T　１つ目のロボットは問いの答えを探しながら読みましたね。どんな問いでしたか。
・「どんなロボットがあるのでしょう。」です。
・「どんなときに、たすけてくれるのでしょう。」もあります。
・何ができるかも書いてありました。
T　それらのことについて、大事な言葉に気を付けて読んでいけるとよいですね。
○ワークシートを配付し、内容ごとに説明メモをとるようにする。
○１人で読むことができない子供に対しては、前時の学習を思い出すことができるような問い掛けをし、大事な言葉に着目させて読むことができるように支援する。

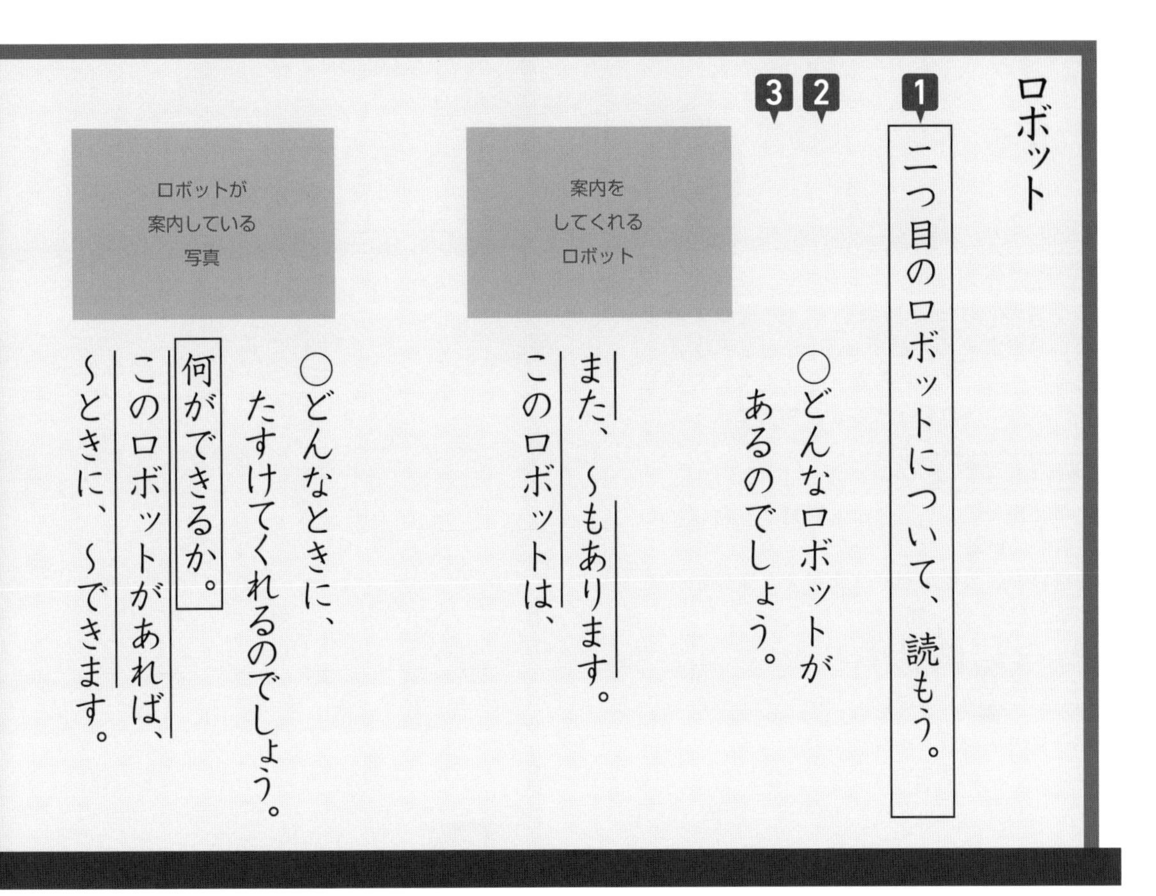

3 2つ目のロボットについて、友達と説明し合う　〈15分〉

T　2つ目のロボットについて、友達と説明し合いましょう。

・このロボットは、人の質問を聞いて、答えたり、道案内をしたりします。このロボットがあれば、知りたいことがあるときに、すぐに質問することができます。

・このロボットは、水族館などの施設で案内をしてくれるロボットです。生き物について知りたいことがあるとき、すぐに質問することができます。

○ペアをつくって説明し合わせる。1つのペアが終わったら、次のペアを探して、3人ぐらいと交流させる。全員が1人とは交流できるように、時間配分をする。

4 本時の学習を振り返る　〈5分〉

T　今日の学習を振り返りましょう。どんなことや言葉に気を付けて読みましたか。

・今日も、「このロボットは」や、「このロボットがあれば」「ときに」などの言葉に気を付けて読むと、分かりやすかったです。

・「このロボットは」や「ときに」などは、説明するときにも使えることが分かりました。

○振り返りは1人でできるようにしたい。書くことが思いつかない子供も、振り返りを目に見える形で残すことで、少しずつ書くことができるようにする。

ICT 端末の活用ポイント

ノートに書いたものを写真で撮って、共有のプラットフォームに保存するなどして、各自の振り返りを蓄積することが考えられる。

本時案

ロボット

本時の目標

・３つ目のロボットについて、文章の中の重要な語や文を考えながら、「どんなときに、何をして助けてくれるか」を読んで、友達と分かったことや思ったことを共有できる。

本時の主な評価

・文章を読んで、感じたことや分かったことを共有している。

❸文章の中の重要な語や文を考えて選び出している。【思・判・表】

資料等の準備

・掲示用「学習のすすめ方」 16-01

・３つ目のロボットの写真３枚

・ワークシート④ 16-05

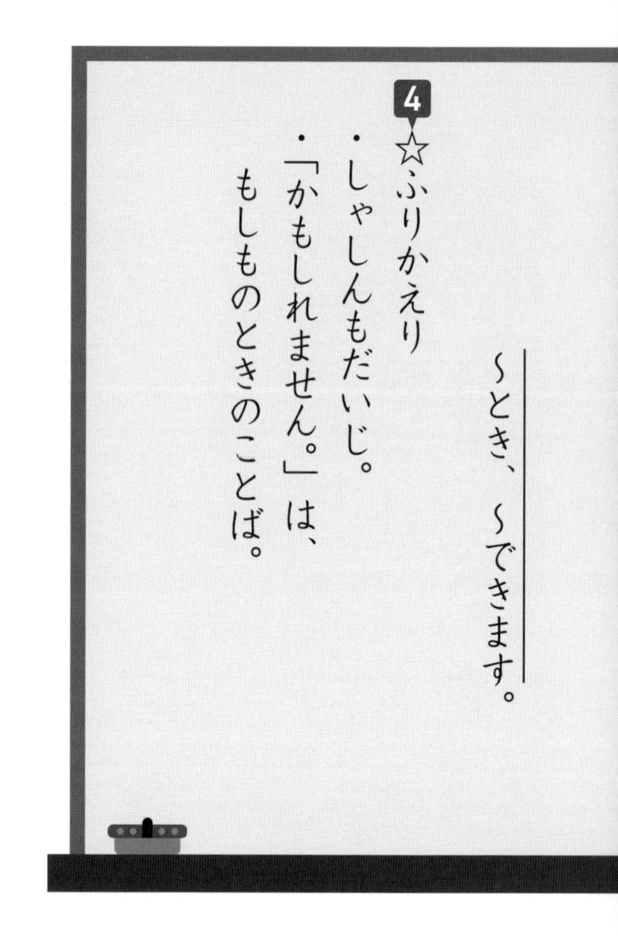

授業の流れ ▷▷▷

1 本時の学習のめあてを確認する 〈５分〉

T 前の学習で２つ目のロボットについて読んだことを友達と説明し合いましたね。そのときに、どんなことに気が付きましたか。

・大事な言葉に気を付けて読むと、知りたいことが分かりました。

T そうでしたね。今日は、３つ目のロボットについて読んでいきましょう。まずは、３つ目のロボットについて書いてあるところはどこでしょう。

・「ほかに」のところからです。

・「このように」は、まとめの言葉だったので、その前までです。

・やっぱり「このロボットは、」や「このロボットがあれば」が出てきました。

○本時のめあてを板書し、音読する。

2 ３つ目のロボットについて読む 〈15分〉

○ワークシートを配付し、内容ごとに説明メモをとるようにする。

○繰り返している活動なので、まずは、子供１人１人が読むことのできる時間を与えるようにする。ただし、１人では難しい子供に対しては、前時と同様、教師が支援する。

○次のような声が子供から挙がることが想定される。

・１つ目や２つ目に比べて、説明が長くなってしまいます。

・どこまでが、「このロボットは」の説明なのか分からなくなってしまいました。

○次の交流の前に、上のような声を全体に紹介し、交流に移らせる。

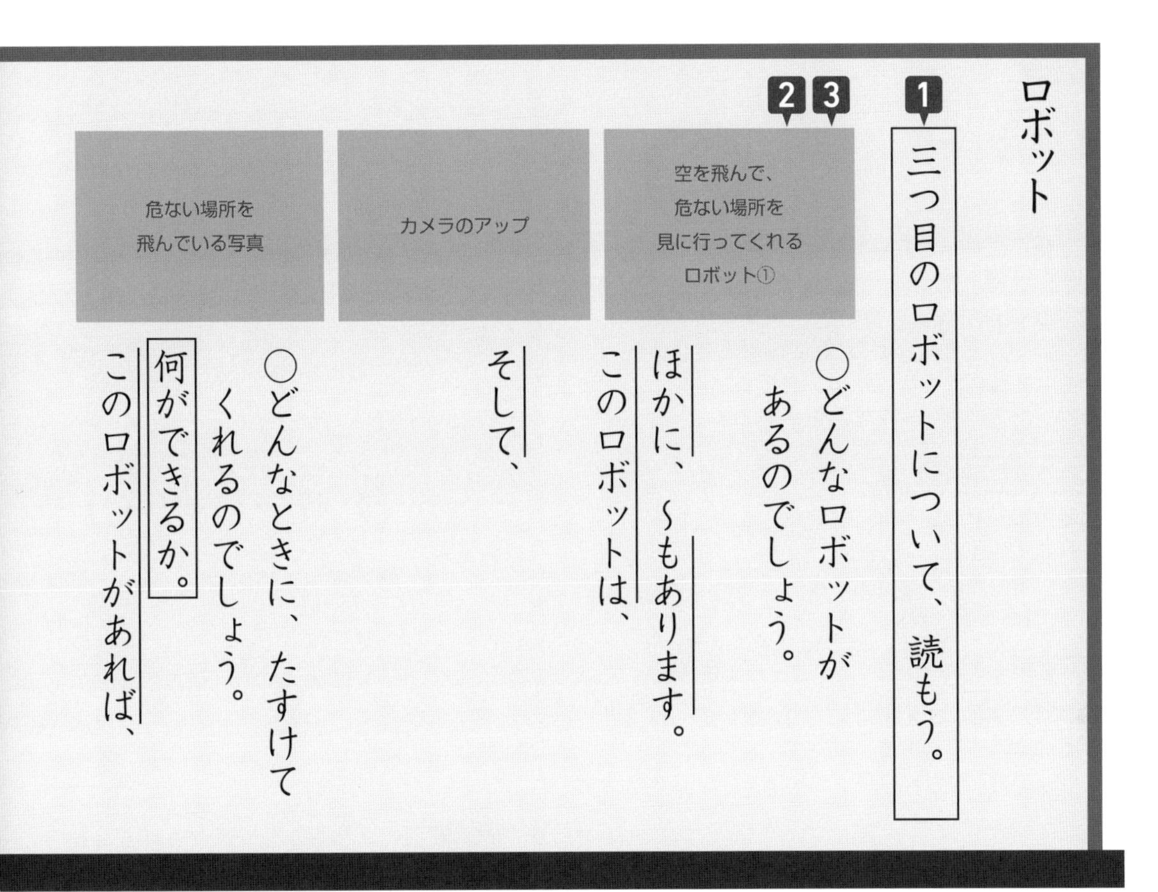

3 3つ目のロボットについて友達と説明し合う 〈20分〉

○終わった子供から、ペアをつくって、ロボットについて説明し合う。

T　1人で読んでいるときに、困ったことを相談してくれた人がいました。交流のときに、友達に相談してみてください。

・「カメラで、空から写真や動画を撮ります。」がないと、様子を知る方法が分からないと思うよ。

・カメラのアップの写真もあるから、カメラのことは説明した方がいいんじゃないかな。

・説明が長くなってしまうので、「けがをしてしまうかもしれません。」は、もしものことなので、説明しなくてもよいと思うよ。

4 本時の学習を振り返る 〈5分〉

T　今日の学習を振り返りましょう。どんなことや言葉に気を付けて読みましたか。

・今日も、「このロボットは」や「このロボットがあれば」「ときでも」などの言葉に気を付けて読むと、分かりやすかったです。

・写真も、大事なことを読むときには大切なヒントになると思いました。

・「かもしれません。」はもしものときの説明だから、大事なことの下の方になるのかなと思いました。

○教師が、何人かの子供の前時の振り返りと本時の振り返りを提示することで、少しずつ学びが変わってきていることを実感できるようにする。

本時案

ロボット

本時の目標

・３つ目のロボットについて、文章の中の重要な語や文を考えながら、「どんなときに、何をして助けてくれるか」を読んで、友達と分かったことや思ったことを共有できる。

本時の主な評価

・文章を読んで、感じたことや分かったことを共有している。
❸文章の中の重要な語や文を考えて選び出している。【思・判・表】

資料等の準備

・掲示用「学習のすすめ方」⬇ 16-01
・３つのロボットの写真
・これまで書いてきたワークシート

○空をとんで、あぶないばしょのようすを見に行ってくれるロボット

空を飛んで、危ない場所の様子を見に行ってくれるロボットの写真

・あぶないばしょに、人が行かなくてもいいからすごい。

授業の流れ ▷▷▷

1 本時のめあてを確認する 〈10分〉

T 「ロボット」には、どんなロボットが出てきましたか。
・荷物を家に届けてくれるロボットです。
・水族館のような施設で案内してくれるロボットも出てきました。
・空を飛んで、危ない場所の様子を見に行ってくれるロボットもありました。
T 今日は３つのロボットの中から自分が「すごいな」「おもしろいな」と思ったロボットを１つ選んで、友達と交流しましょう。理由も伝え合えるといいですね。
○本時のめあてを板書する。

2 ３つのロボットの中から、１つを選ぶ 〈15分〉

○前時までに書き溜めた説明メモを準備する。
T 「すごいな」「おもしろいな」ではない理由で選ぶ人もいると思います。その場合でも、理由が伝えられれば、よいですね。
・私は、施設を案内してくれるロボットがいいなと思ったから、それを友達に紹介しよう。
・ぼくは、荷物を家に届けてくれるロボットが、１人で道路を走って行けることがおもしろいと思ったから、それを説明しよう。
○選ぶ理由が「すごいな」「おもしろいな」ではない場合も考えられる。その場合は、選んだ理由が伝えられることが大切であることを学級全体で確認し、説明の仕方を考えさせる。

ロボット

1 三つのロボットについて読んで、分かったことや、「すごいな」、「おもしろいな」と思ったことを友だちとせつめいし合おう。

3 ○にもつを家にとどけてくれるロボット

荷物を運んでくれるロボットの写真

・どこにもぶつからないで、一人で行けるのがすごい。

○あんないをしてくれるロボット

案内をしてくれるロボットの写真

・もっと知りたいと思ったことがあったから。
・ちかくのどうぶつえんにもあったらいいな。

3 選んだロボットについて、理由も含めて友達と説明し合う 〈10分〉

○説明するロボットが決まった子供からペアを組み、友達と選んだロボットについて説明し合う。
・荷物を家に届けてくれるロボットがおもしろいと思いました。どこにもぶつからないで1人で道路を走って行くことができるなんて、不思議だなと思ったからです。
・施設を案内してくれるロボットが便利でいいなと思いました。動物園に行ったときに、もっと知りたいと思ったことがあったので、そこにもあるといいなと思いました。
○理由がすぐに思い浮かばない子供には、「なぜならば、」や「どうしてかと言うと、」などの言葉に続けてメモを書くとよいことを伝える。

4 本時の学習を振り返る 〈10分〉

T 友達と交流をしてみて、どうでしたか。感じたことや思ったことを発表しましょう。
・私と友達とで、選んだロボットが違っていました。
・ぼくと、Cさんは、選んだロボットは同じだったけれど、選んだ理由が違いました。
・1つ1つのロボットに、すごいところがあるんだなと思いました。

ICT 端末の活用ポイント

1人1人が振り返りを書きためていくことができるように、プラットフォームを整備しておくとよい。

本時案

ロボット

本時の目標

・「おわり」の部分について、重要な語や文に気を付けながら、何が書かれているのかを読むことができる。

本時の主な評価

❸文章の中の重要な語や文を考えて選び出している。【思・判・表】

資料等の準備

・掲示用「学習のすすめ方」16-01
・これまで書いてきたワークシート

・「どんなロボットか。」、「どんなときに、たすけてくれるのか。」が分かるようにせつめいをする。

授業の流れ ▷▷▷

1 本時の学習のめあてを確認する〈10分〉

T　これまで、「中」の部分に書かれている3つのロボットについて読んで分かったことや感じたことを友達と説明し合ってきましたね。今日は、「おわり」の段落をみんなで読んで、これからの学習の見通しをもちましょう。
○本時のめあてを板書する。
T　「おわり」の段落は、どこからですか。
・「このように」からです。
・「このように」は、まとめの言葉でした。
○最後の段落を全員で音読する。

2 「おわり」の段落を読んで、何が書かれているのかを発表する〈20分〉

T　「おわり」の段落には、何が書かれていますか。
・「新しいロボットが、つぎつぎに考えられています。」とまとめています。
・筆者からの問い掛けがあります。
・筆者からの投げ掛けもあります。
T　筆者からの問い掛けや投げ掛けの文に線を引きましょう。
・「あなたは、どんなロボットがあればよいと思いますか。」です。
・「それは、どんなときに、わたしたちをたすけてくれるのでしょうか。」もです。
・「ぜひ、考えてみてください。」は、投げ掛けです。

ロボット

1
「おわり」を読んで、つぎのがくしゅうへの見通しをもとう。

2
○ひっしゃからの問いかけ・なげかけ
・どんなロボットがあればよいと思いますか。
・どんなときに、わたしたちをたすけてくれるのでしょうか。
・ぜひ、考えてみてください。

3
○考えたロボットをせつめいするとき
・絵を見せながら、せつめいをする。
・これまでのせつめいのしかたと同じ。
・「このロボットは」、「～ときに、～できます。」
↓せつめいすることばがつかえる。

3 次時の学習について確認する〈15分〉

T　次の時間からは、この、新しい問いについて、みんなで考えていきたいと思います。自分たちが考えたロボットをどのように説明すればよいと思いますか。ノートに書きましょう。

・これまで学習してきた「ロボット」の説明の仕方をもとにして、説明できると思います。
・「このロボットは、」や「～ときに、～できます。」などの言葉を使うと説明できます。
・「どんなロボットか」「どんなときに、助けてくれるか」は今までと同じです。
・写真はないので、絵を描いたらいいと思います。

T　これまでの学習を生かして、あったらいいなと思うロボットを説明し合いましょう。

よりよい授業へのステップアップ

長い単元の場合、一次から二次、二次から三次へのつながりを意識させることが重要である。その際、前の活動を次の活動へ生かすことができることを押さえることが大切である。

また、「学習のすすめ方」や単元全体の目標を学級に掲示しておき、本時の学習がどの部分に当たるのかを、毎時間確認することも効果的である。

本時案

ロボット

本時の目標

・教材文「ロボット」や p.97「もっと読もう」を読んで、感じたことや分かったことを共有することができる。

本時の主な評価

❷「ロボット」や p.97「もっと読もう」を読んで、「すごいな」「いいな」と思うロボットを 1 つ選び、ロボットについて考えたことや、選んだ理由を友達と共有している。【思・判・表】

資料等の準備

・掲示用「学習のすすめ方」 16–01
・「ロボット」の 3 つのロボットの写真
・「もっと読もう」の 3 つのロボットの写真
・「おわり」に書かれている筆者からの投げかけを拡大したもの 16–06

授業の流れ ▷▷▷

1 本時のめあてを確認する 〈5 分〉

T 前回、「おわり」の段落を読んで、次の学習について見通しをもちましたね。今日は、何をすることにしましたか。
・「おわり」に書かれている筆者からの問い掛けや投げ掛けに答えることにしました。
・自分で新しいロボットを考えて、説明します。
○本時のめあてを板書する。
T 筆者の 3 つの投げ掛けは何ですか。
・「あなたは、どんなロボットがあればよいと思いますか。」です。
・「それは、どんなときに、わたしたちをたすけてくれるのでしょうか。」です。
・「ぜひ、考えてみてください。」と投げ掛けていました。
○ 3 つの投げ掛けを掲示する。

2 教科書 p.97「もっと読もう」を読む 〈15分〉

T 「ロボット」には、どんなロボットが出てきましたか。
・荷物を家に届けてくれるロボットです。
・水族館のような施設で案内してくれるロボットも出てきました。
・空を飛んで、危ない場所の様子を見に行ってくれるロボットもありました。
T 他にも今、活躍しているロボットがあります。97ページ「もっと読もう」を読んでみましょう。どんなロボットがありましたか。
・車に色を塗るロボットです。
・人の体を支えるロボットです。
・宇宙を調べるロボットです。
○それぞれのロボットの写真を掲示し、ロボットの名前を板書する。

ロボット

1

○ひっしゃからの問いかけ、なげかけ

「どんなロボットがあればよいと思いますか。」

「それは、どんなときに、わたしたちをたすけてくれるのでしょうか。」

「ぜひ、考えてみてください。」

み近にあったらいいなと思うロボットをえらんで、えらんだ理ゆうやどんなときにたすけてくれるといいかを友だちとせつめいし合おう。

3 「すごいな」「いいな」と思うロボットを1つ選んで、友達と交流する 〈20分〉

T 「すごいな」「いいな」と思うロボットを1つ選んで、選んだ理由やどんなときに助けてほしいかを友達と交流しましょう。

○できた子供からペアを作って交流する。

・車に色を塗るロボットがすごいなと思いました。きれいに色を塗れるのが、すごいと思います。

・私は、人の体を支えるロボットがいいなと思います。お父さんが洗い物をしているとき、腰が痛そうだから、あったら嬉しいだろうなと思いました。

・ぼくは宇宙が好きなので、宇宙を調べるロボットがすごいなと思いました。宇宙の石を見てみたいなと思いました。

4 本時の学習を振り返る 〈5分〉

T 友達と交流してみて、どうでしたか。

・選んだロボットが同じだったけれど、選んだ理由が違っておもしろかったです。

・家族のために考えていた友達がいて、優しいなあと思いました。

・Bさんは、自分の好きなこととつなげていたので、なるほどなと思いました。

本時案

ロボット

9/12

本時の目標

・教材文「ロボット」や p.97「もっと読もう」を読んで、感じたことや分かったことを共有し、説明している。

本時の主な評価

❹あったらいいと思うロボットを考えて共有し、その理由やどんなロボットかを友達に説明しようとしている。【態度】

資料等の準備

・掲示用「学習のすすめ方」 16–01
・「ロボット」の 3 つのロボットの写真
・「もっと読もう」の 3 つのロボットの写真

だっこしてあげていてたいへんだなって思ったことがあるよ。
・夏に、毎日水やりをすることがたいへんだから、自どうで水やりしてくれるロボットがあるといいのにな。
・自どうでうんてんしてくれる車もロボットっていうのかなあ。

授業の流れ ▷▷▷

1 本時のめあてを確認する 〈5 分〉

T　前回は、教科書に紹介されているロボットの中から、「すごいな」「いいな」と思うロボットを友達と交流しましたね。どんなロボットが出てきましたか。
・荷物を運んでくれるロボットです。
・案内をしてくれるロボットです。
・危ない場所の様子を見に行ってくれるロボットです。
・車に色を塗るロボットもあります。
・人の体を支えるロボットもありました。
・宇宙を調べるロボットもあります。
○ロボットの写真を黒板に貼る。
T　他には、どんなロボットがあったらいいと思いますか。考えてみましょう。
○本時のめあてを板書する。

2 あったらいいなと思うロボットを考える 〈25分〉

T　どんなロボットがあったらいいなと思いますか。あったらいいなと思うロボットを絵や言葉でノートに書いてみましょう。助けてくれるといいなと思うことから考えてもいいですね。
・うちには、赤ちゃんがいるので、赤ちゃんが泣いたときに、抱っこしてくれるロボットがいるといいなと思います。
・夏に水やりをすることが大変なので、自動で水やりをしてくれるロボットがあるといいなと思います。
・自動で運転してくれる車があるのをテレビで見ました。そういうのもロボットって言うのかなあ。
○学級全体で話し合ってから考えてもよい。

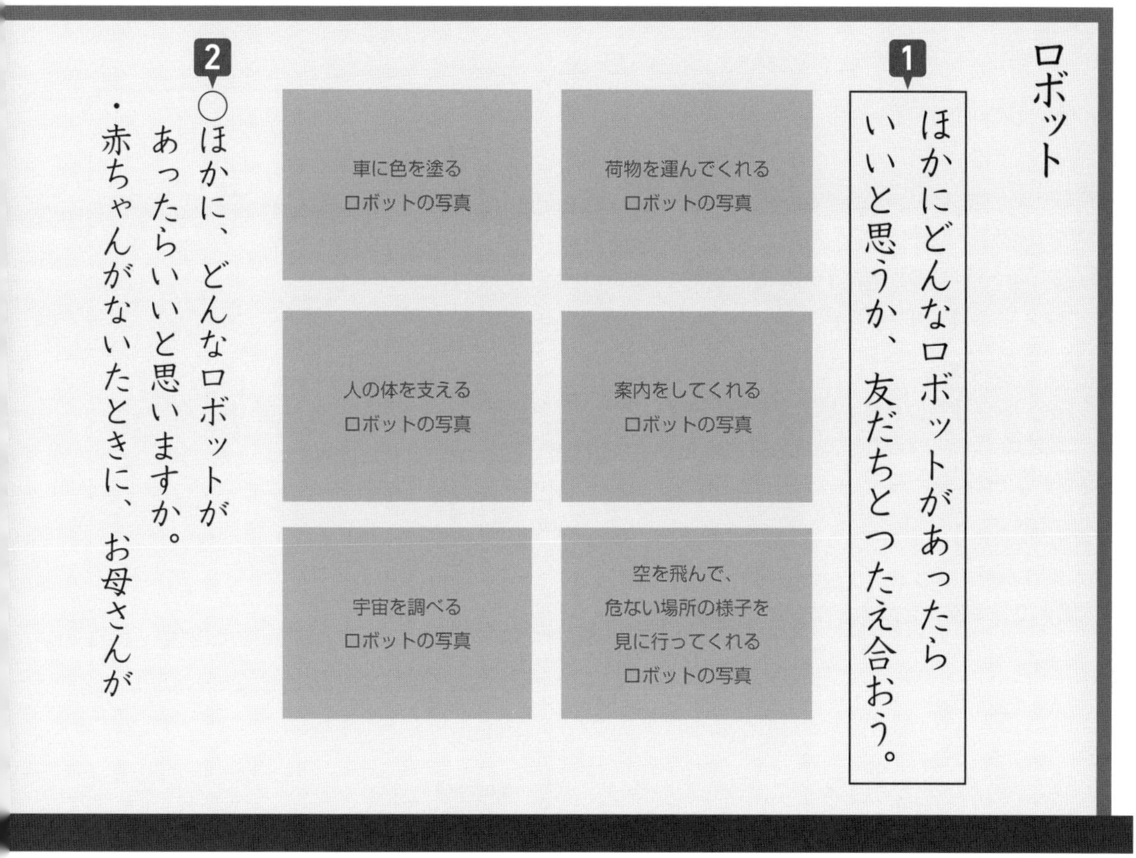

ロボット

1 ほかにどんなロボットがあったらいいと思うか、友だちとつたえ合おう。

荷物を運んでくれるロボットの写真

案内をしてくれるロボットの写真

空を飛んで、危ない場所の様子を見に行ってくれるロボットの写真

車に色を塗るロボットの写真

人の体を支えるロボットの写真

宇宙を調べるロボットの写真

2 ○ほかに、どんなロボットがあったらいいと思いますか。

・赤ちゃんがないたときに、お母さんが

3 あったらいいなと思うロボットを友達と伝え合う 〈10分〉

T　あったらいいなと思うロボットが考えられた人から、友達と交流をしましょう。途中の人も聞きたいロボットがあったら、聞きに行ってよいです。

○友達のロボットを見て、発想が広がることもあるため、途中の子供も交流をしてよい雰囲気をつくる。

・このロボットは、私が言った言葉を聞いて、文字を書いてくれます。文字を書くのが苦手なので、あったらいいなと思いました。

・このロボットは、細かい作業を代わりにやってくれるロボットです。工作で細かいところを作るときに困ったことがあったので考えました。ロボットが自分の手と同じように動いてくれます。

4 本時の学習を振り返る 〈5分〉

T　友達と説明し合って、どうでしたか。

・あったらいいなと思うロボットが本当にありそうで、楽しみになりました。

・他にもロボットがたくさんありそうだなあと思いました。

・もっともっとロボットについて考えてみたくなりました。

本時案

ロボット

10/12

本時の目標

・ロボットについて書かれている、いろいろな本があることを知ることができる。

本時の主な評価

❶ロボットについて書かれている、いろいろな本に興味をもち、読みたい本や文章を見つけて読んでいる。【知・技】

資料等の準備

・掲示用「学習のすすめ方」 16-01
・「説明までの準備」を拡大したもの 16-07

せつめいまでのじゅんび
①「あったらたすかるな」と思う
ロボットをえらぶ。
②本の中から、◎のことを
見つけて、メモする。
③せつめいするときにつかう本や
ロボットのしゃしんをとる。

授業の流れ ▷▷▷

1 本時のめあてを確認する 〈10分〉

○本時のめあてを板書する。
T まず、私が本を読んで見つけたロボットについて、説明をします。どんなことを説明しているか、聞いてください。
○教科書 p.95「❷本を読んで、せつめいする」にある発表見本をもとに、本や写真を見せながら、発表する。
T どんなことを説明していましたか。
・何の本を読んだか言っていました。
・どんなロボットかを説明していました。
・どんなときに、何をして助けてくれるかも話していました。
T 次の時間に説明し合います。
○「説明までの準備」を黒板に貼る。

2 学校図書館指導員のブックトークを聞く 〈10分〉

T 学校図書館の先生がロボットについて書かれた本のブックトークをしてくれます。
○学校図書館指導員の先生に前もってお願いしておき、ロボットについて書かれている本を集めておいてもらう。地域の図書館と連携し、たくさんの本や図鑑を集めておく。
T ブックトークを聞いてどうでしたか。
・いろいろなロボットが他にもありそうだなと思いました。
・読んでみたい本が見つかりました。

ICT 端末の活用ポイント

発展的な活動として、インターネットなどを活用して、教科書や本、図鑑に載っていない情報を補助的に調べる活動も考えられる。

ロボット

1
ロボットについて書かれた本や文を読んで、「あったらたすかるな」と思うロボットをえらび、友だちにせつめいしよう。

3
◯どんなことを、せつめいしていたか。
・どんなロボットか。
・どんなときに、何をしてたすけてくれるか。
・そのロボットをえらんだ理ゆう、「おもしろいな」「すごいな」と思ったこと。

3 「ロボット」について書かれた本や文章を読む 〈20分〉

T　それでは、ロボットについて書かれている本を探して、読んでみましょう。必要なことは、ノートにメモをしましょう。

○図書室で授業を行うことで、学校図書館利用についての学習とつなげることができる。図書室の利用の仕方や本がある場所などを子供が学校図書館の先生に尋ねながら、学習を進められるようにする。

○１つ目のロボットについて、メモが終わった子供は、２つ目、３つ目と進んでよいことを伝える。

ICT 端末の活用ポイント

説明したいロボットが載っている本の表紙や、ロボットの写真を撮っておくなどして、記録しておく。

4 本時の学習を振り返る 〈５分〉

T　各自で本を読んで調べてみましたが、友達に伝えたいロボットは見つかりましたか。

・知らないロボットがたくさんあって、驚きました。
・あったらいいなと思っていたロボットが本当にあったので、嬉しかったです。
・早く友達に教えたいです。
・友達がどんなロボットを選んだのか、楽しみです。

本時案

ロボット

本時の目標

・ロボットについて書かれている、いろいろな本を読んで、「あったら助かるな」と思うロボットを選んで、「どんなロボットか」、「どんなときに助けてくれるか」などを友達に説明することができる。

本時の主な評価

・文章を読んで、感じたことや分かったことを共有している。

資料等の準備

・掲示物「学習のすすめ方」 16-01
・前時に書いた説明メモのワークシート
・「説明するときの流れ」の掲示物 16-08

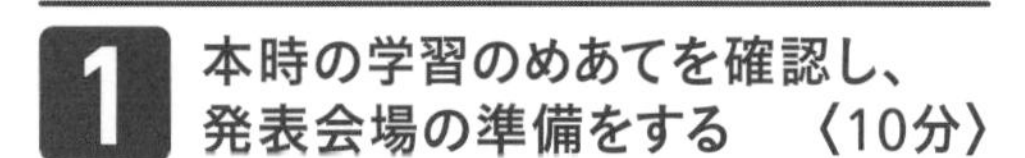

授業の流れ ▷▷▷

1 本時の学習のめあてを確認し、発表会場の準備をする 〈10分〉

○本時のめあてを板書する。
○教室では、スペースが狭いため、図書室などで授業を行う。本に囲まれた環境で発表することで読書活動にもつなげることができる。
○１グループ４～５人を目安に構成をする。グループの人数が少なく、早めに発表が終わったグループの子供は、まだ終わっていないグループの発表を聞きに行く。

2 グループごとに友達と説明をし合う 〈25分〉

T　説明するときの流れを確認しましょう。
①１人目が説明する。
②聞いている友達から感想や質問を受ける。
①②を繰り返す。
○調べたときに使った本を手元に用意しておく。できるだけ、本そのものを提示しながら発表する。ただし、複数の子供が同じ本を選んでいる場合や、本はあっても、ロボットの写真が見えづらいことが考えられる。その場合は、ICT 端末を活用し、本やロボットの写真を提示させる。
○「発表会」というような仰々しい雰囲気ではなく、互いに説明し合ったことについて、気軽に意見を言ったり質問をしたりすることができるような雰囲気をつくる。

ロボット

1
ロボットについて書かれた本や文を読んで、「あったらたすかるな」と思うロボットをえらび、友だちにせつめいしよう。

2
○せつめいするときのながれ
①一人目がせつめいする。
②聞いていた人からかんそうやしつもんをうける。
↓くりかえす。

3 本時の学習を振り返る 〈10分〉

T　友達と説明し合ってみて、どうでしたか。
・A さんが説明したロボットは、私も身近にあったらいいな、と思いました。
・B さんが教えてくれたロボットがあったら、私の家族も喜ぶなあと思いました。
・私は、C さんと同じロボットを選んだけれど、選んだ理由を聞いたら、違ったので、おもしろいなと思いました。
・同じロボットを選んだ人がいたけれど、説明の仕方が違いました。理由を聞いたら、「すごい」と思ったところが違いました。
○本時の振り返りは、2～3人に発表してもらった後で、ノートに書かせる。

ICT 等活用アイデア

ICT を活用した読書活動

読書活動をするに当たって、子供が読みたい本が重なることが考えられる。その際には、ICT を活用し、書かれていることを端末で撮影することができる。また、説明する際も、その本の表紙や写真を端末で撮影しておけば、本が 1 冊しかなくても、同時に説明することができる。

また、本や文章に書かれている情報よりももっとくわしい情報を知りたいときには、インターネットを使って調べることも可能である。その際にも、「大事な言葉」を見つけながら読むことができるように留意したい。

本時案

ロボット

12/12

本時の目標

・言葉がもつよさを感じるとともに、楽しんで読書をし、国語を大切にして、思いや考えを伝え合おうとする。

本時の主な評価

・単元全体を通して学んだことを整理し、次の学習に生かそうとしている。

資料等の準備

・教科書 p.95「ふりかえろう」、p.96「たいせつ」、「いかそう」を提示・投影するための準備。

・人によってせつめいがちがうこと
・せつめいしたいと思った理ゆうもせつめいすること
・大じなことだけをつたえること

授業の流れ ▷▷▷

1 本時のめあてを確認し、「たいせつ」「いかそう」を読む 〈10分〉

T　みなさんは、「ロボット」の学習で、どんなことをしてきましたか。
・「ロボット」について色々な本を読みました。
・友達と、「ロボット」について説明し合いました。
・教科書の「ロボット」を読みました。
T　今日は「ロボット」について、色々な本を読んだり、説明し合ったりしてきて、どのような学びがあったかを振り返っていきます。
○本時のめあてを板書する。
T　96ページ「たいせつ」、「いかそう」には、これまで学んできたことが書いてあります。みなさんで一緒に音読して、確認しましょう。

2 自分の学びを振り返る 〈20分〉

T　「たいせつ」「いかそう」に書かれていることを思い出して、これまでの学習を振り返りましょう。
○ p.95「ふりかえろう」の３つの視点で振り返りができるように板書をする。
○子供１人１人が自分の学びを振り返ることができるように、ノートに書かせる。
○どのように振り返りを書けばよいかイメージがもてない子供への支援として、振り返りを書いている子供を紹介する。

ICT 端末の活用ポイント

これまで書き溜めていた振り返りを、端末上で見ながらノートに書くこともできる。

ロボット

1 がくしゅうをふりかえろう。

3 ○どんなことが、書いてありましたか。
・ロボットにたすけられている人
・ロボットといっしょに
はたらいている人

○友だちのせつめいを聞いて、
一番心にのこったこと
・家ぞくのことや、み近なところの
ことを考えていたこと
・自分が見たことがあること

○せつめいするときに気をつけたいこと
・くりかえし出てくることばに
気をつけること

3 振り返りを交流する 〈15分〉

T　ノートに書いたことを発表しましょう。読んだ本には、説明したことの他に、どんなことが書いてありましたか。
・ロボットに助けられている人がいっぱいいることが書いてありました。
・ロボットと一緒に働いている人が紹介されていました。
T　友達の説明を聞いて、一番心に残ったのは、どんなことですか。
・A さんは、家族のために使ってあげたいと身近に考えていたことがいいなと思いました。
・B さんは、ロボットを使っているのを見たことがあることを説明していて、いいなと思いました。
T　本を読んで分かったことを説明するときには、どんなことに気を付けたいですか。
・「このロボットは」や、「このロボットがあれば」というように、繰り返し出てくる言葉に気を付けて読みたいです。
・分かったことは、人によって違うので、どうして説明しようと思ったか、理由も一緒に説明したいと思いました。
・大事なことだけを伝えられるようにするとよいと思いました。
○振り返りの交流の仕方は、全体で発表する方法もあるが、書き終わった子供からお互いに見せ合う方法もある。学習の最後には、全体でどのようなことを書いたのかを共有することが大切である。

資料

1 第2時資料 「学習のすすめ方」 16-01

ロボットについて書かれた文しょうを読んで、分かったことや思ったことを友だちとつたえ合おう。

【学しゅうのすすめ方】

①「ロボット」には、どこに、何が書かれているのか、だいたいを読む。

②「ロボット」に出てくるロボットについて、読んで分かったことや思ったことを友だちとつたえ合う。

③ほかにも、あったらいいなと思うロボットについて考えて、友だちと伝え合う。

④ロボットについて書かれている本や文しょうを読んで、あったらたすかると思うロボットをえらんで、友だちにせつめいする。

2 第2時資料　ワークシート① 16-02

ロボット①

二年　くみ　名まえ（　　　　）

	はじめ	中	おわり
じゅんじょをあらわすことば			
書かれていること			

3 第3時資料　ワークシート② 16-03

ロボット②

二年　くみ　名まえ（　　　　）

荷物を家にとどけてくれるロボットの写真	どんなロボットがあるのでしょう。
荷物を受け取っている写真	どんなときに、たすけてくれるのでしょう。

資料

4 第4時資料　ワークシート③ 16-04

ロボット③

二年　くみ　名まえ（　　　　　　　　）

施設を案内してくれる
ロボットの写真

ロボットが
案内している写真

どんなロボットがあるのでしょう。

どんなときに、たすけてくれるのでしょう。

5 第5・6時資料　ワークシート④ 16-05

ロボット④

二年　くみ　名まえ（　　　　　　　　）

危ない場所の様子を
見に行ってくれる
ロボットの写真

カメラのアップ

危ない場所を
飛んでいる写真

どんなロボットがあるのでしょう。

どんなときに、たすけてくれるのでしょう。

6 第８時資料　筆者からの投げ掛け ⤓ 16-06

○ひっしゃからのといかけ、なげかけ

【問いかけ】
・どんなロボットがあればよいと思いますか。
・どんなときに、たすけてくれるのでしょう。

【なげかけ】
・考えてみてください。

7 第11時資料　「説明するときの流れ」⤓ 16-08

○せつめいするときのながれ

①一人目がせつめいする。

②聞いている人から、しつもんやかんそうをつける。
→くり返す

ことばについて考えよう

ようすをあらわすことば　（4時間扱い）

単元の目標

知識及び技能	・身近なことを表す語句の量を増し、話や文章の中で使うことで、語彙を豊かにすることができる。((1)オ) ・言葉には、事物の内容を表す働きがあることに気づくことができる。((1)ア)
思考力、判断力、表現力等	・語と語や文と文との続き方に注意しながら、内容のまとまりが分かるように書き表し方を工夫することができる。(B ウ)
学びに向かう力、人間性等	・言葉がもつよさを感じるとともに、楽しんで読書をし、国語を大切にして、おもいや考えを伝え合おうとする。

評価規準

知識・技能	❶身近なことを表す語句の量を増し、話や文章の中で使うことで、語彙を豊かにしている。(〔知識及び技能〕(1)オ) ❷言葉には、事物の内容を表す働きがあることに気付いている。(〔知識及び技能〕(1)ア)
思考・判断・表現	❸「書くこと」において、語と語や文と文との続き方に注意しながら、内容のまとまりが分かるように書き　表し方を工夫している。(〔思考力、判断力、表現力等〕B ウ)
主体的に学習に取り組む態度	❹粘り強く身近なことを表す語句の量を増やして語彙を豊かにし、学習課題に沿って、様子を表す言葉を使って文を書こうとしている。

単元の流れ

次	時	主な学習活動	評価
一	1	学習の見通しをもつ p.98を読み、「といをもとう」を基に、ロボロボが雨の様子を、友達にどのように伝えればよかったかを考える。 様子を詳しく伝える言葉の必要性を確認し、学習課題を設定する。 ようすをあらわすことばについて考えよう。	
二	2	雨の様子を詳しく伝えるにはどんな言い方をすればよいか考える。 様子を詳しく表すには、①程度を表す言葉　②オノマトペなどの言葉や音の響きで様子を表す言葉　③たとえ　を使うことが効果的であることを確認する。 いろいろな表現を出し合った後、それぞれの言葉からどのような様子が想像されるか話し合い、言葉によって表す情景が異なることや、伝えたいことによって適切な表現が変わってくることを確かめる。	❶ ❷
三	3	様子を表す言葉や比喩を使って、p.101の絵を表す文を書く。	❸ ❹

	4	書いた文を友達と読み合い、表現の仕方についてよいところを伝え合う。 学習を振り返る 様子を表す言葉をどのようなときに使っていきたいかを発表する。	❷

授業づくりのポイント

〈単元で育てたい資質・能力〉

本単元のねらいは、様子をより詳しく正確に、相手が想像しやすい言葉にして表現できるよう、幅広い表現を知り、それらを適切に使用する力を育むことである。したがって既習事項やこれまでの読書経験から子供一人一人が得てきた語彙が大いに活用される機会となる。言葉を単体で扱うのではなく、同じ様子を表す言葉にも様々な表現があり、それぞれのニュアンスが少しずつ、でも確実に異なることに気付かせていくことが大切である。そしてそれらの言葉を子供が自分の言葉として「話す・聞く」「書く」「読む」の各活動の中で実践的に使っていくことにつなげていくようにする。

〈教材・題材の特徴〉

本教材では、ロボロボというキャラクターが、友達に窓の外の様子を聞かれて答える様子が3コマの漫画形式で描かれている。雨が「どれぐらい」降っているのかを答えるのにどのように言ったらよいか悩み、友達が窓に寄ってきた場面が、子供に課題解決の必然性をもたせる場面であると言える。雨が降っている様子をQRコードを利用して映像で見せてから、その様子を表す言葉を考えさせている。ロボロボがどう答えると思うか、まず自由に考えさせる事ができるだろう。1例目の「雨が、はげしくふっている。」は、形容詞による表現である。2例目の「雨が、ざんざんふっている。」は擬態語を用いている。p.100の2つの文は比喩表現である。「ようすをあらわすときは」にはそれが系統的にまとめられている。これらを学習した後、実際に3つのイラストを見て様子を表す文を作るとよい。また同じイラストを選んだ者同士で集まり、文を読み比べるのもよいだろう。

〈言語活動の工夫〉

短文を作る活動では、一人一人がノートに書いて終わりではなく、グループや全体発表を通して自分が選んだイラストについて、他の友達はどう書いたのか、読み比べる活動も入れるとよい。その際、友達の表現のどの点がよかったか、どのような印象を受けたかをコメントすることで、書いた本人も相手にどのように受け止められたかが分かり、その表現が適切だったかどうか、自己評価することができる。また、日頃行なっているスピーチや日記などにも様子を表す言葉を意識的に取り入れさせるようにすると、表現方法を広げていくことにつながっていくだろう。

〈ICTの効果的な活用〉

表現：端末の学習支援ソフトを用いて、イラストに自分が作った文を付けることで、視覚的にイラストと文の適切具合が分かるようにする。

共有：端末の共有アプリを用いて、自分の文を共有することで、友達の文と読み比べる事ができるようにする。

分類：jamboardなどの分類アプリで、物語などに出てきた様子を表す言葉が「どのくらい」「ことばのひびき」「たとえ」どれに当てはまるか分類できるようにする。

記録：文書作成ソフトを用いて、子供が興味をもった様子を表す言葉に出合った時に適宜書き留めておくことで、実の場で使用できるようにする。

本時案

ようすをあらわすことば 1/4

本時の目標

・雨の様子に合う言い方を考え、様子を表す言葉には様々な表現があることに気付くことができる。

本時の主な評価

・言葉には、事物の内容を表す働きがあることに気付いている。

資料等の準備

・教科書 p.98　3コマ漫画の拡大、またはデジタル教科書の該当ページ

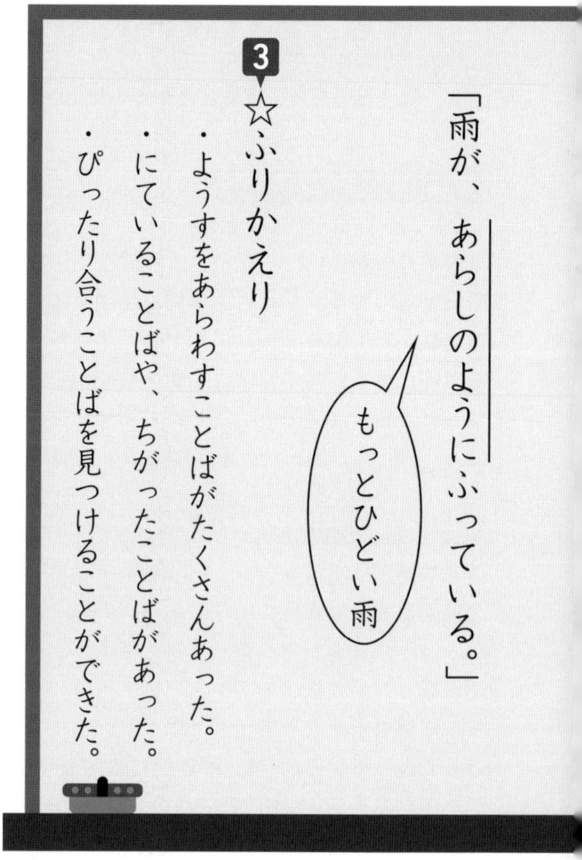

「雨が、あらしのようにふっている。」

もっとひどい雨

3
☆ふりかえり
・ようすをあらわすことばがたくさんあった。
・にていることばや、ちがったことばがあった。
・ぴったり合うことばを見つけることができた。

授業の流れ ▷▷▷

1 「といをもとう」を基に、学習課題を設定する 〈10分〉

○「といをもとう」を基に p.98の 3 コマ漫画の内容を確認する。

T　どうして友達は窓の近くまで来て、自分で確かめたのでしょうか。

・どれくらい雨がたくさん降っているのか知りたかったから。

・ロボロボの答えでは、たくさん降っているのか、小雨なのか、分からなかったから。

○「どれぐらい」を詳しく伝えないと雨の様子は正しく伝わらないことを押さえる。

T　人に何かを伝えるときには、様子を詳しく言えるといいですね。これから、「ようすをあらわすことばについて考えよう」という学習課題で進めていきましょう。

○学習課題を板書する。

2 様子を表す言葉を考え、ノートに書く 〈10分〉

○本時のめあてを板書する。

T　どんなふうに雨が降っていると言えるでしょうか。ノートに書き出して見ましょう。

・たくさんふっている。

・強くふっている。

・ざあざあふっている。

・びしゃびしゃ音を立ててふっている。

・たきのようにふっている。

○教科書の QR コードを読み取り、実際に雨が降る様子を見て、イメージをもてるようにする。

ICT 端末の活用ポイント

ICT 端末で動画を見ることで、子供が自分のペースや興味に合わせてイメージをもちやすくする。

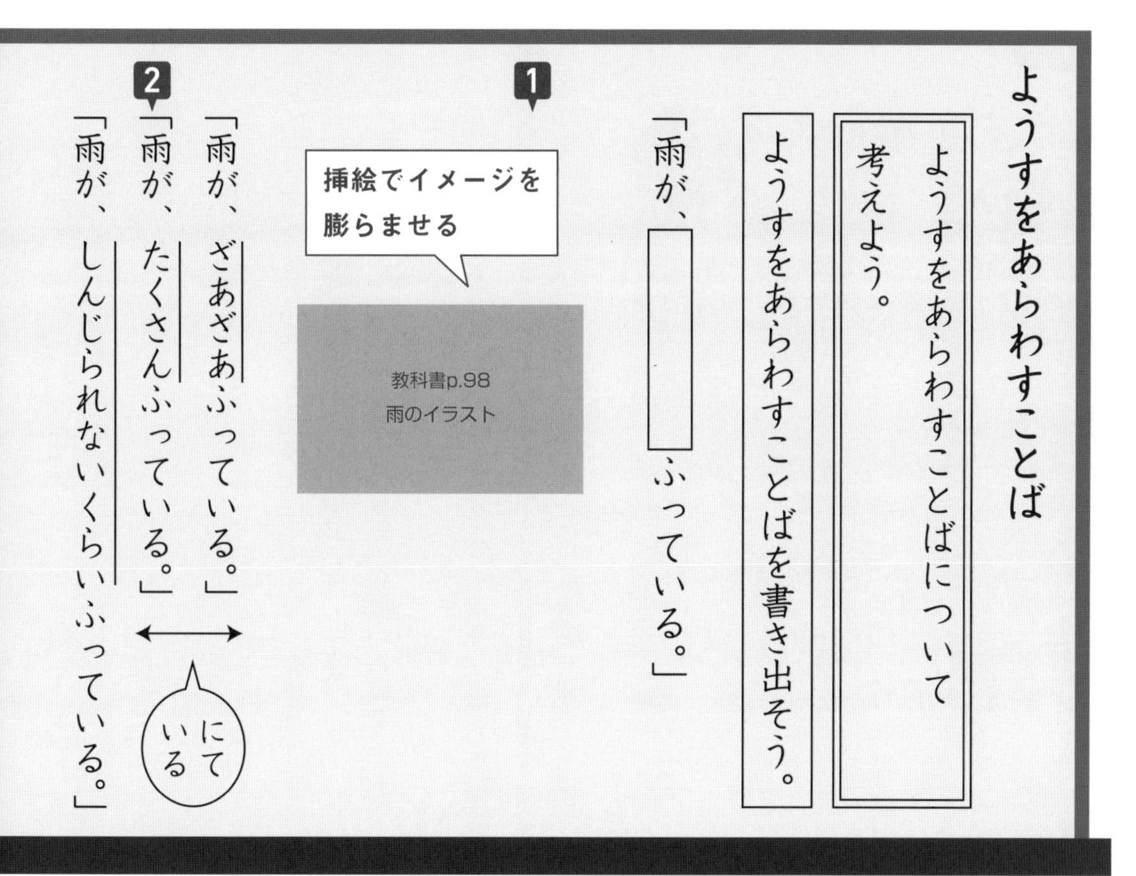

3 考えた言葉を発表し、その効果について話し合う　〈15分〉

T　考えた言葉を発表して、イラストの様子をぴったり表しているか、考えてみましょう。

・「ざあざあ降っている」は、勢いよくたくさん降っている感じがして、合っていると思う。

・「びしゃびしゃ」は動画から聞こえてきた音に似ていて、たくさん降っていることがよく分かる。

・「たきのように」は滝の水が落ちるときみたいに勢いがある感じがして合っていると思う。

○デジタル教科書で拡大したり、イラストにある動画を見せたりするなど、イメージをもてるようにする。

4 本時の学習を振り返る　〈10分〉

T　今日、気付いたことを発表しましょう。

・様子を表す言葉がたくさんあった。

・似ている言葉や違う言葉があった。

・ぴったり合う言葉を見つけることができた。

T　人に何かを伝えるときは、様子を表す言葉を入れるとよく伝わりますね。次回も、様子を表す言葉について考えていきましょう。

○学習事項を押さえるだけでなく、自分がその時間使ったり見たり聞いたりした言葉からどのような印象を受けたか振り返り、言葉の豊かさに気付かせるようにする。

本時案

ようすをあらわすことば 2/4

本時の目標

・雨の様子に合う言い方を考えながら、3種類の様子を表す言い方を理解することができる。

本時の主な評価

❶身近なことを表す語句の量を増し、話や文章の中で使うことで、語彙を豊かにしている。【知・技】

❷言葉には、事物の内容を表す働きがあることに気付いている。【知・技】

資料等の準備

・教科書 p.100滝やバケツの水のイラストの拡大

・花びら、ボール、雨（ぱらぱら）のイラスト 17-01〜17-03

・仲間分けワークシート 17-04

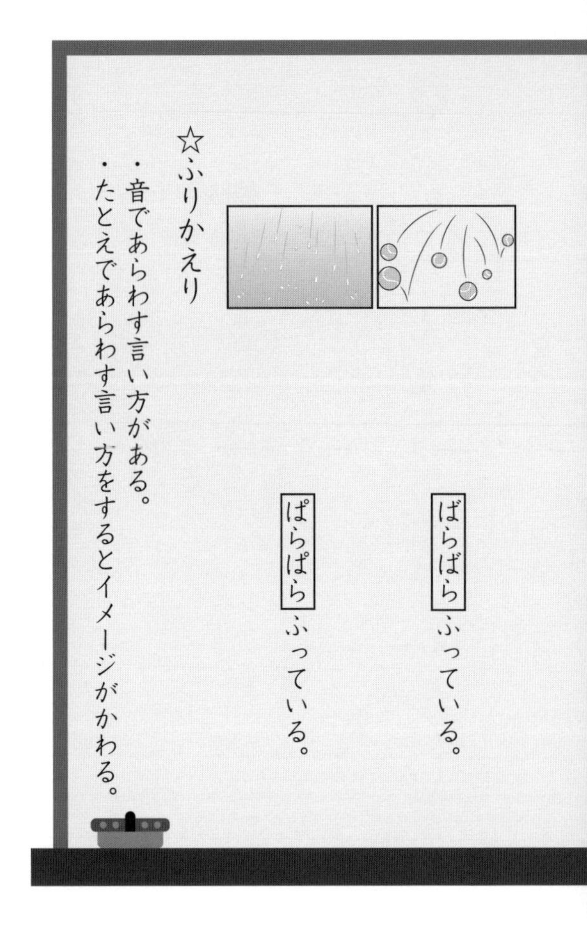

授業の流れ ▷▷▷

1 前時で考えた言葉を、いくつかの仲間に分類する 〈10分〉

○本時のめあてを板書する。

T　前回考えた言葉を、似ている言葉どうしの仲間にまとめましょう。

・「ざあざあ」と「じゃあじゃあ」は雨が降る音を使っているので、同じ仲間になると思います。

・「滝のように」と「流れ星のように」は、どちらも他のものを使って表しています。

・「はげしく」と「たくさん」は、雨がどのくらい降っているか表していると思います。

○話し合いのときに、何に着目して（音や様子、他のものに例えている）考えた言葉なのかを想起させながら、仲間分けを考えさせる。

2 3種類の様子を表す言い方の種類について整理する 〈20分〉

T　教科書95ページから読みましょう。様子を表す言い方についてどのように書かれているでしょうか。

・雨の降り方がどのくらいかを表す言い方。

・言葉の響きによって様子を表す言い方。

・例えを使って様子を表す言い方。

T　みなさんが考えた言葉は、3つの言い方のうちどれに当たるでしょうか。

・「ざあざあ」は、言葉の響きを使って雨の降り方がどのくらいかを表す言い方です。

・「たくさん」は、雨の降り方をどのくらいかを表す言い方です。

・「滝のように」は、例えを使っています。

ようすをあらわすことば

1 ようすをあらわすことばをなかま分けしよう。

2 ○どのくらいかをあらわす言い方
「雨が、はげしくふっている。」
「雨が、たくさんふっている。」

○ことばのひびきによってあらわす言い方
「雨が、じゃあじゃあふっている。」
「雨が、ざあざあふっている。」

○たとえをつかってあらわす言い方
「雨が、あらしのようにふっている。」
「雨が、ながれ星のようにふっている。」

かんじがかわる!

教科書 p.100 滝のイラスト

たきのようにふっている。
高いところからいきおいよく。

教科書 p.100 バケツをこぼしたイラスト

バケツをひっくりかえしたみたいにいちどに外へながれ出る。

3 ○イメージに合う言い方をえらんで書いてみよう。

はらはら ふっている。

3 濁音や半濁音で感じが変わることを知る 〈15分〉

T　3枚のイラストのイメージに合った言葉を選んで書きましょう。
・「はらはら」は軽い花びらのイメージに合う。
・「ばらばら」あちこちで落ちてくるイメージ。
・「ぱらぱら」はほんの少し降っているイメージ。

T　今日の学習で気付いたことや分かったことをまとめましょう。
・例えで表すと、雨がどのように降っているか考えることができた。
・いろいろな言い方を仲間分けできた。
・言葉によって感じが変わった。

よりよい授業へのステップアップ

知識や技能の活用
単元導入時に、書いた短文の短冊を仲間分けに活用し、実際に3つの言い方に当てはめることができるか確認する。

イメージを膨らませる工夫
雨が降っている他のイラストを用意しておいて、それぞれの言葉のもつイメージに合ったイラストを選ばせてもよい。

本時案

ようすをあらわすことば 3/4

本時の目標

・語と語のつながりに気を付けて、様子を表す言い方を使って短文を書くことができる。

本時の主な評価

❸語と語や文と文の続き方について注意しながら、つながりのある文章を書いている。【思・判・表】
❹進んで身近なことを表す語句の量を増やして語彙を豊かにし、学習課題に沿って、様子を表す言葉を使って文を書こうとしている。【態度】

資料等の準備

・教科書 p.101　3 枚のイラストの拡大
・短文づくりワークシート 17-05

教科書p.101
歌手が歌っている
イラスト

かしゅが　歌っている。
えがおで
ライトが　光っている。
きらきらと
見ている人が
手をたたいている。
ぱちぱちと

授業の流れ ▷▷▷

1 本時のめあてを確認する 〈5 分〉

○本時のめあてを板書する。
T　前の時間は、様子を表す言い方について学習しました。今日は、実際に様子を表す言い方を使って、短い文を書きましょう。
○前時を想起し、3 つの様子を表す言い方について確認するとともに、本時の学習活動の見通しをもてるようにする。

2 教科書 p.97の 3 つのイラストを見て、どんな様子か話し合う〈15分〉

T　3 つの絵を見て、どんな様子か分かりますか。
・オムライスが大きい。手を広げて喜んでいる。
・猫が気持ちよさそうに眠っている。
・お日様が出ているね。
・歌っている人にライトが当たっている。
・見ている人が手拍子をしている。
○どんな様子か自由に話し合わせる。その際に、子供の似たような経験も出し合わせ、そのときの気持ちや、聞こえた声なども共有できるようにする。

ようすをあらわすことば

1 ようすをあらわす言い方をつかって文を書こう。

どんなふうに？

2

教科書p.101
男の子がオムライスを
食べるイラスト

教科書p.101
猫が眠っている
イラスト

3 大きい オムライス。
山のように
男の子が よろこんでいる。
手を広げて

ねこが ねむっている。
すやすやと
気もちよさそうに

お日さまが 出ている。
ぽかぽかと

3 様子を表す言い方を使って短文を書く 〈25分〉

T 様子を表す言い方を使って、絵の様子を短い文で書きましょう。また、様子を表す言葉をどの言葉の前に入れるとよいでしょうか。

・男の子は、山のようなオムライスを見て手を大きく広げて喜んでいる。
・お日様がポカポカしているときに、猫がすやすや眠っている。
・歌手が、笑顔で歌っている。
・見ている人がぱちぱちと手をたたいている。

○オムライスやライトのように着目するとよい物に気付かせ、どんな様子か考えて書けるようにする。

よりよい授業へのステップアップ

絵の様子を共有する工夫

拡大したイラストを示し、着目するものを考えさせたり、自分の経験を想起させたりして、絵の様子を全員で共有できるようにする。

つながりのある文章を書く指導

主語と述語を明確にし、様子を表す言葉をどこに入れるとよいか意識して書けるようにする。

本時案

ようすをあらわすことば 4/4

本時の目標

・様子を表す言い方を使って書いた短文を紹介し合うことで、語彙を豊かにすることができる。

本時の主な評価

❷言葉には、事物の内容を表す働きがあることに気付いている。【知・技】

資料等の準備

・教科書 p.101　3 枚のイラストの拡大

教科書p.101
歌手が歌っている
イラスト

かしゅが、えがおで
歌っている。
きらきらしたライトの下で
男の子がえがおで
歌っている。
かんきゃくが、うれしそうに
手びょうしをしている。

授業の流れ ▷▷▷

1 本時のめあてを確認する 〈5 分〉

○本時のめあてを板書する。

T　前の時間は、実際に様子を表す言い方を使って、短い文を書きました。今日は、書いた文を友達に紹介しましょう。

○本時の学習活動の見通しをもち、互いに紹介し合い様子を表す言い方にたくさんふれることで、語彙を豊かにしていけるようにする。

○ペア学習⇒全体学習の流れで発表させていく。主語と述語や様子を表す言葉の位置など、まとまりのある文章になっているか確認させていく。工夫して書いている文を全体で紹介していく。

2 友達の短文を読んで、様子を表す言い方をどのように書いたか考える〈35分〉

T　友達が、様子を表す言い方をどのように書いたか分かりましたか。

・オムライスの大きさを「クッションのように」と表していました。

・猫が「まんじゅうのように」丸くなっているのは、おもしろい言い方だと思いました。

・「きらきらした」ライトの下で、男の子が「笑顔で」の文は、様子を表す言葉が 2 つも入っていました。

○様子を表す言い方によって、感じが変わることも確認できるとよい。

ようすをあらわすことば

1

ようすをあらわす言い方をつかって文を書こう。

男の子が、クッションのようなオムライスを食べる。

男の子が、ケチャップのかかったオムライスを食べる。

男の子が、わくわくしながらオムライスを食べる。

2

教科書p.101
男の子がオムライスを食べるイラスト

ねこが、まんじゅうのようにまるまっている。

ぽかぽかしたお日さまの下でねこがねむっている。

ふんわりしたふとんの上でねこがねむっている。

教科書p.101
猫が眠っているイラスト

3 学習を振り返る 〈5分〉

T 様子を表す言い方や使い方が分かりましたね。これから、文章を書くときにどんなことに気を付けていきますか。

・様子を表す言い方を入れて、分かりやすくしたいです。
・どんな様子かよく考えて書きたいです。
・いろいろな様子を表す言い方を見つけていきたいです。

○様子を表す言い方をもっと見つけたい、もっと書いてみたいという意欲を高め、他教科に掲載されている写真などを使って書く学習活動を設定しもよい。

よりよい授業へのステップアップ

学習形態の工夫

ペア学習で、各自発表したり、友達の表現をじっくり読んだりする時間を設ける。全体学習では、表現のおもしろさや工夫について共有できるようにする。

学習を生かす工夫

各教科で掲載されている写真について、どのような様子か自由に表現させて語彙を豊かにしていく。

資料

1 第2時　仲間分けワークシート 17-04

ようすをあらわすことばをなかまわけしよう。

年　　組　名前（　　　　　　　　　　）

どのくらいかをあらわす言い方	れい　雨が、はげしくふっている。
ことばのひびきによってあらわす言い方	れい　雨が、ざんざんふっている。
たとえをつかってあらわす言い方	れい　雨が、たきのようにふっている。 雨が、バケツをひっくりかえしたみたいにふっている。

3 第3時　短文づくりワークシート 17-05

ようすをあらわす言い方をつかって文を書こう。

年　　組　名前（　　　　　　　　　　）

	どんなようすか	文を書いてみよう
男の子がオムライスを食べる絵	男の子 オムライス	
ねこがねむっている絵	ねこ まわり	
かしゅが歌っている絵	かしゅ まわり 見ている人	

詩を作って、読み合おう

見たこと、かんじたこと　（6時間扱い）

単元の目標

知識及び技能	・身近なことを表す語句の量を増やし、話や文章の中で使うとともに、言葉には意味による語句のまとまりがあることに気付き、語彙を豊かにすることができる。((1)オ)
思考力、判断力、表現力等	・文章に対する感想を伝え合い、自分の文章の内容や表現のよいところを見つけることができる。(B オ)
学びに向かう力、人間性等	・粘り強く身近なことを表す語句の量を増やし、学習の見通しをもって詩を作り、読み合おうとする。

評価規準

知識・技能	❶身近なことを表す語句の量を増やし、話や文章の中で使うとともに、言葉には意味による語句のまとまりがあることに気付き、語彙を豊かにしている。(〔知識及び技能〕(1)オ)
思考・判断・表現	❷「書くこと」において、文章に対する感想を伝え合い、自分の文章の内容や表現のよいところを見つけている。(〔思考力、判断力、表現力等〕B オ)
主体的に学習に取り組む態度	❸粘り強く身近なことを表す語句の量を増やし、学習の見通しをもって詩を作り、読み合おうとしている。

単元の流れ

次	時	主な学習活動	評価
一	1 2	p.102–103の 2 つの詩を読み、どのような事柄や気持ちを詩で表現しているのか、表現を工夫しているところはどこかを話し合う。 学習の見通しをもつ 学習課題を確かめ学習の見通しをもつ。 見たことや聞いたこと、思ったことやかんじたことを詩に書こう	
二	3 4 5	「見たこと」「聞いたこと」「思ったこと」「感じたこと」それぞれカテゴリーから詩の題材になりそうなアイデアを出し、詩の題材とするアイデアを 1 つに決める。 詩を書くための材料を集め、下書きを書く。 作品として詩を書く。	❶ ❶ ❸
三	6	書いた詩を読み合い感想を伝え合う。 学習を振り返る 友達の感想を基に自分の詩の内容や表現のよいところを見つける。	❷

授業づくりのポイント

〈単元で育てたい資質・能力〉

本単元のねらいは、見たり聞いたり経験したりして感じたことを「詩」という形式を使って表現することである。そのために、まず、見たり聞いたり経験したりしたことから題材を設定する力が必要である。そして、自分で決めた題材を基に、自分の思いや考えが明確になるように、事柄の順序に沿って構成を考えたり、言葉を選択したりする力が必要である。これらの力を「詩を書く」という実際の活動の中で育てていく。

〈教材・題材の特徴〉

p.102–103に２つの詩が掲載されている。本単元では１時間目にこの２つの詩を読み合う学習活動を位置付けている。この活動は、「題材を決める」「材料を集める」「詩を書く」全ての段階において学習者にとってモデルとして機能する。

「バラのまつぼっくり」「名前なににしよう」共に経験したことを基にした作品である。

「バラのまつぼっくり」は、「いつ」「だれと」「どこで」「何をしたのか」の順番で「様子」を描き、最後に「気持ち」を書いている。「様子」では、「バラの花みたいな」という比喩表現を使う工夫をしている。そして、最後の「たからものにするよ」という言葉から、作者がこの出来事を詩の題材に選んだ理由を汲み取ることができる作品である。

「名前なににしよう」は、「いつ」「どこで」「何をみて」「何をしたのか」の順番で「様子」を描き、最後に「考えたこと」を書いている。「様子」では、「のっそりのっそり」という擬態語を使うことで、そのときに見たかたつむりの様子を読み手にイメージさせる工夫をしている。そして、最後に「名前なににしよう」と、かたつむりを捕まえたときに頭に浮かんだことを表現することでユーモアのある作品に仕上がっている。

〈既習内容と繋げる学習の工夫〉

p.102の下段に「学びをいかそう」という小さなコーナーがある。このコーナーでは、本単元の１つ前の学習「ようすをあらわすことば」との関連を明示している。「ようすをあらわすことば」の単元では、様子を表す言葉として、「『はげしく』『つよく』など、どのくらいかを表す言葉」「『ざんざん』『ザーザー』など、言葉の響きによって様子を表す言葉」「『〜のように』『〜みたいに』という比喩表現」などの学習をしている。

本単元で例示された作品では、「比喩表現」「擬態語」が使われている。このつながりを授業の中で扱い、自身の作品の中において、「比喩表現」「擬態語」「擬音語」などの様子を表す言葉の工夫を１つ以上は使ってみようと促すことで、既習内容と本単元の学習内容をつなげることができる。

〈ICT の効果的な活用〉

発想：３時間目の「題材のアイデア出し」や４時間目の「材料集め」において、付箋機能のついたホワイトボードを活用し、１人ブレインストーミングを行うことができる。カテゴリーごとに付箋の色を変えたり、最終的に使用すると決めた付箋の色を変えたりするなど色で識別する工夫を気軽にできる。

作成：４時間目の「下書きを書く」において、文書作成ソフトを活用することができる。文の加除修正が容易なため下書きの作成に有効である。しかし、縦書きに対応していないソフトもあるため、最終的な作品としては手書きで書かせたい。

共有：学習支援ソフトを活用して、４時間目に作成した下書きを見合ったりコメントし合ったりすることができる。友達の作品やコメントを受けて、作品を手直しすることができる。

本時案

見たこと、かんじたこと

本時の目標

・２つの詩を読み、表現の工夫について話し合うことができる。

本時の主な評価

・p.102–103の２つの詩を読み、表現の工夫について話し合っている。

資料等の準備

・pp.102–103の詩「バラのまつぼっくり」の拡大版
・pp.102–103の詩「名前なににしよう」の拡大版

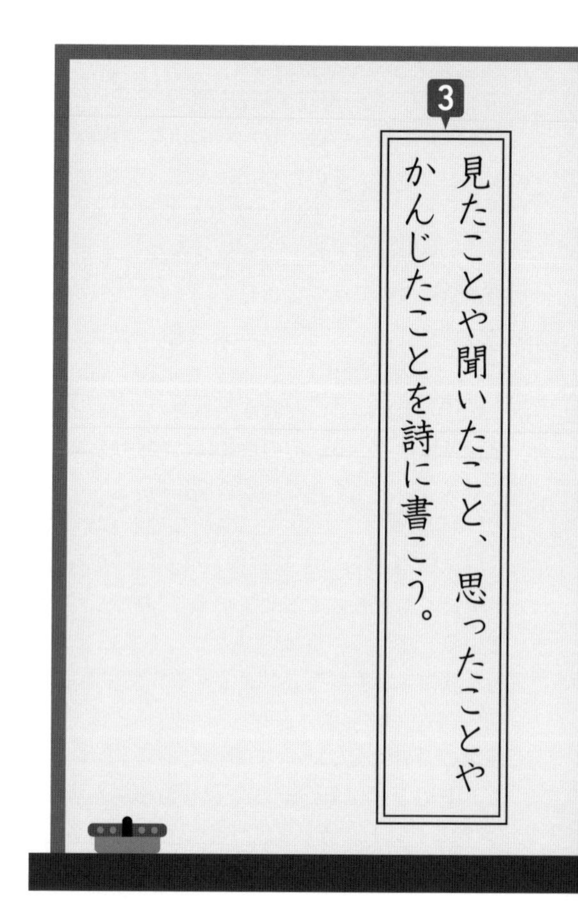

授業の流れ ▷▷▷

1 「バラのまつぼっくり」を読む 〈10分〉

○ p.102–103に掲載されている詩「バラのまつぼっくり」を黒板に貼り、みんなで読み、感想や表現の工夫について交流する。

T 「バラのまつぼっくり」を読んで、どんな感想をもちましたか。隣の人と伝え合ってみましょう。

・くぼさんは、まつぼっくりをもらってうれしかったんだろうな。
・くぼさんにとって、バラのまつぼっくりは宝物なんだな。
・「バラの花みたいな」というのがいいなと思いました。
・最後の「たからものにするよ」というのがいいなと思いました。

2 「名前なににしよう」を読む 〈10分〉

○ pp.102–103に掲載されている詩「名前なににしよう」を黒板に貼り、みんなで読み、感想や表現の工夫について交流する。

T 「名前なににしよう」を読んで、どんな感想をもちましたか。隣の人と伝え合ってみましょう。

・「のっそり」という言葉で、かたつむりがゆっくり動いている様子が分かるよ。
・「のっそりのっそり」と繰り返しているのもよいと思いました。
・かたつむりなのに「あるいていた」という表現がおもしろいと思いました。
・つかまえたかたつむりに名前を付けようとしているのがおもしろいです。

詩を作って、読み合おう
見たこと、かんじたこと

1

教科書p.102-103
「バラのまつぼっくり」
の詩

・ようすをくわしく書いている。
・気もちを書いている。
・「バラの花みたいな」という
たとえ。
・「たからもの」ということば。

2

教科書p.102-103
「名前なににしよう」
の詩

・ようすをくわしく書いている。
・「のっそりのっそり」という
くりかえし。
・かたつむりなのに「あるいて
いた」というひょうげん。
・かたつむりに名前をつけよう
としている。

3 学習課題を立て、学習の見通しをもつ 〈25分〉

○２つの作品を読み合った後に、単元全体の学習課題を確認する。

T　みなさんと同じ２年生が作った詩を２つ読みました。今度はみなさんが詩を作ってみましょう。

○学習課題を板書する。

T　次の時間は、学習計画を立てていきます。

・まず、何について書くか、決めないとね。

・早く書いてみたいな。

・自分もこんな詩を書いてみたいな。

よりよい授業へのステップアップ

「表現の工夫」に着目して

２つの詩を読み、本単元の活動のゴールを確認した後に、子供たちが「自分もこんな詩を書きたい」と思えるようにしたい。いいなと思う表現の工夫を真似してみたり背伸びした表現を使ったりすることが、その子供にとっての学びや成長につながる。

教科書掲載の詩以外の作品を提示することもできる。例えば、一人称で自分がなりきった作品やオノマトペを使った作品など、指導者の意図に沿った「表現の工夫」に着目して選びたい。

本時案

見たこと、かんじたこと

本時の目標

・学習課題を確かめ、学習の見通しをもとうとする。

本時の主な評価

・学習課題を確かめ、学習の見通しをもとうとしている。

資料等の準備

・学習計画表 18-01

3
○がくしゅうけいかく
①詩を書く「だいざい」をきめる。
②「だいざい」を詩にするために、
つかいたい言ばやひょうげんを考える。
③詩を書く。
④書いた詩を友だちと読み合う。

授業の流れ ▷▷▷

1 前時の学習を振り返る 〈5分〉

○前時の学習内容を振り返るとともに、本単元の活動のゴール「見たこと、感じたこと」などを題材に「詩を作って、読み合う」ことを確認する。

T　この学習では、見たことや聞いたこと、思ったことや感じたことを詩に書こうという課題を立てましたね。

2 本単元の学習課題を確認する 〈20分〉

○単元の活動の目標「見たことや聞いたこと、思ったことやかんじたことを詩に書こう」を提示し、前時で学習した「表現の工夫」について考えていく。

○本時のめあてを板書する。

T　前の時間に読んだ2つの詩には、たくさんの工夫がつまっていましたね。例えば、何がありましたか。

・「のっそりのっそり」と繰り返しがあった。
・「バラの花みたいな」と「〜みたいな」という言い方を表現していました。
・前の時間にやった「オノマトペ」も使っていたよ。

T　皆さんも、こうした工夫を意識しながら、詩を書くことができるといいですね。

詩を作って、読み合おう
見たこと、かんじたこと

1
見たことや聞いたこと、思ったことやかんじたことを詩に書こう。

2
ひょうげんのくふうを考えよう

【資料】
○詩「バラのまつぼっくり」の表現の工夫
・「いつ」「だれと」「どこで」「何をしたのか」の順番で様子をくわしく書いている。
・「バラの花みたいな」にという比喩表現を使っている。
・「たからものにするよ」という言葉で、気持ちを表現している。
○詩「名前なににしよう」の表現の工夫
・「いつ」「どこで」「何を見て」「何をしたのか」の順番で様子を詳しく書いている。
・「のっそりのっそり」という擬態語を使っている。
・「名前なににしよう」と、かたつむりを捕まえたときに自然と頭に浮かんだことを表現している。

3 学習計画を立てる 〈20分〉

T　これから学習計画を立てていきます。詩を書くために、まず考えなくてはいけないことは何ですか。
・何について書くのか。
T　そうですね。「バラのまつぼっくり」であれば休み時間に4年生と遊んだこと、「名前なににしよう」であれば雨の日に見つけたかたつむりのことですね。初めに、詩を書く題材を決めることから学習を始めていきましょう。詩の題材を決めたら、次に何をしますか。
・詩を書く。
・工夫を考える。
・使ってみたい言葉を考える。
T　そうですね。使ってみたい言葉を考えましょう。書いた詩は、みんなで読み合いましょう。

よりよい授業へのステップアップ

「学び」をつなげる

子供たちは、1つ前の単元「ようすをあらわすことば」（教科書 pp.98-101）で、相手によりよく伝えるために比喩表現やオノマトペを使った表現の学習をしている。

学習計画②「つかいたいことばやひょうげんのくふうを考える」のところで振り返りたい。「そう言えば、こんな勉強を前にもしなかった？」と問えば、子供たちから反応があるであろう。子供たちの声から、「学び」をつなげていきたい。

本時案

見たこと、かんじたこと

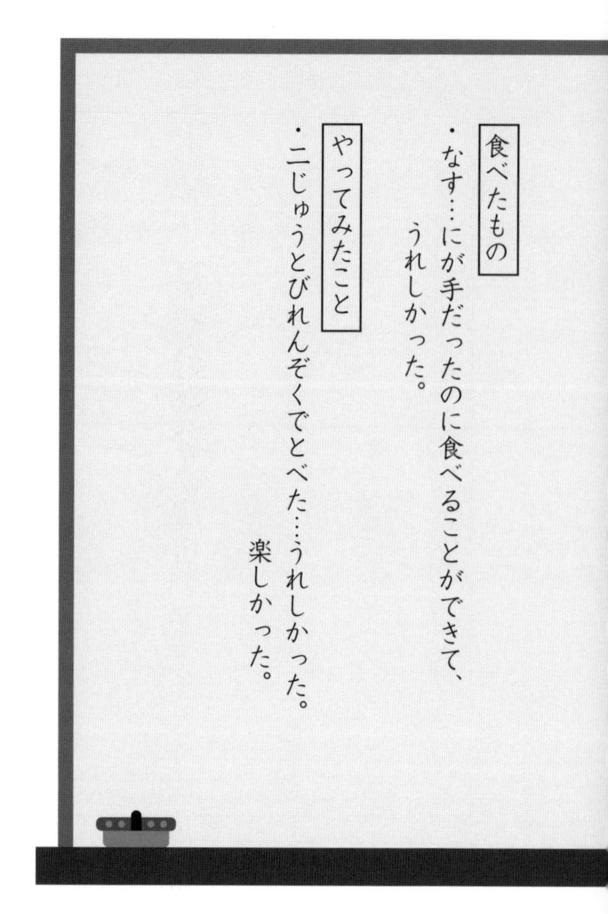

本時の目標

・詩を書くための題材を考えることができる。

本時の主な評価

❶身近なことを表す語句の量を増やし、文章の中で使っているとともに、言葉には意味による語句のまとまりがあることに気付き、語彙を豊かにしている。【知・技】

資料等の準備

・短冊
・ワークシート① 18-02

授業の流れ ▷▷▷

1 学習課題と本時のめあてを確認する 〈10分〉

○学習課題を確認した後に、教科書 p.102「詩に書くことを考えるときは」を参考に「見たこと」「聞いたこと」「さわったもの」「食べたもの」「やってみたこと」の枠組みで詩を書くための題材のアイデア出しを行う。また「そのときにかんじたこと」を書いておくことを確認する。

T　学習計画表を見ましょう。今日、学習するのはどの時間ですか。

・詩の「題材」を決める時間です。

T　そうですね。今日は、詩の「題材」を決めます。

○本時のめあてを板書する。

2 カテゴリーごとにアイデアを出す 〈10分〉

○思いついたカテゴリーから書いてよいことを伝える。このカテゴリー以外にも書きたいものがあれば認める。また、新しいカテゴリーは他の子供にも参考になるので全体に紹介したい。

○教科書とは違った視点で「はっとしたこと」「思わず笑ってしまったこと」「びっくりしたこと」「泣きそうになったこと」など、心の揺れ動きをカテゴリー化してアイデア出しをするのもよい。

○子供が書いている間は机間指導をし、他の子供に参考になりそうなアイデアを、板書したり紹介したりしたい。

詩を作って、読み合おう
見たこと、かんじたこと

1 詩を書くための「だいざい」を考えよう。

2 見たこと　そのときにかんじたこと

・きれいな雲…ずっとこの雲をみていたい。
・電車でせきをゆずった人がいた…まねしてみたい。
・プロ野きゅうのし合…ぼくもプロ野きゅうせん手になりたい。れんしゅうをがんばる。

聞いたこと

・夜中の風の音…こわい。おこっているかんじ。朝にはやんでいた。
・ちりもつもれば山となる…母親から聞いて、毎日の家でのべんきょうをがんばろうと思った。きげんがなおったのかな。

さわったもの

・オクラ…つるつる。ざらざら。ぎざぎざ。どんどんせい長してほしい。

3 友達と交流し詩を書く「題材」を1つ決める〈25分〉

○詩を書くための題材のアイデア出しを終えたら、考えたアイデアをグループで交流する。どのアイデアがおもしろいと思うか、どのアイデアを詩にしたらよいかなど感想をもらい合う。交流後に、自分で考える時間を設け、最終的には作り手である自分が「題材」を決めるようにする。

ICT 等活用アイデア

ICT を活用してアイデア出し

付箋機能のついたホワイトボードを活用し、１人ブレインストーミングを行うことができる。「見たこと」は黄色、「聞いたこと」は水色など、カテゴリーごとに付箋の色を変えることで、「まだ『聞いたこと』のアイデアを出していないから考えてみよう」など、自分でアイデア出しの工夫ができる。

また、アイデア出しは同色の付箋で行い、グループでの交流前に自分が迷っている題材候補のみの色を変えて交流する工夫もできる。

本時案

見たこと、かんじたこと

本時の目標

・詩を書くための材料を集め、詩を書くことができる。

本時の主な評価

❶身近なことを表す語句の量を増やし、文章の中で使っているとともに、言葉には意味による語句のまとまりがあることに気付き、語彙を豊かにしている。【知・技】

❸粘り強く身近なことを表す語句の量を増やし、学習の見通しをもって詩を作り、読み合おうとしている。【態度】

資料等の準備

・ワークシート② 18–03

授業の流れ ▷▷▷

1 詩を書くための材料を集める 〈45分〉

○本時のめあてを板書する。

○前時に決定した題材を詩にするために「使いたい言葉」や「表現の工夫」についてワークシートを使って考える。教科書 p.102–103の「バラのまつぼっくり」を例にワークシートの書き方を学ぶ。真ん中の四角の中に「題材」を書く。下のハートには気持ちや心の動きを書く。まわりの丸には、「使いたい言葉」や「表現の工夫」を書く。

○このワークシートは、詩を書くための材料集めが目的である。題材のアイデア出しと同様に、記述したことを必ず使わなければいけないわけではない。記述したことを基に発想が広がり、下書きにおいて違う表現になることも大いにあることを伝える。

2 詩を書く 〈30分〉

○ワークシートを基に下書きを書く。可能であれば、数パターンの下書きを書いてもよい。

ICT 端末の活用ポイント

文書作成ソフトを活用することができる。文の加除修正が容易なため下書きの作成に有効である。

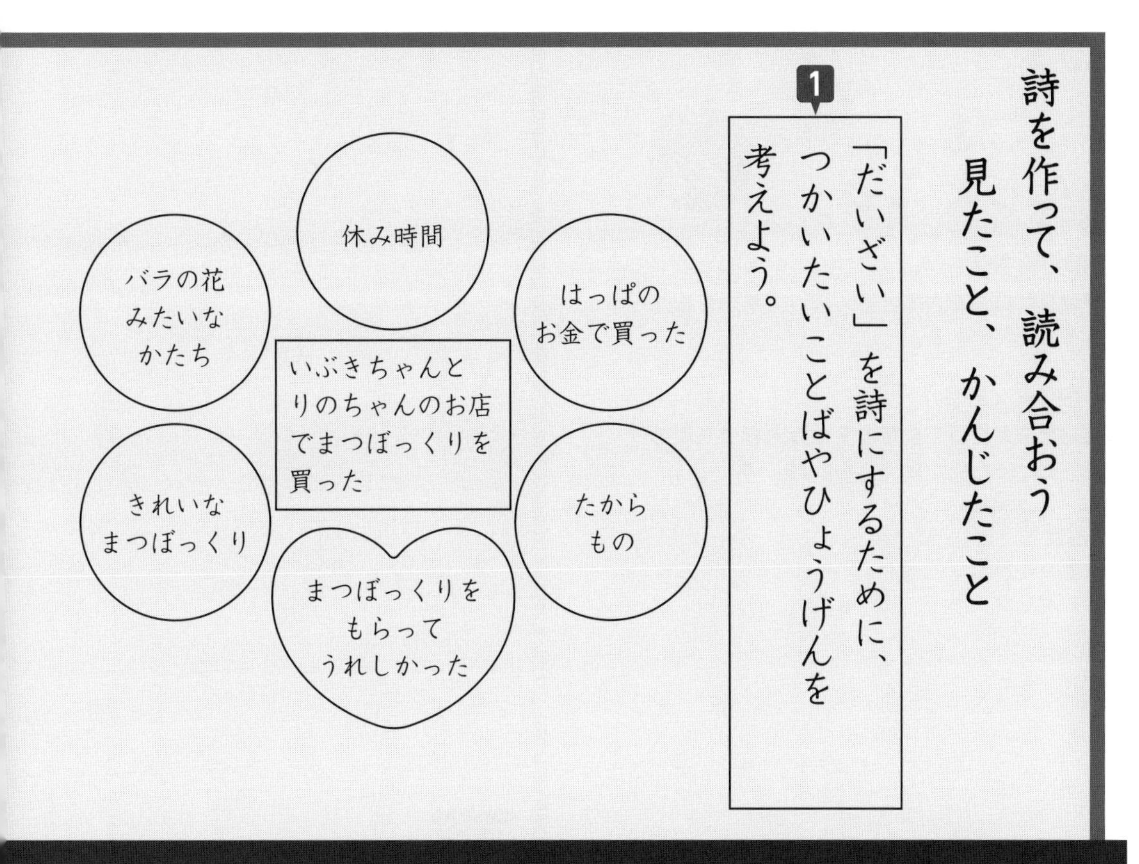

3 書いた詩を声に出して読む 〈15分〉

○書いた詩を声に出して読み、リズムや言葉の響きやつながりを確かめる。また、終えた人に自分の下書きを声に出して読んでもらうのも効果的である。

ICT 等活用アイデア

ICT を活用して材料集め

題材のアイデア出しと同様に、付箋機能のついたホワイトボードを活用し、詩を書くための材料集めができる。

中央に黄色付箋で題材を書き、その下に赤色付箋で気持ちや心の動きを書き、そのまわりに、水色付箋で「使いたい言葉」や「表現の工夫」を書くというように、付箋の色を変える工夫をすることができる。

本時案

見たこと、かんじたこと

本時の目標

・完成した作品を友達と読み合い、感想を伝え合うことができる。

本時の主な評価

❷感想を伝え合い、自分の文章の内容や表現のよいところを見つけている。【思・判・表】

資料等の準備

・大きめの付箋
・振り返りシート 18-04

授業の流れ ▷▷▷

1 本時のめあてを確認する〈10分〉

○グループで作品を読み合い、感想を付箋に書いて渡す。グループでの読み合いを終えたら、グループ以外の友達とも読み合う。

T　今日は、どんな学習をしますか。

・完成した詩をみんなで読み合います。

○本時のめあてを板書する。

T　そうですね。今日は、完成した詩をみんなで読み合い、感想を伝え合います。そして、最後に、友達が書いてくれた感想を基に、学習の振り返りとして、自分の作品のよいところをまとめます。

　感想は、この付箋に書いて渡します。友達の作品を読んで、いいなと思ったことを書いてください。

2 感想の書き方を例示する〈15分〉

○「よかった」「感動した」など短い文で終わらないように、何がよかったのか、どこに感動したのか、具体的に書けるようにしたい。

○「作品の中の、どの言葉や表現がよかったかな？」と問うことで作品の言葉や表現に目が向き、具体的な感想を書くことができる。

○受け取った側が、誰の感想かが分かるように、付箋には名前を書くことを忘れないようにする。

T　この感想の書き方の例は、わかつきりこさんの作品「名前なににしよう」（教科書p.102–103）を読んで、２年生が書いた感想だけれども、この感想の書き方のよいところはどこだと思いますか？

詩を作って、読み合おう
見たこと、かんじたこと

1
書いた詩を友だちと読み合おう。

○友だちの詩を読み、かんそうを書く。

○友だちが書いてくれたかんそうをもとに、
自分のさくひんのよいところをみつける。

2
かんそうの書き方

「のっそりのっそり
あるいていた」とい
う書き方がいいなと
思いました。かたつ
むりがゆっくり動い
ているすがたがよく
分かったからです。
名前

3 学習を振り返る 〈20分〉

○友達が付箋に書いてくれた感想を読み、単元の学習のまとめを振り返りシートに書く。そのときに、自分の作品のよいところに目を向けて書くようにする。

T　お友達からたくさんの感想をもらいましたね。まずは、感想をじっくり読んでみましょう。

T　では、最後に、「詩を作って、読み合おう」の学習の振り返りを書きます。自分が頑張ったことや作品づくりで工夫したことを書きましょう。

よりよい授業へのステップアップ

振り返ることで自身の学びに

付箋に書いてくれた友達の感想は、作品自体や作品の創作過程を価値付けるものとなる。感想は、その作品のよいところに目を向けて書くようにする。

作り手はその感想を読み、自分の心に残った言葉を中心に振り返りを書きたい。振り返りを書くことを通して、自分が挑戦した表現の工夫が自分のものとなり、日常の言語表現や次回の作品づくりにもつながる。

資料

1 第2時資料　学習計画表　18-01

詩を作って、読み合おう
見たこと、かんじたこと

二年　組　名前（　　　　　）

学しゅうけいかく表

見たことや聞いたこと、思ったことやかんじたことを詩に書こう。

①	詩を書く「だいざい」をきめる。
②	「だいざい」を詩にするために、つかいたいことばやひょうげんを考える。
③	詩を書く。
④	書いた詩を友だちと読み合う。

2 第3時資料　ワークシート①　18-02

詩を作って、読み合おう
見たこと、かんじたこと

二年　組　名前（　　　　　）

詩を書くための「だいざい」を考えよう。

	見たこと	聞いたこと	さわったもの	食べたもの	やってみたこと					
だいざい										
そのときにかんじたこと										

3 第4・5時資料　ワークシート② 18-03

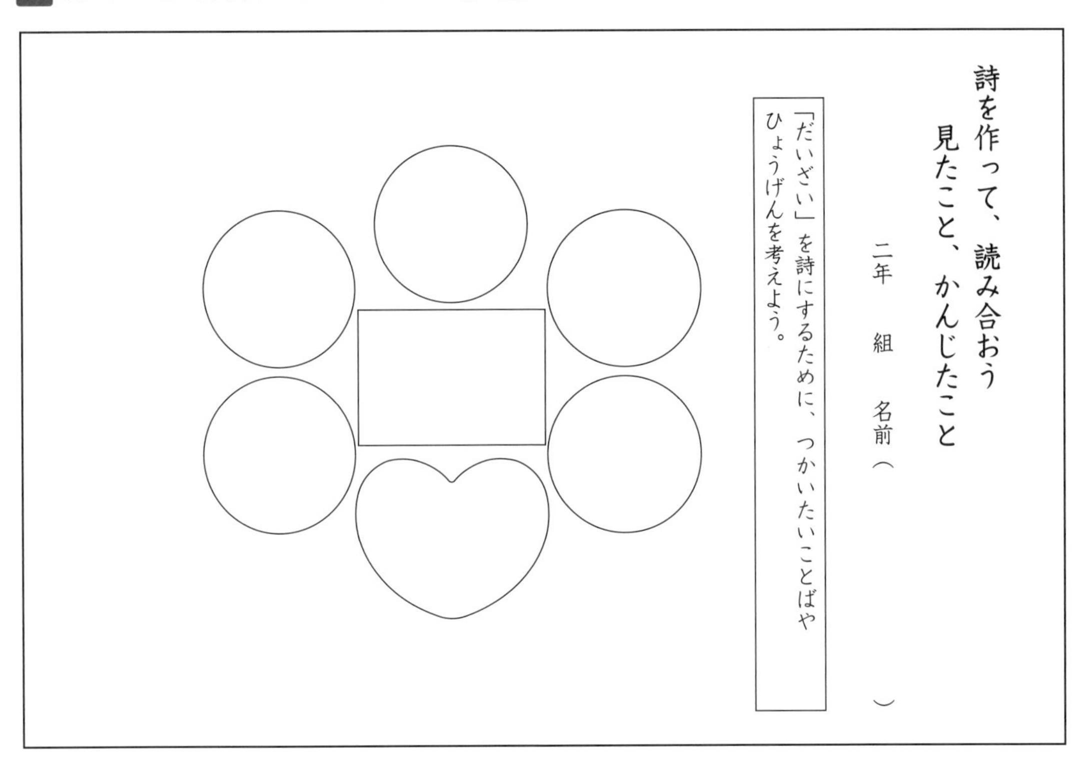

詩を作って、読み合おう
見たこと、かんじたこと

二年　組　名前（　　　　　）

「だいざい」を詩にするために、つかいたいことばやひょうげんを考えよう。

4 第6時資料　ふりかえりシート 18-04

詩を作って、読み合おう
見たこと、かんじたこと

二年　組　名前（　　　　　）

ふりかえりシート

書いてもらったかんそうをはりましょう。

カンジーはかせの大はつめい （2時間扱い）

単元の目標

知識及び技能	・第2学年までに配当されている漢字を読み、漸次書くことができる。((1)エ)
学びに向かう力、人間性等	・言葉がもつよさを感じるとともに、楽しんで読書をし、国語を大切にして、思いや考えを伝え合おうとする。

評価規準

知識・技能	❶第2学年までに配当されている漢字を読み、漸次書いている。(〔知識及び技能〕(1)エ)
主体的に学習に取り組む態度	❷積極的に第2学年までに配当されている漢字を読んだり書いたりし、これまでの学習をいかして漢字クイズに取り組もうとしている。

単元の流れ

時	主な学習活動	評価
1	学習の見通しをもつ 漢字クイズを作って漢字をたくさん知ろう。 2つの漢字を合体させる機械の仕組みを知る。 ・「門」＋「日」→「間」 教科書の問題に取り組む。 合体させる前の漢字について考える。 ・「？」＋「生」→「星」 教科書の問題に取り組む。 自分で問題を作り、友達と問題を出し合う。	❶
2	2つの漢字を組み合わせて言葉を作る弓矢の仕組みを知る。 ・「谷」＋「川」→「谷川」 教科書の問題に取り組む。 ペアで問題を作り、友達と問題を出し合う。 学習を振り返る 学習の振り返りを行う。	❷

授業づくりのポイント

〈単元で育てたい資質・能力〉

本単元のねらいは、漢字を読み、書き、そして使うことができるようにすることである。しかし、漢字に苦手意識をもつ子供は、学年が上がるごとに増えていく。そこで、低学年の段階で、漢字を学ぶ楽しさと、漢字を使う便利さに、気付くことができるようにすることが大切である。

〈言語活動の工夫〉

クイズやゲームのように楽しんで学べる活動を設定する。これは、本単元に限らず意識すべきことである。漢字の学習では習得に重きを置きがちである。それが重要であることは間違いないが、無理に覚えさせようとしても効果は期待できない。そこで、クイズやゲームのような活動を設定し、「楽しい」「もっとやってみたい」という気持ちを引き出すことが大切になる。毎日2問ずつ子供が漢字クイズを出すような、常時活動として行うこともよい。

〈導入の工夫〉〈ICT の効果的な活用〉

導入では見通しをもてるようにすることが大切である。そのために活動のゴールをイメージできるようにする。（子供の目的意識を高めることにもつながる）また、「楽しそう」という気持ちをもてるようにすることも大切である。その際に、プレゼンテーションソフトを活用し、漢字が合体する様子を画面等に映して示すのもよい。

[具体例]

○本単元では、カンジーはかせが漢字を合体させる機械を発明するという設定がなされている。導入の工夫として、実際にその機械を作り漢字を合体させることで、子供のわくわく感を引き出せるようにしたい。（図工や生活の授業で、箱を使用することがあれば、それと兼ねて作っておくとよい）

○合体させた漢字をどうするのかを明確にすることも忘れてはならない。その漢字を当てるクイズをするのか、ばらばらに並べた漢字をカルタのように取り合うのか等、子供にとってのゴールイメージを示し、目的意識を高めるようにしたい。

〈子供の主体性を大切にした学習活動〉

楽しく学習を進めると、子供は柔軟な発想で提示したモデル以上のアイデアを出すようになる。その主体的な学びを尊重することが大切である。そうすることで、自ら漢字を学んだり、楽しんで漢字を学んだりする姿勢が育つと考える。

[具体例]

○３つ以上の漢字を組み合わせる。「木」＋「木」＋「木」→「森」
問題としては簡単かもしれないが、最初に３つ以上の組み合わせを考えた事実を尊重する。

○「へん」と「つくり」のような分け方をしていない。「口」＋「十」→「田」
子供にとっては、漢字をばらばらにした部品であることには変わりない。こうした発想も尊重していきたい。３年生の部首の学習への接続を重視するのであれば、漢字のつくりを事前に図で示す（□が横に並ぶ、□が上下に並ぶ等）必要がある。

○国語の授業以外の場面で、漢字を使うことを意識できるようにする。そのためには、①「使ってみよう」という教師の言葉掛けと、②使っている子供を称賛する言葉掛けが大切である。また、③漢字を使う便利さを伝え、進んで漢字を使おうという意欲を高めることも大切である。
①「今日勉強した漢字を、早速連絡帳で使ってみよう」
②「昨日勉強した漢字を、算数のノートでも使っているんだね！」
③「はははははがいい、ではなくて、母は歯がいい、の方が読みやすいよね」

○どのように習得するのか、習得した漢字をどのように活用するのかという視点は常にもち続け、自ら学ぶ子供を育成していきたい。

本時案

カンジーはかせの大はつめい 1/2

本時の目標

・第2学年までに配当されている漢字を読み、漸次書くことができる。

本時の主な評価

❶第2学年までに配当されている漢字を読み、漸次書いている。【知・技】

資料等の準備

・漢字を合体させる機械や、2つの漢字で言葉を作る弓矢のモデル。
（子供が活動の見通しをもてるものならば、実際に作成してもモニター等に投影してもよい。）

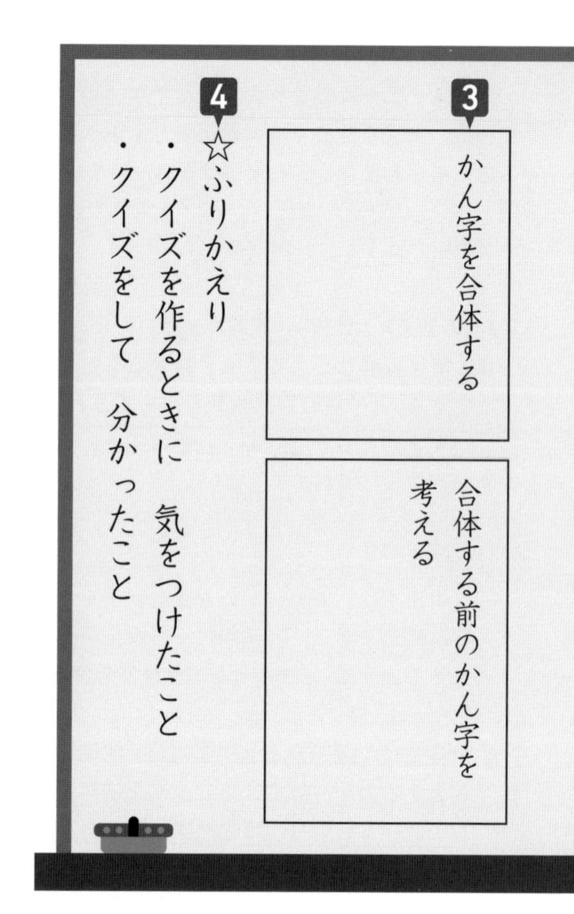

3
かん字を合体する
合体する前のかん字を考える
4
☆ふりかえり
・クイズを作るときに　気をつけたこと
・クイズをして　分かったこと

授業の流れ ▷▷▷

1 2つの漢字を合体させることを知り、教科書の問題に取り組む 〈15分〉

○モデルを使用して、子供が機械の仕組みを考えられるようにする。

T　カンジー博士の機械に「門」と「日」という漢字を入れると「間」という漢字ができました。これはどんな機械ですか。

・漢字をくっつける。　・漢字が合体している

○教科書の問題に取り組む。

T　1番と2番の問題は、どこが違いますか。

・漢字を合体する問題と、合体する前の漢字を考える問題。

○ノート等に記述する際は、もともとの漢字と合体した漢字の両方を書けるようにする。また、矢印などを書き、合体の流れを可視化できるようにする。

2 漢字クイズを作り、友達とクイズを出し合う 〈15分〉

○学習課題を板書する。

○1番と2番のどちらのクイズを作ってもよいことを伝える。答えになる漢字を上下や左右に分けて考えると作りやすいことも伝える。

○子供の活動の中から、分ける視点を見いだすことも大切なので、モデルとなる分け方をしている子供を積極的に取り上げていきたい。

T　この字は、どうやって分けましたか？

・上と下に分けて作った。

T　クイズの答えは言えないから、分け方のヒントだけ、みんなに伝えてくれますか？

○ペアやグループをつくり、クイズを出し合う。

○クイズを出すだけでなく、どんなところに気を付けたのかも伝えられるようにする。

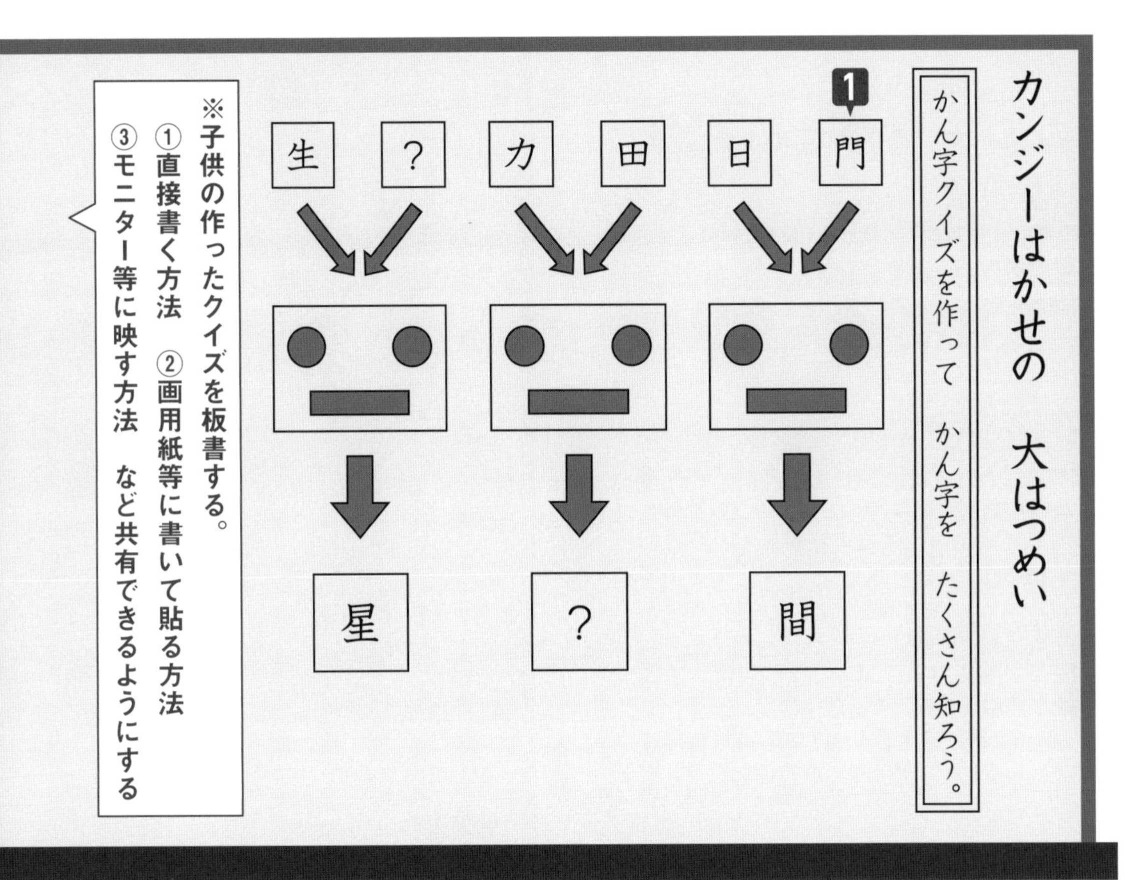

3 漢字クイズを発表し合い、より多くの作り方や漢字を共有する〈10分〉

○クイズを全体で共有する。

T　友達の漢字クイズで、おすすめのクイズがある人は発表してください（自分のクイズを発表して共有を図るのもよい）。

・木と寸で村ができました。

T　漢字を左右に分けて考えることができましたね。

○合体の仕方にも上下、左右などの傾向が見られる。共有する際には、合体の仕方についてふれたり、位置を考えてまとめて板書したりするとよい。

○楽しかっただけの活動とならないように、共有しながら本時の学びを意識できるようにすることが大切である。

4 本時の学習を振り返る　〈5分〉

○本時の振り返りを行う。

T　どんなところに気を付けてクイズを作りましたか。

・私は「早」という漢字を上と下に分けてクイズを作りました。次は、もっと難しいクイズを作って楽しみたいです。

○上記のような振り返りが見られたら、次時の学習のきっかけとしていきたい。

T　どうすれば難しくなると思いますか。

・細かく分ける。

・文字を増やす。

T　では、みんなが楽しめるように少し難しいクイズにも挑戦していきたいですね。

○次時には、文字数が増えることを伝える。

本時案

カンジーはかせの大はつめい 2/2

本時の目標

・言葉がもつよさを感じるとともに、楽しんで読書をし、国語を大切にして、思いや考えを伝え合おうとする。

本時の主な評価

❷積極的に第2学年までに配当されている漢字を読んだり書いたりし、これまでの学習をいかして漢字クイズに取り組もうとしている。【態度】

資料等の準備

・漢字を合体させる機械や、2つの漢字で言葉を作る弓矢のモデル。
（子供が活動の見通しをもてるものならば、実際に作成してもモニター等に投影してもよい。）

3 子供の作ったクイズを板書する。活動3の最後に、教師が意図的に指名し、いくつかのペアのクイズを取り上げられるとよい。

4 ☆ふりかえり
・どんな　かん字を　つかったのか
・楽しむために　くふうしたことは　なにか
・かん字や　ことばを　どんなばめんで　つかいたいか

授業の流れ ▷▷▷

1 2つの漢字で言葉を作ることを知る 〈5分〉

○漢字弓矢を使って、漢字を組み合わせて言葉を作る活動の見通しをもてるようにする。

T　漢字弓矢の「谷」という字が、どの的に当たると言葉ができますか。

・「川」に当たると「谷川」になるよ。

・「間」という的があれば「谷間」になるね。

○ことばクイズを楽しむために、実際にある漢字を使用し、実際にある言葉を作ることを確認する。

T　本当にある言葉を作ると、答えが分かったときに、みんなが納得できるので、楽しむことができますね。

○本時のめあてを板書する。

2 教科書の問題に取り組む 〈10分〉

○教科書の問題に取り組む。

T　1つの的には、1つの矢が当たります。どんな言葉ができそうですか。

・「花」の矢が「火」の的に当たると「花火」になります。

○矢の漢字、的の漢字という順序で組み合わせると言葉ができることを確認する。

○ペアで答えを確認する。また、この後のクイズづくりは、ペアで行うことも伝える。（語彙の量に差があることへの配慮）

○「谷川」のクイズのように、的を複数用意する方法と、「花火」「先生」のクイズのように、矢も的も複数用意する方法のどちらを考えてもよいことを伝える。

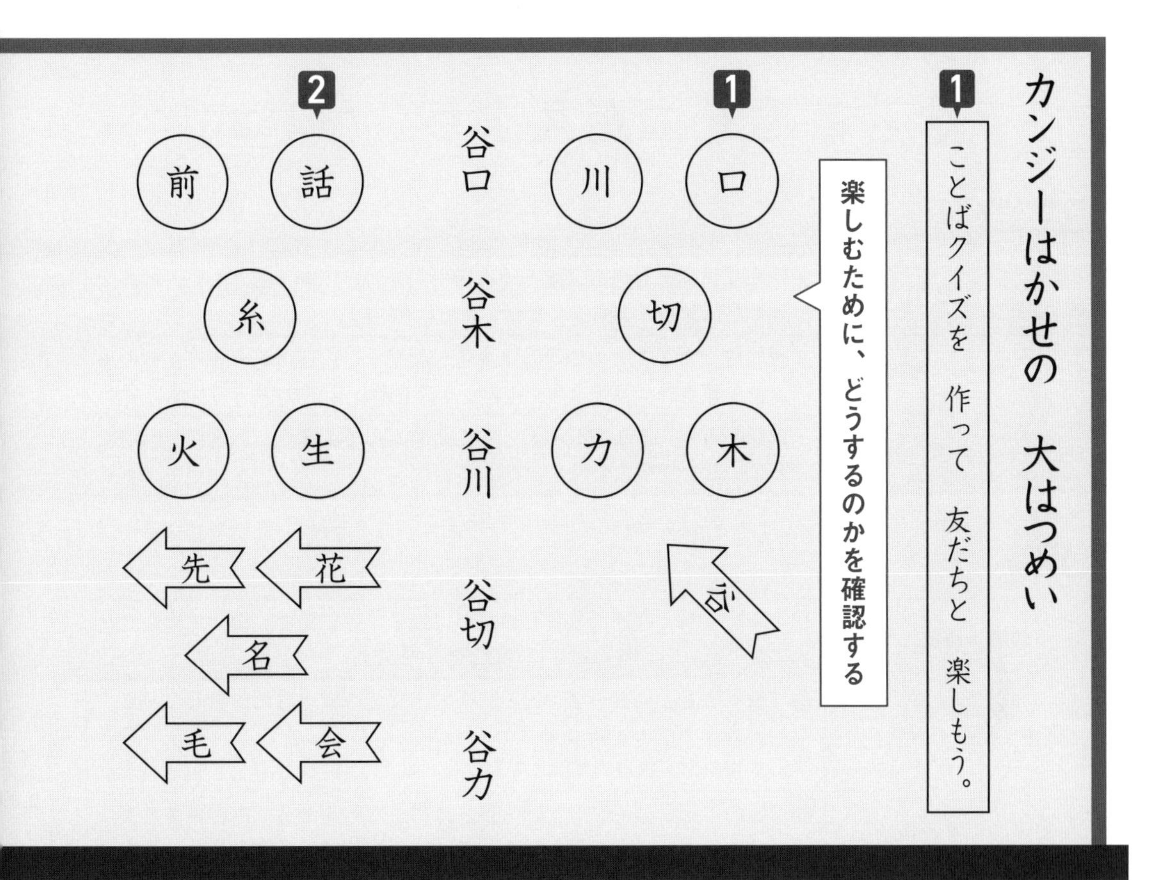

3 言葉クイズを作る　〈25分〉

○言葉クイズを作る際の約束を確認する。例えば、クイズができた後はどうするのか、1つの矢で複数の正解になる的があってよいのか、人名や地名はよいのかなど、実態に合わせて約束を決めるとよい。
○熟語の書籍を用紙したり、タブレットで検索できるようにしたりして、クイズづくりを支援するとよい。
○ペアで作ったクイズを他のペアと出し合う。
T　できるだけ多くのクイズに答えましょう。
○「できるだけ多くクイズを出す」ことを指示するよりも、「答える」ことを指示することで、より他者の考えに耳を傾けられるようにする。

4 本時の学習を振り返る　〈5分〉

○本時の振り返りを行う。
T　どんな漢字を使いましたか。漢字や言葉をこれからどんな場面で使いたいですか。
○時間があれば、成果だけでなく活動のプロセスも振り返ることができるとよい。
T　楽しむために工夫したことは何ですか。ペアで活動してよかったことは何ですか。
・私は「学校」という言葉をクイズにしました。はじめは、矢を「学」だけにして、的をたくさん考えました。でも簡単だったので、ペアの友達と相談して、矢もたくさん考えました。すると、クイズが難しくなり、「学校」や「音楽」などたくさんの言葉を考えることができたのでよかったです。

思いをつたえる手紙を書こう

すてきなところをつたえよう （10時間扱い）

単元の目標

知識及び技能	・丁寧な言葉と普通の言葉との違いに気を付けて使うとともに、敬体で書かれた文章に慣れることができる。((1)キ)
思考力、判断力、表現力等	・語と語や文と文との続き方に注意しながら、内容のまとまりが分かるように書き表し方を工夫することができる。(B ウ)
学びに向かう力、人間性等	・言葉がもつよさを感じるとともに、楽しんで読書をし、国語を大切にして、思いや考えを伝え合おうとする。

評価規準

知識・技能	❶丁寧な言葉と普通の言葉との違いに気を付けて使い、敬体で書かれた文章に慣れている。(〔知識及び技能〕(1)キ)
思考・判断・表現	❷「書くこと」において、語と語や文と文との続き方に注意しながら、内容のまとまりが分かるように書き表し方を工夫している。(〔思考力、判断力、表現力等〕B ウ)
主体的に学習に取り組む態度	❸積極的に語と語や文と文との続き方に注意しながら、内容のまとまりが分かるように書き表し方を工夫し、これまでの学習を生かして手紙を書こうとしている。

単元の流れ

次	時	主な学習活動	評価
一	1	学習の見通しをもつ 様々な場面での友達との関わりを振り返り、「すてきだな」と感じたときのことを思い出す。 「といをもとう」「もくひょう」を基に、学習課題を設定し、学習計画を立てる。 友達のすてきなところを手紙で伝えよう。	
二	2 3 4 5 6 7	1年間を振り返り、友達に伝えたいことを決める。 p.108の作例を読み、手紙の書き方や、書き方のよさを話し合う。 手紙を書き、間違いや分かりにくいところはないか読み返す。	 ❷ ❸
三	8 9 10	書いた手紙を交換し合い、返事を書いて相手に渡す。 返事は、p.110のカードを参考に、手紙の内容についての感想やお礼の気持ちを書く。 学習を振り返る 学習を振り返り、学んだことを交流する。	❶

授業づくりのポイント

〈単元で育てたい資質・能力〉

本単元では、「考えの形成」「記述」について、重点的に取り扱う。手紙という相手をはっきりと意識できる言語活動であることから、内容のまとまりが明確になっているか、その順序はどうかを考え、それらを通して伝えたいことを相手に伝えることが求められる。また、誰に伝えたいのか、何を伝えたいのか、そもそもなぜ伝えたいのかを記述の前に考えることで、子供がより主体的に取り組むことができ、ねらいとする力を育むことができると考える。

〈個に応じた活動の設定〉

手紙を書く速さは子供によって異なる。書くことが好きだが遅いという子供ならば、その活動を見守りたい。書くことが苦手な子供ならば、書きたいことが思い出せないのか、書きたいことがあるがどう書けばよいのか分からないのか、実態を見取る必要がある。書くことが速い子供は、内容が伴っているのかどうかによって、教師のアプローチも変わってくる。

[具体例]

○書き終えた子供に対して。
- → 手紙の相手との思い出をより多く書けるようにする。
- → メモを生かして、複数の友達に手紙を書けるようにする。
- → 手紙に絵をかいたり、表紙や封筒を飾り付けたりするよう指示する。
- → 読みやすい字で丁寧に書くよう促す。

○書くことが苦手な子供に対して。
- → 意図的なグルーピングにより、学び合える環境をつくる。
- → 聞き取りによって、思い出を想起できるようにする。
- → モデル文の特徴を確認し、書き方を取り入れられるようにする。

○いずれの場合も、子供が自ら選択した活動であれば、ねらいとかけ離れない限り尊重したい。

〈ICT の効果的な活用〉

ICT の活用をしながら、「手紙」という教材にふれることで、「手書き」と「データ」の文章について比較して考える機会を設けたい。「素早く書けるのは？」「温かみがあるのは？」「修正しやすいのは？」「考えながら書きやすいのは？」といった問いを投げ掛け、それぞれの価値を子供と共有することで、適切な方法を選択できる子供を育成することにつながると考える。

調査：本単元における調査とは、手紙を書く相手のすてきなところを思い出すことである。ここで、端末のホワイトボードアプリ等を活用することで、１人では思い出せなかったことを想起しやすくなる。

共有：本単元では、他者の目で推敲を行うために、下書きの段階で共有を図る。
例　下書きのデータ（文書データ、写真データ等）をアプリ上で共有する。
　　データにコメントを書き込む（付箋データ、タッチペン等の使用）。

記録：清書した手紙をデータで提出できるようにするとよい。手紙を相手の友達に渡す前に、写真データとして提出することで、子供が振り返りの際に読み返したり、下書きのデータと比較したり、教師が見取る際の記録として活用したりすることができる。

本時案

すてきなところをつたえよう 1/10

本時の目標

・言語活動について知り、学習の見通しをもとうとする。

本時の主な評価

・１年間を振り返り友達へ手紙を書くことについて学習の見通しをもとうとしている。

資料等の準備

・言語活動のモデルとなる手紙
（教科書の手紙や教師の自作によるもの等）

③手紙の　ないようを　きめる。
④書き方のよさを　話し合う。
⑤⑥手紙を　書く。
⑦書いた手紙を　見直す。
⑧（おわかれ会で）手紙を　わたす。
⑨手紙の　おへんじを　書く。
⑩たんげんの　ふりかえりをする。

4
○ふりかえり
これから　がんばりたいこと。
楽しみなこと。

授業の流れ ▷▷▷

1 学習課題を立てる 〈10分〉

○１年間のまとめの時期に、友達とどのように過ごしたいかを考えられるようにする。（楽しい思い出や感謝の気持ちなどの視点にふれておくとよい）

T　２年生も、もうすぐ終わりですね。３年生になる前に、クラスのみんなとどんなことをしたいですか。

・お別れ会をしたい。
・手紙を書きたい。

○教科等横断的な視点から、学級活動の時間ともつなげながら活動を考えるとよい。

T　国語の時間には、お別れ会で渡す手紙を書くことにしましょう。どんな学習にするのかをみんなで考えます。

○本時のめあてを板書する。

2 教科書を活用し「書くこと」におけるこれまでの学びを振り返る 〈10分〉

○低学年における「書くこと」の最終単元であることから、これまでの学びを振り返るようにする。その際、指導事項の内容を子供の言葉で伝えられるようにする。

T　これまで国語の授業で、どんなことに気を付けて書いてきましたか（教科書の９ページを確認しましょう）。

・やったことや思ったことから、書きたいことをきめる。
・じゅんじょが分かるように書く。
・「はじめ」「中」「おわり」の組み立てを考えて書く。

○これまでの学びを生かしながら、今回は「思いが伝わるように書く」ことを確認する。

○学習課題を板書する。

すてきなところを　つたえよう

がくしゅうの　見とおしを　もとう

1

はやし　たいき　さん

たいきさんのすてきなところは、いつもやさしいところです。

ろう下で一年生がころんだとき、たいきさんは、すぐに声をかけて、ほけん室につれていってあげていました。わたしは、どうしようと思いながら見ているだけだったので、すてきだなと思いました。

これからも、やさしいたいきさんでいてくださいね。

おおかわ　はな

2

○書きたいことをきめる
○じゅんじょ
○組み立て
はじめ　中　おわり
○見直す
○よいところを見つける

今回は
○思いがつたわるように
書く

友だちの　すてきな　ところを　手紙で　つたえよう。

3

○がくしゅうの　けいかく
②手紙の　ないようを　考える。

3 手紙を書くための単元計画を考える　〈15分〉

T　どのように手紙を書くか計画を立てましょう。まず何を決めますか。
・手紙を書く相手を決めよう。
・相手に何を書くのかも考えるといいよ。
T　手紙は相手に気持ちを伝えるものですね。間違いがあると相手は悲しくなってしまいますが、みなさんはどうしますか。
・渡す前によく見直すといい。
T　では、計画の中に見直しの時間を入れましょう。
○子供の言葉を生かしながらも、活動の順序などは教師が示すようにする。

ICT 端末の活用ポイント

単元計画を端末上で共有し、適宜確認することができるようにすることも可。

4 本時の学習を振り返る　〈10分〉

○今後の見通しをもてたかどうかを振り返るようにする。
T　みんなで立てた学習計画を振り返り、これから頑張りたいことや、心配なこと、楽しみなことなどを書きましょう。
・手紙を渡した相手が、喜んでくれるような手紙を書きたいです。
・見直しができるかどうか心配です。
・お別れ会で手紙を渡すことが楽しみです。
○時間に余裕がある場合は、振り返りを共有し、次時の学習のめあてを決めるとよい。

本時案

すてきなところをつたえよう 2/10

本時の目標

・経験したことから書くことを見つけ、必要な事柄を集めたり確かめたりして、伝えたいことを明確にすることができる。

本時の主な評価

・必要な事柄を集めたり確かめたりして、伝えたいことを明確にしている。

資料等の準備

・考えを広げるためのツール 20-01
ホワイトボードアプリ、付箋紙、ワークシートなど

3
☆ふりかえり
何ができましたか。（分かりましたか）
どのように学びましたか。（だれと、何をつかって、どう考えて等）
これからどうしたいですか。

広げることなく決めることもあるため、【まとめ】は、必ずしも板書する必要はない。

授業の流れ ▷▷▷

1 本時のめあてを知り、手紙を渡す相手を決める 〈10分〉

○前時に立てた学習計画の内容や子供の発言を生かして、本時のめあてを板書する。

T　前の時間に、計画を立てましたね。今日のめあては、「どのように手紙のないようを考えればよいのだろう」です。その前に、手紙を渡す相手を決めましょう。

・好きな友達に手紙を渡したい。
・それだと全員がもらえるか分からないよ。
・くじ引きではどうかな。
・まず２人組をつくってから考えようよ。

○学級の実態に応じて相手を決定する必要がある。主体性を尊重して、子供が納得し、全員に手紙が行き渡るような決め方がよい（隣の席の子供など、教師が決めておくのもよい）。

2 手紙を渡す相手との思い出をメモに記す 〈20分〉

T　では、どのように手紙の内容を考えればよいでしょうか。

・運動会などの行事を思い出してから考える。
・相手にインタビューする。

○相手のことを中心に広げたり、行事を中心に広げたりするなど、思い出の振り返り方が１つではないことも伝える。

T　たくさんの思い出を振り返ってから選ぶと、一番伝えたいことを落とさずに伝えられますね。

○思い出を付箋紙などにメモしたり、ウェビング図のようなワークシートに記入したりして、考えを広げられるようにする。

ICT 端末の活用ポイント

考えを広げやすくするために、ホワイトボードアプリ等を活用して、他者の考えにふれさせる。

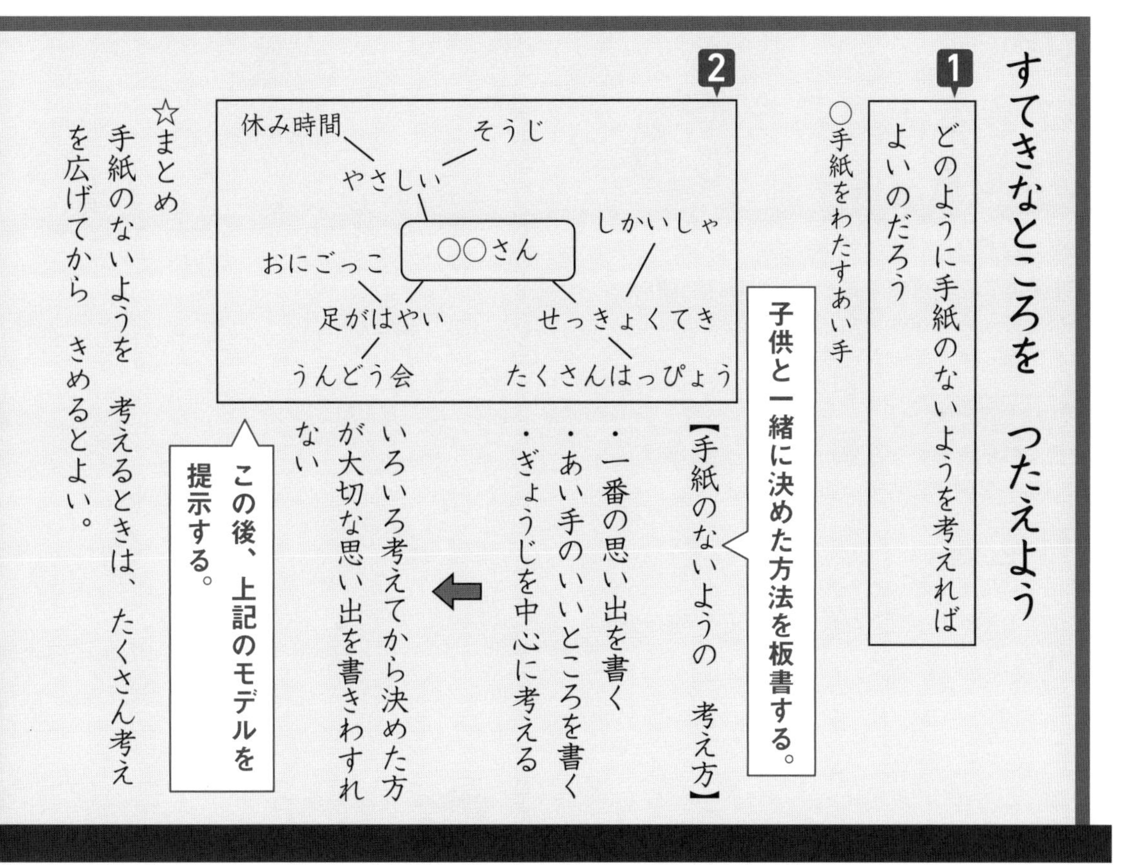

3 メモの内容を共有し、本時のまとめと振り返りを行う　〈15分〉

○どのようなメモを書いたのか共有する。

・私は、□□さんとの思い出は運動会だと決めていたので、運動会について詳しくメモしました。玉入れ→負けて悔しい→そのとき□□さんが言ってくれたこと、というメモをしました。

・私は、△△さんのいいところをたくさんメモしました。優しい、足が速いなどです。その後、いつそう思ったかをメモしました。

○本時のまとめを行う（まず考えを広げるとよいことを本時のまとめとする)。

○本時の振り返りを①何ができた（分かった）か、②どのように学んだのか、③これからどうしたいか（何が心配か）という視点で行う。

よりよい授業へのステップアップ

考えを広げる価値を伝えること

手紙を書く相手が決まったら、子供は、すぐに思い付いたことを書きたくなるものである。しかし、ここで考えを広げる価値を子供に伝えたい。

手紙は会話と異なり、相手の手元に残るものであるため、じっくり考えてから一番よいものを選んで書くことができるよさがある。そのため、選ぶ前に思い出を振り返り、考えを広げておく必要がある。

一見遠回りにも見えるため、難色を示す子供への配慮は必要となるが、広げる価値を味わえるようにしたい。

本時案

すてきなところをつたえよう 3/10

本時の目標

・経験したことから書くことを見つけ、必要な事柄を集めたり確かめたりして、伝えたいことを明確にすることができる。

本時の主な評価

・必要な事柄を集めたり確かめたりして、伝えたいことを明確にしている。

資料等の準備

・考えをしぼるためのツール
ホワイトボードアプリ、付箋紙、ワークシートなど

☆まとめ
つたえたいことが　はっきりするように
えらぶわけを　しっかりきめて　えらぶとよい

3
☆ふりかえり
①えらんだこと
②それをえらんだわけ
そう思った場めん　思ったこと
③これから　がんばりたいこと

授業の流れ ▷▷▷

1 本時のめあてを知り、メモの選び方を考える 〈15分〉

○本時のめあてを板書する。

T　今日は、前回広げたメモから手紙に書くものを選びます。では、どのようにメモを選べばよいでしょうか。

・心に残っているものから順番に選ぶ。
・相手が喜んでくれるものから選ぶ。
・私しか知らない思い出を選ぶ。

○選び方については多様性を認めていく必要がある。自分なりの選ぶ根拠を明確にし、これを伝えたいという思いを大切にしていきたい。

○いくつ書いてもよいとすると、選ぶ意味がなくなってしまう。そのため、伝えたいことは１つ、理由は複数でもよいなどの約束を確認するとよい。

2 選び方を共有し、もう一度自分の選んだメモを考える 〈20分〉

○メモを選ぶ活動の後、選び方のモデルとなる子供を意図的に指名し、共有を図る。

T　どのようにメモを選びましたか。

・私は、まず相手の素敵なところを１つ選びました。次に、素敵だと思った理由を３つ選びました。
・私は、一番心に残っている相手との思い出を１つ選びました。そして、その思い出の中で感じた素敵なところを２つ書きました。

○共有したことを生かして、再度自分の選んだメモについて考えられるようにする。

ICT 端末の活用ポイント

どのようなメモを選んだのか共有するために、ホワイトボードアプリ等を活用することもできる。

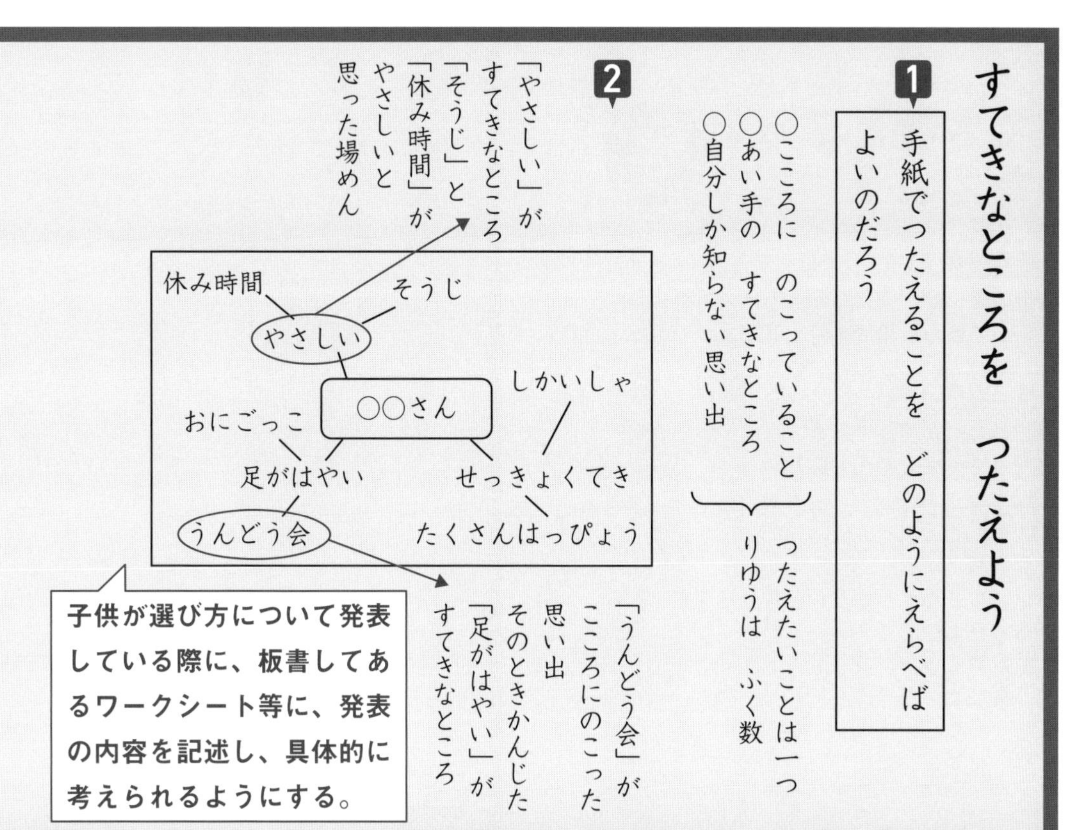

3 本時の学習を振り返る　〈10分〉

○本時の課題であるメモの選び方は、個の思いを尊重しているため、「伝えたいことが明確になるように理由をもって選ぶ」といった趣旨のものを本時のまとめとする。

T　今日の授業の振り返りをしましょう。どのように選んだのかくわしく書きましょう。

・私は、□□さんの素敵なところを１つ選びました。それは「たくさん話しかけてくれるところ」です。そう感じたのは、音楽の授業中と運動会の練習と休み時間の３つです。□□さんが喜んでくれると思って選びました。この後、手紙を書くことが楽しみです。

○次時に手紙を書くことを伝え、意欲を高められるようにする。

よりよい授業へのステップアップ

考えをしぼる視点を設けること

前時で広げた内容は、全て相手に伝えたくなるようなものである。ただ、手紙に全てを書くと伝えたいことが明確にならない。そこで、考えをしぼるという思考を働かせるとよい。これは日常生活においても同様である。

その際に、どのようにしぼればよいのか視点を設けることが大切である。左記には、子供が主体的に視点を設ける例を示した。ただ、教師が視点を示すことも多々ある。しぼるという思考を通して、何を身に付けられるようにしたいのか考えておく必要がある。

本時案

すてきなところをつたえよう 4/10

本時の目標

・自分の思いが明確になるように、事柄の順序に沿って簡単な構成を考えることができる。

本時の主な評価

・自分の思いが明確になるように、事柄の順序に沿って構成を考えている。

資料等の準備

・モデル文
※「いいなと思うところ」を共有しやすいものがあるとよい。
・手紙を書くワークシート 20-02

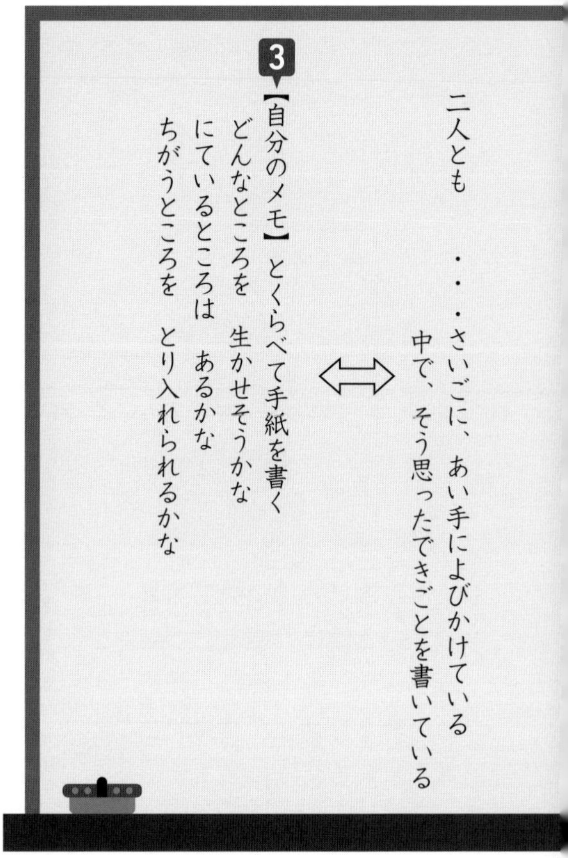

二人とも　・・・さいごに、あい手によびかけている
中で、そう思ったできごとを書いている
⇔
3【自分のメモ】とくらべて手紙を書く
どんなところを　生かせそうかな
にているところは　あるかな
ちがうところを　とり入れられるかな

授業の流れ ▷▷▷

1 前時までのメモを振り返り、本時のめあてを確認する 〈10分〉

T　前時に、メモをどのように選びましたか。
・伝えたいことが、はっきりするように選んだ。
・選ぶわけを決めて選んだ。
T　手紙を書くときも、伝えたいことをはっきりさせたいですね。今日はどのようなめあてを立てるとよいですか。
〇文ではなく言葉でもよいので、子供の発言を促す。その子供の発言からめあてを立てる。
・相手に伝わるように　・はっきりと伝える
T　では、今日のめあては「伝えたいことが、相手に伝わるように手紙を書こう」にしましょう。
〇本時も含め3時間で書くことを伝える。

2 モデル文を読み、いいなと思うところを話し合う 〈15分〉

〇教科書 p.108のモデル文を板書し、いいなと思うところを見つけられるようにする。
T　この2人の手紙の書き方で、いいなと思うところはありますか、近くの席の人と話し合いしましょう。
〇いいなと思うところを共有できるようにする。
T　いいなと思うところを発表してください。
・おおかわさんの手紙は、素敵なところを最初に書いてあるところがいいと思いました。
・2人とも最後に相手に呼びかけるように書いているところがいいと思いました。
〇ポイントを端的に板書できるようにする。

ICT 端末の活用ポイント

掲示したモデル文に、「いいなと思ったところ」を書き加え、子供の端末と共有することもできる。

すてきなところを　つたえよう

1

つたえたいことが　あい手につたわるように
手紙を書こう

2

はやし　たいき　さん

教科書p.108のモデル文

おおかわ　はな

しもだ　かほ　さん

教科書p.108のモデル文

あおき　つむぐ

【いいなと思ったところ】
おおかわさん・・・はじめに、すてきなところを書いている
あおきさん　・・・いつから　がんばっているか　わかる

3 いいなと思うところを生かして手紙を書く 〈20分〉

○いいなと思ったところを自分の手紙に置き換えて考えるよう伝える。
○まとまりを意識できるようにするために、「はじめに」「おわりに」といった視点を設ける。
T　みなさんは、「はじめに」何を書きますか。２人の手紙と自分のメモを比べて書いてみましょう。
・「やさしいところ」は同じだから、はじめのところを真似してみよう。
○本時で書いたところまでを振り返るようにし、次時の活動の見通しをもつ。

よりよい授業へのステップアップ

モデルを意図的に活用すること

この手紙のモデル文は、言語活動のイメージをもつために、単元の導入時にも提示している。

本時では、手紙を書きだす前に、簡単な構成と前時のメモをつなぐ役割を担っている。そのために、互いに相談して分析することで、モデル文のよさを明らかにしている。

モデルは、子供が活動の見通しをもったり、学習のポイントを明確にしたりするために重要なものである。書く活動に限らず、意図を明確にしてモデルを活用していきたい。

本時案

すてきなところをつたえよう 5/10

本時の目標

・語と語や文と文との続き方に注意しながら、内容のまとまりが分かるように書き表し方を工夫することができる。

本時の主な評価

❷語と語や文と文との続き方に注意しながら、内容のまとまりが分かるように書き表し方を工夫している。【思・判・表】

資料等の準備

・モデル文
※「いいなと思うところ」を共有しやすいものがあるとよい。
・手紙を書くワークシート 20–02

二人とも　・・・さいごに、あい手によびかけている
中で、そう思ったできごとを書いている
⇔
【自分のメモ】とくらべて手紙を書く

3
☆ふりかえり
○つたえたいことを　書けましたか
○いいところが　ありますか
○ないようごとの　まとまりがありますか

授業の流れ ▷▷▷

1 前時までに書いたところを振り返る〈5分〉

○本時のめあてを板書する。
T　前時に、手紙をどこまで書けましたか。また、どんなことに気を付けて書きましたか。
・私は、手紙を半分くらい書けました。はじめに、相手との一番の思い出を書くようにしました。
・私は、最後まで書けました。最後に相手に呼び掛けるような文を書きました。
○最後まで書けた子供に対しては、次の活動を明確に伝える必要がある。できる限り、子供の思いを尊重する。
T　書き終えたみなさんは、この後、どのようなことを書きたいですか。
・他の人にも書きたいです。
・相手に二通目の手紙を書きたいです。

2 伝えたいことを手紙に書く〈30分〉

○前時の続きから手紙を書くよう伝える。
○モデル文のいいところや、自分のメモを確認しながら書けるようにする。
○書き終えた子供へ次の活動を伝える。
T　書き終えたみなさんは、次の手紙を書きましょう。同じ相手に2通目の手紙を書く場合は、考えを広げたところを振り返り、他に伝えたいことを選びましょう。他の相手に手紙を書く場合は、もう一度考えを広げてから、伝えたいことを選びましょう。
○書き終えた子供への次の活動として、自分の手紙をモデルとして、手紙を書いている友達に紹介するということも考えられる。

すてきなところを　つたえよう

1

つたえたいことが　あい手につたわるように
手紙を書こう

2

はやし　たいき　さん

教科書p.108のモデル文

おおかわ　はな

しもだ　かほ　さん

教科書p.108のモデル文

あおき　つむぐ

【いいなと思ったところ】
おおかわさん・・・はじめに、すてきなところを書いている
あおきさん　・・・いつから　がんばっているか　わかる

3　本時の学習を振り返る　〈10分〉

○書き終えた際の振り返りは、①自分の伝えたいことを書けているか、②モデル文のようないいところがあるか、③「はじめ」や「おわり」のようなまとまりがあるか、といった視点を大切にする。

○振り返りの内容を共有する。

T　どんな振り返りをしたか、発表してください。

・私は、△△さんの手紙のいいところを取り入れて書きました。一番伝えたかったことを最初に書いたので、早く読んでほしいです。

○本時で書いたところまでを振り返るようにし、次時の活動の見通しをもつ。

ICT 端末の活用ポイント

全員に振り返りを発表してもらい共有することは難しいので、端末上で共有できるとよい。

よりよい授業へのステップアップ

個々の学習進度を大切にすること

書く活動は、学習の進度に大きな差が生まれることがある。教師は、その差を柔軟に受け止め、自分のペースで書くことができる環境をつくる必要がある。具体的には、書き終えた子供への指示を明確にすることである。書き終えた子供が、発展的な活動に取り組めるようにしたり、書いている途中の子供との学び合いに価値を見いだしたりすることができるようにする。

書くペースが遅い子供への支援だけが、教師の役割ではないことを念頭に置く必要がある。

本時案

すてきなところをつたえよう 6/10

本時の目標

・言葉がもつよさを感じるとともに、楽しんで読書をし、国語を大切にして、思いや考えを伝え合おうとする。

本時の主な評価

❸積極的に語と語や文と文との続き方に注意しながら、内容のまとまりが分かるように書き表し方を工夫し、これまでの学習をいかして手紙を書こうとしている。【態度】

資料等の準備

・モデル文

※「いいなと思うところ」を共有しやすいものがあるとよい。

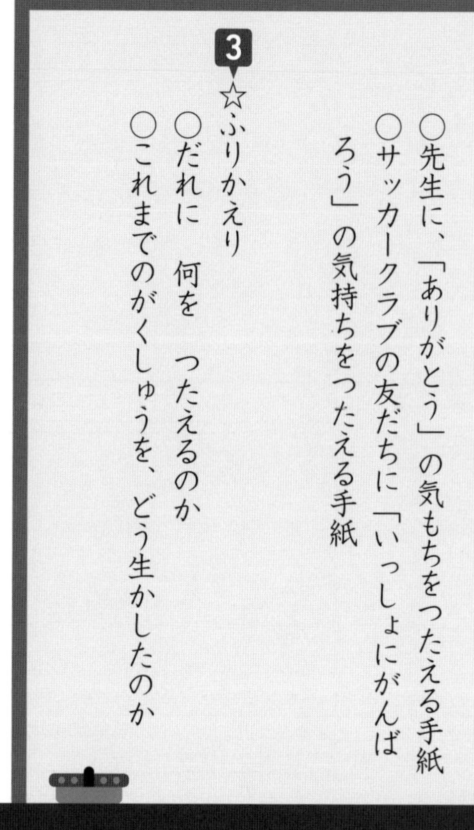

授業の流れ ▷▷▷

1 前時までに書いたところを振り返る 〈5分〉

○友達への手紙をどこまで書けたか、複数の友達に書いたか等の進度を確認する。

○（友達への1通目の手紙は、全員が書き終えていると仮定して）発展的な活動を示す。

T　これまでに学習したことを生かして、手紙を誰に書きたいですか。

・家族

・他のクラスの友達

・お世話になった先生

○自分が伝えたいことの選び方や、書く際の工夫などは同じであることを伝え、これまでの学習を活用できるようにする。

○本時のめあてを板書する。

2 伝えたいことを手紙に書く 〈30分〉

○誰に書くか、どのように書くかなど、友達と相談しながら活動できるようにする。

○家族は「赤」、友達は「白」のように書く相手によって帽子の色を変えてチーム分けをしたり、ネームマグネットを貼ったりして、相談しやすい環境を整える。

T　自分と同じ相手に手紙を書こうとしている友達と相談して、ヒントを見つけましょう。

・家族への手紙には、ご飯を作ってくれることを書きたいな。

ICT 端末の活用ポイント

端末上のアプリに進度や内容を簡単に入力したり、手紙の写真をアップしたりすることで、個を見取るようにする。

すてきなところを　つたえよう

1 つたえたいことが　あい手につたわるように手紙を書こう。

はやし　たいき　さん

教科書p.108のモデル文

おおかわ　はな

しもだ　かほ　さん

教科書p.108のモデル文

あおき　つむぐ

2 【だれに　何を　つたえる手紙を書くのか】

○家ぞくに、「大すき」な気もちをつたえる手紙

3 本時の学習を振り返る　〈10分〉

T　誰にどのようなことを伝える手紙を書きましたか。

○クラスの友達以外の人に手紙を書いているため、具体的な内容まで発表してよいことを伝える。

○本時の振り返りでは、これまでの学習をどのように生かしたのかを書けるようにする。

・私は、家族に手紙を書きました。友達に書いた手紙と同じように、はじめに伝えたいことを書きました。友達の手紙と違うところは、「やさしい」ではなくて「たよりになる」ということを伝えるところです。

よりよい授業へのステップアップ

学びを活用すること

学びを生かして発展的な活動に挑戦することは、生活の中で生きて働く力になったかどうかを確認することでもある。

単元の中で行うことができなくても、図画工作の鑑賞で生かしたり、冬季休業中の年賀状に生かしたりすることもできる。

授業で身に付けた力を、当たり前のように発揮できるように、教師が意図的に学びと活用場面を結び付けることが大切である。

本時案

すてきなところをつたえよう 7/10

本時の目標

・文章を読み返す習慣を付けているとともに、間違いを正したり、語と語や文と文との続き方を確かめたりすることができる。

本時の主な評価

・文章を読み返し、間違いを正したり、語と語や文と文との続き方を確かめたりしている。

資料等の準備

・推敲用のモデル文（教師が自作したもの）
 20-03

一年生や友だちにやさしく
したいと思いました。
よしの　りゅういち

3
☆ふりかえり
○分かったこと　できたこと

授業の流れ ▷▷▷

1 推敲用のモデル文を読み、本時のめあてを確認する〈10分〉

T　友達への手紙はもう少しで完成しますね。先生も完成しました。みなさん読んでみましょう。何か気付いたことはありますか。

・字が違う。　・丸や点がない。（句読点）

T　この手紙を相手に渡すことはできません。みんなの手紙は大丈夫でしょうか。では、今日のめあてはどうしますか。

・手紙をよく見る。　・もう１回読み直す。

○本時のめあてを「どんなことに気を付けて手紙を読み返したらいいだろう」として、推敲の観点を明らかにしていく。

○はじめから「字の間違いを直しましょう」という指示を出すことなく、「相手のために」という思いで直せるようにしたい。

2 モデル文から推敲の観点を見付ける〈15分〉

○黒板に貼った推敲用のモデル文を子供に配り、どこを直せばよいか考えられるようにする。子供の実態に応じて、モデル文を複数用意したり、ペアやグループで考えたりする。

T　友達と相談しながら、どこを直せばよいか考え、直すときは赤鉛筆で直しましょう。

・「を」が「お」になっているよ。

・「□□さんのすてきなところは、いつもやさしいです」って、ちょっと変じゃないかな。

○ここでは具体的な間違いを見付けられるとよい。次の活動で具体から抽象へと言葉を変え、推敲の観点としていく。

ICT 端末の活用ポイント

推敲用のモデル文を児童の端末に配付し、子供が書き込んだり共有したりできるようにする。

すてきなところを　つたえよう

1

どんなことに気をつけて　手紙を読みかえしたら
いいだろう

ところは・・・ところです
しゅ語とじゅつ語のつながり
「、」や「。」をつかう
ならった　かん字をつかう
字のまちがい
「は」「を」
かん字　かたかな

2

□□さん
□□さんのすてきなところは、いつもやさしいです。（やさしいところです。）
休み時間にいちねんせい（、一年生）がないていたとき□□さんは、（、）わやさしく声おかけていま（を）。（うれしそうでした。）
した一年生はうれしいです
国読（語）のじゅぎょう中には、
ぼくにひんと（ヒント）をおしえて
くれました。
ぼくも□□さんのように（、）

赤い字のことに気をつけて手紙を直すようにする。

3 推敲について共有し、振り返った後、自分の手紙を読み返す　〈20分〉

○本時の学びを生かして、自分の手紙を読み返すよう指示する。

○朱書きによって直してもよいが、「手紙をもらう相手が気持ちよく受け取れるかどうか」という視点で、直せる範囲で直せばよいことを伝える。

T　どんなところを直しましたか。

・「は」と「わ」のところです。

・「読」を「語」に直しました。

T　何に気を付けて読んだから、この２つを直せたのでしょう。

・漢字　・平仮名　・文字

○上記のように、他の推敲の観点も整理できたら、「分かったこと・できたこと」の視点で振り返りを行うよう伝える。

よりよい授業へのステップアップ

推敲の工夫

子供は推敲をしたくないと思うことが多い。それまでに一生懸命書いてきた文章を直したくないからである。

そのために、相手意識を高めるなどして、意欲的に取り組めるようにしたい。また、友達と一緒に推敲することも有効である。

推敲に重点を置くのであれば、１学期に書いたものを２学期に推敲し、別の単元として扱うのもよい。

そして、推敲することで文章がよりよいものになることを実感できるようにしていきたい。

本時案

すてきなところを つたえよう 8/10

本時の目標

・丁寧な言葉と普通の言葉との違いに気を付けて使うとともに、敬体で書かれた文章に慣れることができる。

本時の主な評価

❶丁寧な言葉と普通の言葉との違いに気を付けて使い、敬体で書かれた文章に慣れている。【知・技】

資料等の準備

・特になし

【へんじで つたえたいこと】
○わたしが、つたえたいことは・・・。

3
☆ふりかえり
○手紙をもらって どう思いましたか
○そのわけも書きましょう
○このあとどうしたいかも書きましょう

授業の流れ ▷▷▷

1 本時のめあてを確認する 〈10分〉

T 今日は、いよいよ友達に手紙を渡します。手紙をもらったらどうしたいですか。

・すぐに読みたい。

・相手にお返事を書きたい。

T お返事も大切な手紙と同じです。どのように書けばいいでしょうか。手紙を書く前の学習を思い出してみましょう。

・考えを整理する。 ・考えを広げる。

○上記のようなやりとりから、「手紙を読んで思ったことを整理しよう」という趣旨のめあてを立てられるとよい。

○単元の導入で「お別れ会で渡す」と明記したが、学級活動の時間であるため、その活動については記載していない。

2 もらった手紙を読み、思ったことを書く 〈25分〉

T 手紙を読んで思ったことを書きましょう。

・(運動会のときに、足が速かったという手紙を読んで) とてもうれしいです。どうしてかというと、たくさん練習したからです。

○読んだ感想は大切にしたい。ここでしっかりと書くようにする。

T 手紙を読んだ感想から、手紙をくれた相手との思い出が広がりますか。

・手紙をくれた□□さんも、運動会の練習を頑張っていました。

○この後の返事を見据えて、手紙の内容から相手との思い出を想起できるとよい。

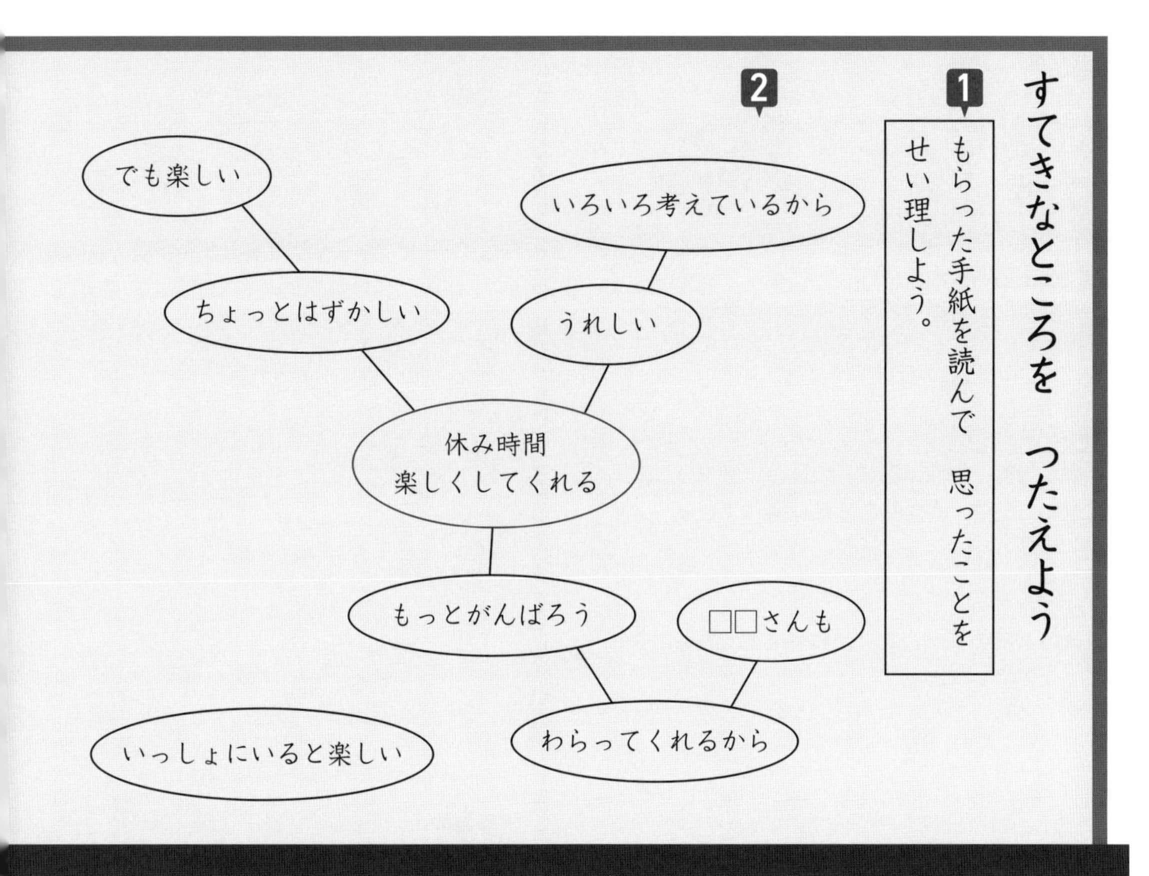

3 返事の内容を選び、本時の学習を振り返る　〈10分〉

○手紙の感想から思い出したことから、返事に書く内容を選ぶ。

T　どんなことを手紙に書きますか。思い出したことから選びましょう。

・運動会のことで返事を書きたいな。□□さんは、玉入れを頑張っていたから、そのことを書こう。

○本時の振り返りを行う際は、①手紙をもらってどう思ったか、②なぜそう思ったのか、③この後どうしたいか等の視点で行うようにする。

・手紙をもらって、とてもうれしかったです。どうしてかというと、足が速いことに自信があったからです。早く返事を書きたいです。

よりよい授業へのステップアップ

思考を繰り返すこと

　相手の素敵なところや相手との思い出などを考え、考えを広げ、その中から伝えたいことを選ぶという思考の流れは、本単元の中で何度も見られる。そして繰り返すうちに、より短時間で思考することができるようになる。

　日常生活において、じっくり思考する場面もあるが、その場で考えすぐに判断することが多い。知識を得るのではなく、知識となるものを生み出すための思考の流れを獲得できる授業を展開したい。

本時案

すてきなところを つたえよう 9/10

本時の目標

・丁寧な言葉と普通の言葉との違いに気を付けて使うとともに、敬体で書かれた文章に慣れることができる。((1)キ)

本時の主な評価

❶丁寧な言葉と普通の言葉との違いに気をつけて使い、敬体で書かれた文章に慣れている。【知・技】

資料等の準備

・返事の手紙のモデル文（教科書 p.110のものに一部加筆した）

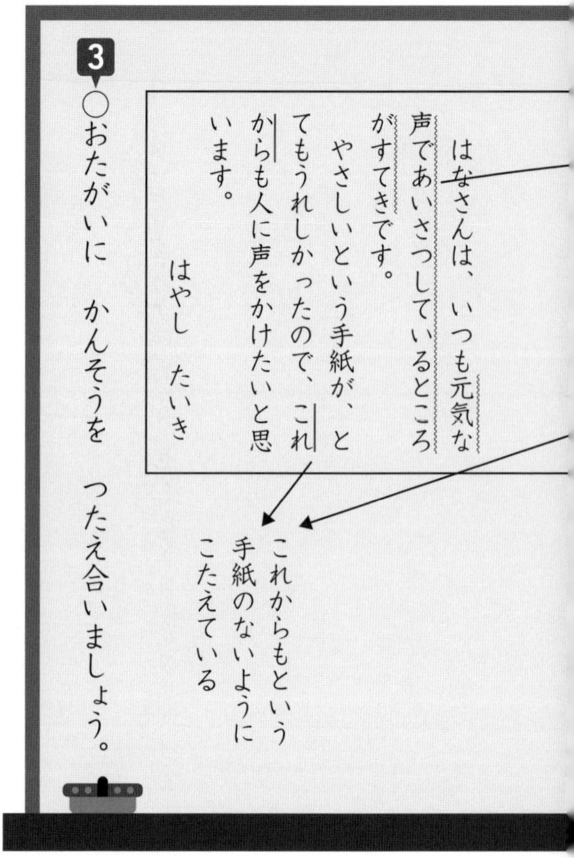

はなさんは、いつも元気な声であいさつしているところがすてきです。
やさしいという手紙が、とてもうれしかったので、これからも人に声をかけたいと思います。
はやし　たいき

これからもという手紙のないようにこたえている

3
○おたがいに　かんそうを　つたえ合いましょう。

授業の流れ ▷▷▷

1 本時のめあてを立てる 〈10分〉

○本時のめあてを板書する。

T　前回、伝えたいことを選びましたね。今日はそれを基に手紙の返事を書きましょう。返事にはどのようなことを書けばいいですか。

・自分の伝えたいこと　・手紙のお礼

・相手のいいところ

○返事の内容は、相手の手紙を受けてのものであることを確認し、自分の伝えたいことだけを書くわけではないことを伝える。

○教科書 p.110のモデルを掲示し、子供の発言を具体的に示す。

ICT 端末の活用ポイント

返事の手紙のモデル文は、端末上に配付し、そのままワークシートとして使用することもできる。（下書きとして活用）

2 手紙の返事を書く 〈25分〉

T　それでは返事を書きましょう。相手の手紙の内容から考えたこと、その中でも自分が伝えたいことを返事に書いてください。

・□□さん
お手紙ありがとうございます。私は、運動会の練習をがんばっていたので、足が速いという手紙をもらって嬉しかったです。
でも□□さんも速かったので、また一緒におにごっこをしましょう。

○もらった手紙の感想を入れたり、自分が言われてうれしかったことを同じように返したりすることができるようにする。

○敬体での書き方に気を付けるよう声掛けをする。

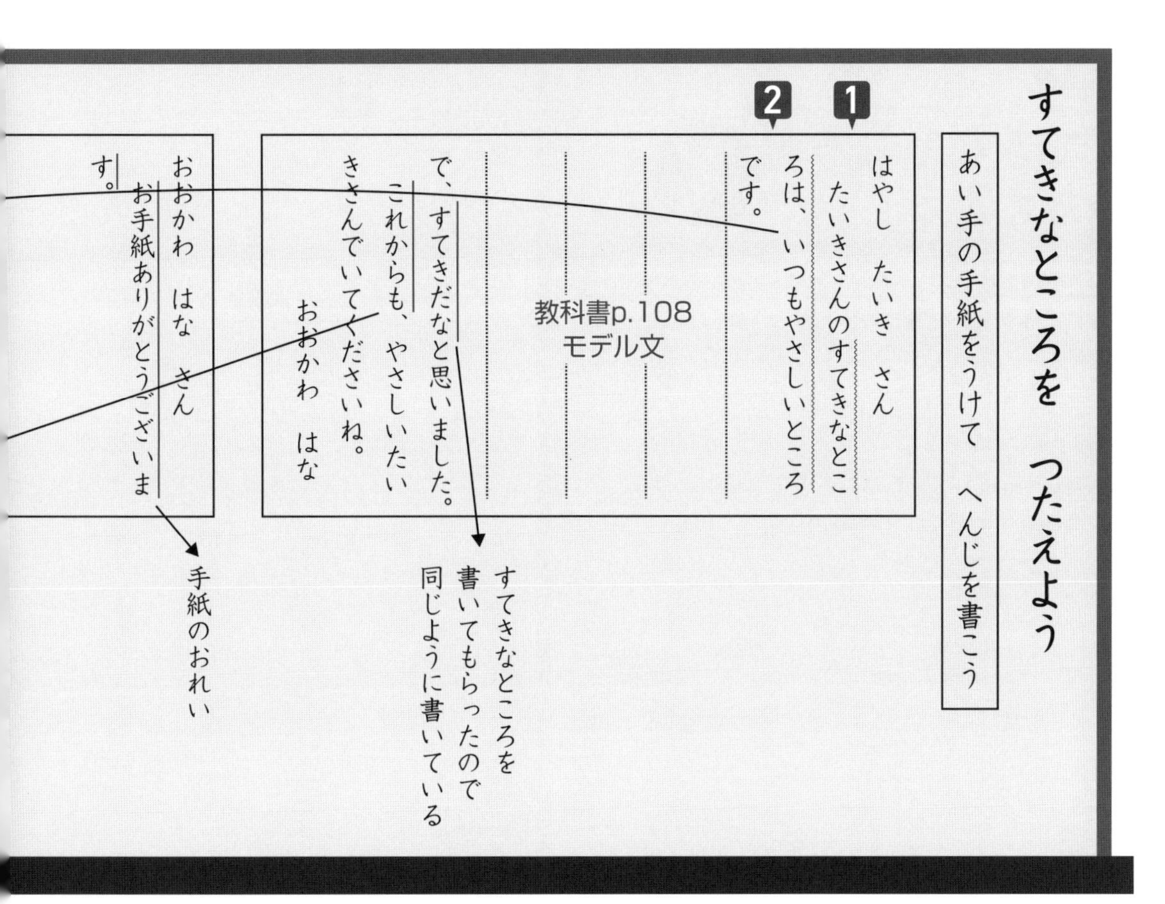

3 返事の手紙を渡し、感想を伝え合う 〈10分〉

T　返事を相手に渡しましょう。少し読む時間をとります。読んだら、お互いに感想を伝え合いましょう。

・返事の内容がうれしいです。
・その返事を書こうと思ったのは、…のことを手紙で素敵だと言ってくれたからです。

○感想を伝えるだけでなく、どんなことを考えて手紙を書いたのか、他にどんなことを伝えたかったのか等も伝えられるとよい。
○手紙の相手だけでなく、もらった感想を他の子供と伝え合ってもよい。
○次時に、単元のまとめと振り返りを行うことを伝える。

よりよい授業へのステップアップ

手紙の感想を伝え合うこと

通常、手紙は相手に送ったら、その反応を見たり聞いたりすることは難しい。しかし、この単元では受け取った相手の感想を直接受け取ることができる。こうした経験を積むことで、「この内容だと相手は喜んでくれるんだな」ということを知ることができる。

小学校のうちに、相手の反応を直接知ることができる機会を多く設定するとよい。

本時案

すてきなところをつたえよう 10/10

本時の目標

・言葉がもつよさを感じるとともに、楽しんで読書をし、国語を大切にして、思いや考えを伝え合おうとする。

本時の主な評価

・単元全体を通して学んだことを整理し、次の学習に活かそうとしている。

資料等の準備

・これまでに使用したモデル文

③手紙を書いたり、もらったりして、どんな気もちになりましたか。
④がくしゅうしたことを、どんなことに生かしたいですか。

3
☆二年生の「書くこと」のがくしゅうをふりかえりましょう

授業の流れ ▷▷▷

1 単元の学習を想起し、単元のまとめを行う 〈15分〉

○本時のめあてを板書する。

T 手紙を書くことを通して、どんなことを学習しましたか。近くの人と話し合いましょう。

・思いが伝わるように書くことが大切だね。
・内容のまとまりに気を付けて書くといいよ。
・相手のどんなところが、すてきだと思ったのか分かりやすく書けたね。

T 手紙を書くことを通して学習したことを、発表してください。

○ここでの子供の発言を生かして、単元のまとめとする。

○教科書 p.110の「たいせつ」も生かしてまとめられるとよい。

2 単元の振り返りを行う 〈15分〉

T 手紙を書く学習全体の振り返りを行います。次の４つの視点で振り返りましょう。

①ことばのつかい方で　気をつけたのは、どんなことですか。
②読む人に思いがつたわるように　くふうしたのは、どんなことですか。
③手紙を書いたり、もらったりして、どんな気もちになりましたか。
④学習したことを、どんなことに生かしたいですか。

○まとめは全体で「たしかにそうだ」と思えることとする。振り返りは自分と向き合うということであるということを伝える。

すてきなところを　つたえよう

がくしゅうを　ふりかえり　これからに
つなげよう

1

必要に応じて、これまでに使用したモデル文を掲示するとよい。

☆がくしゅうの　まとめ
○手紙のないようを考えるときは
①書きたいことを広げる　②つたえたいことをえらぶ
○手紙を書くときは
①ていねいな字で書く　②ないようのまとまりを作る
○手紙を書きおえたら
①まちがいがないか読みかえす

2

☆がくしゅうの　ふりかえり
①ことばのつかい方で　気をつけたのは、どんなことですか。
②読む人に思いがつたわるように　くふうしたのは、どんなことですか。

3　2年生の国語を振り返り、3年生に向けて意欲を高める〈15分〉

○単元の振り返りについて発表する場を設け、全体で共有する。
○2年生の最後の「書くこと」の単元であることから、国語の学習を振り返ることができるようにする。
T　これで2年生の「書くこと」の学習は全て終わりました。何を学習したか思い出してみましょう。
・じゅんじょ　・組み立て　・思いを伝える
T　では、その学習を通して学んだことは何ですか。近くの人と話し合ってみましょう。
○教科書やノート等を見ながら、学習を振り返るようにする。
○3年生の学習を少し紹介するなどして意欲を高める。

よりよい授業へのステップアップ

単元の振り返り

教科書の振り返りの視点は、焦点化されていて、とても分かりやすいものになっている。指導事項も焦点化されるということである。

一方で、学習内容だけでなく学習活動も振り返るという意図があるならば①何を学んだのか、②どのように学んだのか、③なぜ学ぶのか、といった視点でもよい。

振り返りの時間は、振り返ったことを今後につなげることが大切であるので、左記の④のような、未来志向の視点も取り入れていきたい。

資　料

1 第２時資料　考えを広げるためのツール（記入例） 20-01

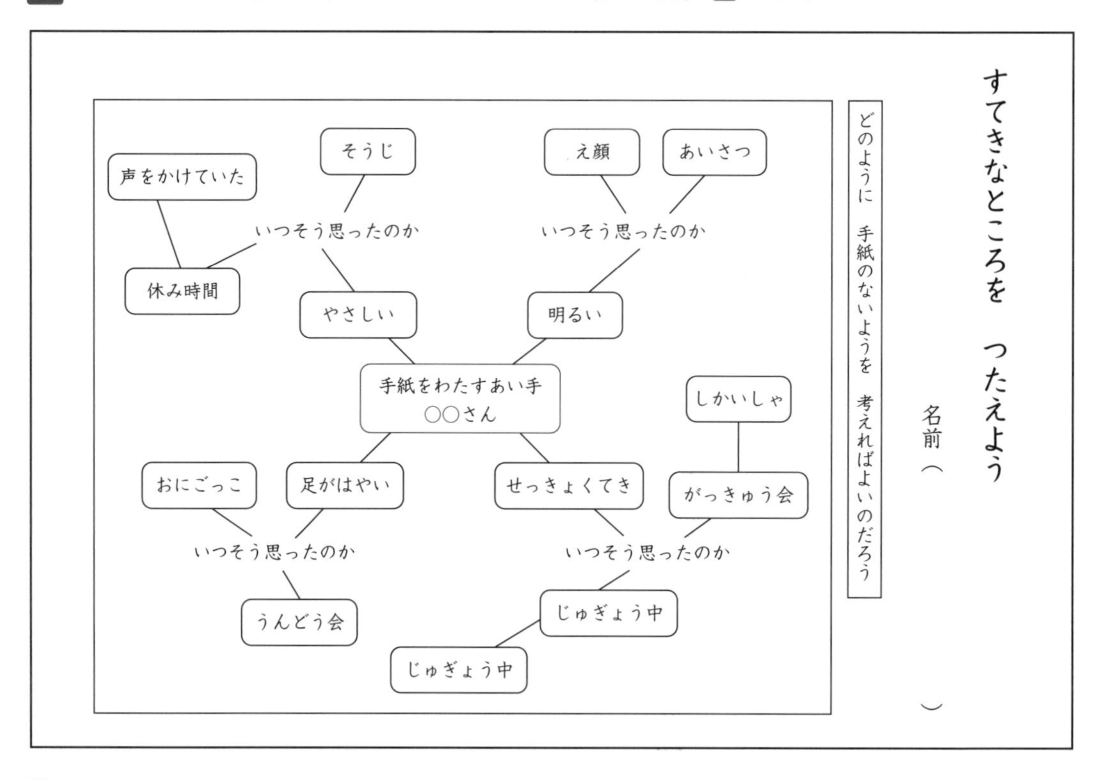

2 第４・５時資料　手紙を書くワークシート 20-02

すてきなところを　つたえよう

名前（　　　）

つたえたいことが　あい手につたわるように　手紙を書こう

だれに	なにを	はじめ	中	おわり

3 推敲用のモデル文 20-03

すてきなところを　つたえよう

名前（　　　　　　　　　）

どんなことに気をつけて　手紙を読みかえしたらいいだろう

□□さん

□□さんのすてきなところは、いつもやさしいです。

休み時間にいちねんせいがないていたとき□□さんわ

やさしく声おかけていました一年生はうれしいです

国語のじゅぎょう中には、ぼくにひんとをおしえて

くれました。

ぼくも□□さんのように一年生や友だちにやさしく

したいと思いました

読んで、かんじたことをつたえ合おう

スーホの白い馬　（14時間扱い）

単元の目標

知識及び技能	・身近なことを表す語句の量を増し、話や文章の中で使うとともに、言葉には意味による語句のまとまりがあることに気付き、語彙を豊かにすることができる。((1)オ) ・共通、相違、事柄の順序など、情報と情報との関係について理解することができる。((2)ア)
思考力、判断力、表現力等	・文章を読んで感じたことや分かったことを共有することができる。(C カ) ・場面の様子に着目して、登場人物の行動を具体的に想像することができる。(C エ)
学びに向かう力、人間性等	・言葉がもつよさを感じるとともに、楽しんで読書をし、国語を大切にして、思いや考えを伝え合おうとする。

評価規準

知識・技能	❶身近なことを表す語句の量を増し、話や文章の中で使うとともに、言葉には意味による語句のまとまりがあることに気付き、語彙を豊かにしている。(〔知識及び技能〕(1)オ) ❷共通、相違、事柄の順序など、情報と情報との関係について理解している。(〔知識及び技能〕(2)ア)
思考・判断・表現	❸「読むこと」において、文章を読んで感じたことや分かったことを共有している。(〔思考力、判断力、表現力等〕C カ) ❹「読むこと」において、場面の様子に着目して、登場人物の行動を具体的に想像している。(〔思考力、判断力、表現力等〕C エ)
主体的に学習に取り組む態度	❺進んで場面の様子に着目して、登場人物の行動を具体的に想像し、学習の見通しをもって感じたことや分かったことを文章にまとめ、伝え合おうとしている。

単元の流れ

			評価
一	1	学習の見通しをもつ 「スーホの白い馬」の範読を聞き、強く心に残ったことを中心に、初めの感想をノートに書く。	
	2	初めの感想をクラス全体で共有し、学習課題を設定し、学習計画を立てる。 お話を読んでかんじたことを、「お話レター」にまとめて、友だちと伝え合おう。	
二	3	「スーホの白い馬」を音読し、登場人物と出来事をたしかめ、あらすじをつかむ。	❷

	4 〜 10	登場人物の様子が表れている言葉にサイドラインを引きながら読み、スーホや白馬の様子を具体的に想像する。	❶❹
三	11 〜 13	これまでの学習で読み取ったことや想像したことを基に、自分が一番心を動かされたところとその理由を「お話レター」に書く。	❺
		「お話レター」に書いたことを基に、友達と感想を交流し合う。	❸
	14	交流し合ったことを基に、単元全体の学習をまとめ、振り返る。 **学習を振り返る**	

授業づくりのポイント

〈単元で育てたい資質・能力〉

本単元のねらいは、「スーホの白い馬」を読んで感じたことを、友達と共有する力を育むことである。子供の様々な感想を引き出すためには、第2時で、子供の感想から読みの課題を引き出すことがとても重要である。そうすることで第三次の「お話レター」の内容が、より深い内容となる。

［具体例］

例えば、初めの感想で、「白馬が死んでしまった場面が悲しかった」という考えが出た場合、教師が、「他に悲しかった場面はあるかな」など問い掛けることで、スーホが馬頭琴を作る場面や演奏する場面の感想を、子供から引き出すことができる。そして、「どうして馬頭琴を作ることにしたのだろう」「どうして馬頭琴の音が、聞く人の心をゆりうごかすのだろう」と教師がさらに問いかけることで、読みの課題を立てることができる。

〈言語活動の工夫〉

物語を読んで感じたことや分かったことを伝え合うために、「お話レター」を書く活動を設定する。「お話レター」は、表面に感想を読んでもらう相手の名前を書き、裏面に自分が一番心を動かされたところとその理由を書く。感想を読んでもらう相手を設定することで、子供は相手を意識して、相手に伝わるよう自分の感想を書こうとするであろう。また、「お話レター」を交換し、互いに読み合うことで、相手の感じたことに対してじっくり向き合うことができる。2年生の学年末の単元であることから、中学年の学習を意識し、友達と自分の感想を比べて「その考えもいいな」と思ったことを伝え合わせるようにしていく。

〈ICT の効果的な活用〉

共有：第三次で書いた「お話レター」をICT端末で写真に撮り、描画アプリに貼り付ける。それらを学級全体で見られるように設定することで、スムーズに感想を交流することができる。

本時案

スーホの白い馬

本時の目標

・今までの物語の学習から、単元の見通しをもち、スーホの白い馬の感想をノートに書くことができる。

本時の主な評価

・今までの学習を思い出し、単元の見通しをもっている。
・内容の大体を把握し、感想を書いている。

資料等の準備

・特になし

2
○ノートの書き方のれい
・――というところが強く
心にのこりました。
・――が――するところが楽し
かったです。

授業の流れ ▷▷▷

1 今まで学習してきた物語を想起し、学習の見通しをもつ 〈15分〉

T　２年生の国語の学習で、今までどのような物語を読んできましたか。
・ふきのとう　・スイミー
・お手紙　・みきのたからもの
T　その中で、一番強く心に残っている物語はどれですか。理由と一緒に友達と話してみましょう。
○ペアや近くの友達同士で話させ、どの子供にも表現の機会を与える。その後、教師が指名し、学級全体に共有していくとよい。
T　今回は、物語を読んだ感想を、友達と伝え合う学習を進めていきます。
○本時のめあてを板書する。

2 範読を聞き、強く心に残ったことをノートに書く 〈25分〉

○子供にとって長い文章であることと、感想を伝え合う活動を行うことを考えると、ある程度抑揚や緩急をつけて範読することが好ましい。また、子供にとってなじみのない言葉や、読みにくい言葉はゆっくり読むといった工夫をするとよい。
T　ノートに書くときは、このように書くとよいでしょう。１つだけでなくいくつか書けそうな人は書いてみましょう。
・白い馬が死んでしまうところが強く心に残りました。
・白い馬がおおかみと戦うところがかっこいいと思いました。
○書くことが苦手な子供を想定し、ノートへの書き方のモデルを提示しておく。

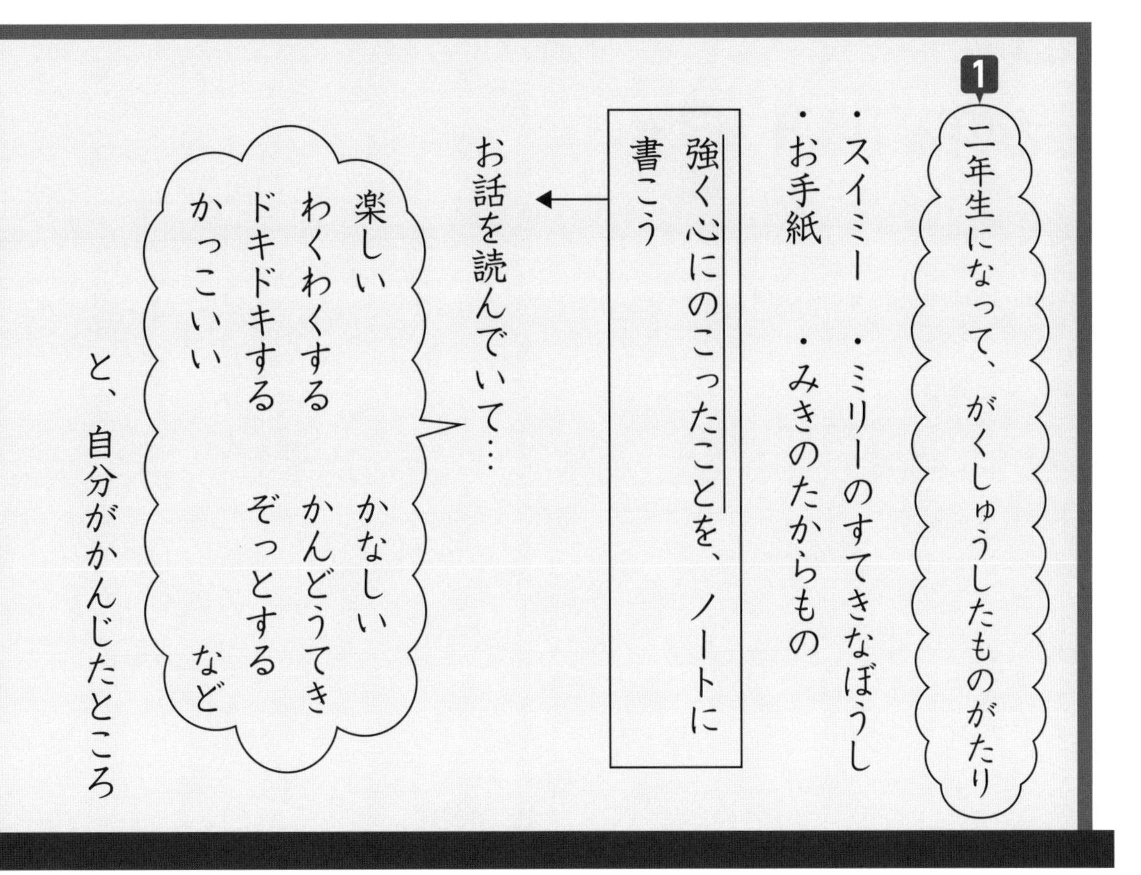

3 次時の学習の見通しをもつ〈5分〉

T 今日は、「スーホの白い馬」の音読を聞いて、感想を書きました。次回は、みなさんが書いた感想から、学習のめあてや学習計画を立てていきましょう。

よりよい授業へのステップアップ

単元冒頭の感想の扱い方

単元冒頭の物語に対する感想は、子供の素直な気持ちがよく表れる。だからこそ、分かりやすく感想を書けたかではなく、子供一人一人がどのように感じたかに目を向けていきたい。2の活動で子供がノートに書いている際は、十分に机間指導を行い、ノートの文面だけでは分かりにくい子供には、個別に声を掛け、聞き取るとよいだろう。

本時案

スーホの白い馬

本時の目標

・「スーホの白い馬」の初めの感想を交流し、学習計画を考えている。

本時の主な評価

・初めの感想から学習計画を考え、これからの学習に対して見通しをもっている。

資料等の準備

・拡大したお話レター（教師の見本） 21-01

②音読して、とう場人ぶつとできごとをかくにんする。
③〜⑧場めんごとにようすをくわしく読む。
⑨「お話レター」を書く。
⑩友だちとつたえ合う。

授業の流れ ▷▷▷

1 ノートに書いたことを、友達と交流する 〈15分〉

T　ノートを友達と読み合って、感想を交流してみましょう。友達と同じか、違うか比べてみましょう。

・○○さんと私は、同じところを選んでいるね。

・白い馬がしんでしまうところを書いている人が多かったよ。

○ペアや近くの友達同士で話させ、どの子供にも表現の機会を与える。その後、教師が指名し、学級全体に共有していくとよい。

2 「お話レター」について理解する 〈10分〉

T　お友達の感想は自分とはちがっているものもありましたね。これからの国語では、「スーホの白い馬」を読んで感じたことを、「お話レター」に書いて、友達と伝え合う学習をしていきましょう。

○学習課題を板書し、ノートに写させる。めあてを意識させるために、子供と一緒に声に出して読み上げるとよい。

T　「お話レター」を書いて、感想を友達と伝え合うためには、どのようなことに気を付けながら物語を読んだらいいでしょうか。

・登場人物に気を付けて読みます。

・あらすじを考えながら読みます。

・登場人物のしたことや言ったことを考えながら読みます。

がくしゅうかだい
お話を読んでかんじたことを「お話レター」にまとめて、友だちとつたえ合おう。

お話レター
教師の見本
拡大掲示

○がくしゅうけいかく

スーホの白い馬

①強く心にのこったことをノートに書く。

3 単元全体の学習計画を立て、本時の学習を振り返る 〈20分〉

T　みなさんから出た意見を取り入れながら、学習計画を立てていきましょう。

○２年生という実態から、子供の意見を取り入れつつ、教師主導で計画を書いていく。

T　それでは、今日の学習を振り返りましょう。

・あらすじを考えることが難しそうなので丁寧に読みたいです。
・友達と感想を伝え合うのが楽しみです。
・学習の流れがよく分かりました。

○めあてや計画が分かったか、単元を通して楽しみなことや難しそうなことをノートに書かせる。

よりよい授業へのステップアップ

学習の見通しをもたせるために

単元を通した言語活動を扱う際には、必ず教師が見本を書き、子供がつまずきそうな箇所や、単元全体との結び付きを確認しておくとよい。

本単元は14時間扱いと長いので、本時で使用した「お話レター」の見本は、単元の学習が終わるまで教室内に掲示しておくとよい。また、学習課題や学習計画についても、画用紙や模造紙に書き、教室内に掲示しておくことで、子供に学習の見通しをもたせることができる。

本時案

スーホの白い馬

本時の目標

・文章を音読し、登場人物や主な出来事から物語のあらすじを理解することができる。

本時の主な評価

❷事柄の順序に気を付けて、スーホの白い馬を読んでいる。【知・技】
・場面の様子や登場人物の行動など、内容の大体を捉えようとしている。

資料等の準備

・場面ごとの挿絵を拡大したもの

教科書p.125挿絵
ぐったりする
白馬の絵

教科書
p.126-127挿絵
馬頭琴を
奏でる絵

白馬がスーホのもとへたどりつく。
← しんでしまう。
スーホが馬頭琴を作る。

授業の流れ ▷▷▷

1 本時のめあてを確認し、文章を音読する 〈20分〉

○本時のめあてを板書する。
T　今日はお話のあらすじを確認しながら「スーホの白い馬」を音読します。登場人物や、登場人物がどのようなことをしたかを考えながら、音読しましょう。
○子供にとって長い文章であるので、できるだけ音読の時間を多く確保する。
○子供が音読している間は、机間指導を行い、支援が必要な子供に音読の支援を行う。
○１人で音読をすることが望ましいが、学級や子供の実態に応じて、ペアで音読をしたり、学級全体で音読したりして、音読する量を調整するとよいだろう。

2 挿絵を見ながら、主な出来事を確認する 〈15分〉

○音読する時間が終わる頃に、挿絵を黒板に適当な順番に貼っておく。
T　これらの挿絵は、だれが何をしている場面ですか。友達と確認しましょう。
○全体交流の前にペアや近くの友達同士で話させ、どの子供にも表現の機会があるようにする。
T　これらの挿絵を物語の順に並べ替えてみましょう。
○挿絵を並び替えながら、だれが何をしている場面かを学級全体で確認していく。

ICT 端末の活用ポイント

板書と同じ教科書の挿絵を ICT 端末の描画アプリ等に送付しておき、挿絵の並べ替えを一人一人取り組ませることで、全ての子供に活動を保障することができる。

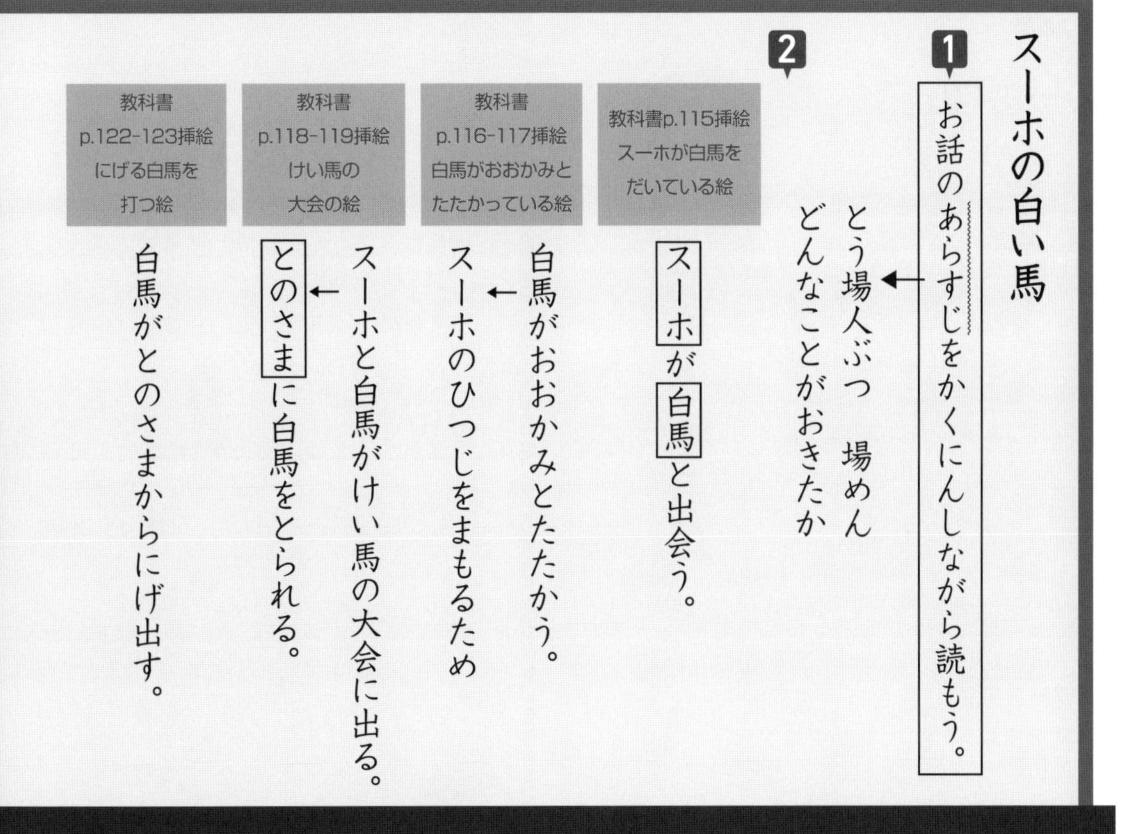

3 本時の学習を振り返り、次時の学習の見通しをもつ 〈10分〉

T　黒板を見ながら、「スーホの白い馬」がどのようなお話なのか、友達と話してみましょう。

○２年生という実態を踏まえ、物語のあらすじは、書く活動ではなく、話す活動でテンポよく確認するようにする。

・スーホの白馬が、とのさまに取られてしまい、白馬が逃げてくるけれど、死んでしまう話です。

T　次回からは、場面ごとにスーホの様子や白馬の様子をくわしく読んでいきましょう。今日の学習を振り返りましょう。

○本時のめあてに対して、どの程度できたかを振り返らせるようにする。

よりよい授業へのステップアップ

挿絵の活用

内容の大体を捉えることとは、場面の様子や登場人物の行動などを手掛かりとしながら、物語の登場人物や主な出来事、結末などを大づかみに捉えることである。そして、学習指導要領解説では、内容の大体を捉えることが、文章の精査・解釈することなどに結び付くことを徐々に実感できるようにしていくことが大切であると書かれている。

本作品は、子供にとって長い文章であるので、挿絵から、「誰が」「どうした」場面なのかを考えさせることで、どの子供も取り組めるであろう。

本時案

スーホの白い馬

本時の目標

・スーホの性格や、白馬を拾ってきたときの様子を具体的に想像しながら読むことができる。

本時の主な評価

❶身近なことを表す語句の量を増やし、話や文章の中で使うとともに、言葉には意味による語句のまとまりがあることに気付き、語彙を豊かにしている。【知・技】
❹スーホの性格や白馬の様子に着目して、スーホの行動を具体的に想像している。【思・判・表】

資料等の準備

・挿絵を拡大したもの

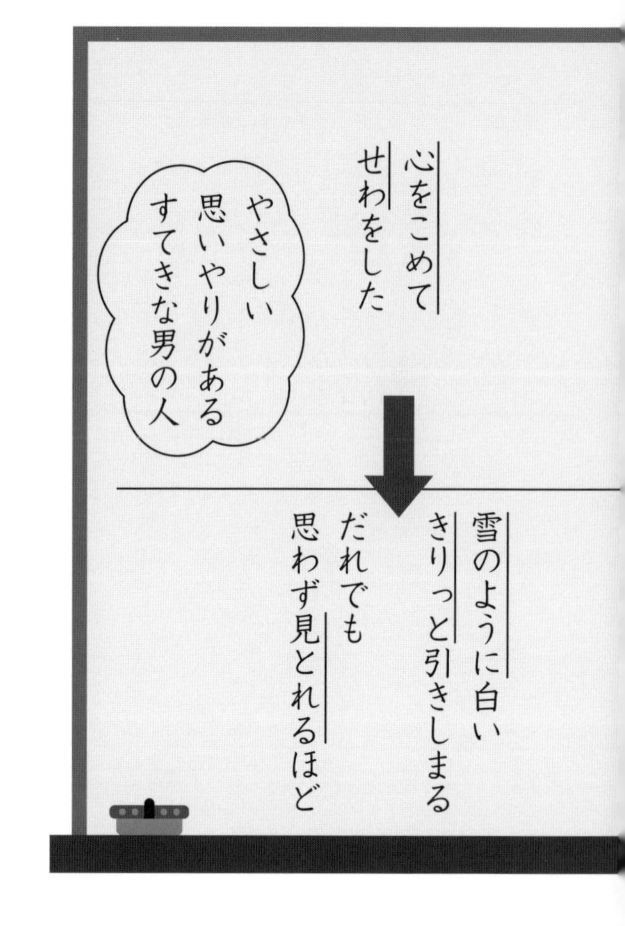

授業の流れ ▷▷▷

1 本時のめあてを確認し、登場人物の様子を読む 〈15分〉

○本時のめあてを板書する。
T　今日は、スーホが白馬を拾ってきた場面の様子をくわしく読んでいきましょう。スーホや白馬の様子がよく表れている言葉にサイドラインを引きながら、読みましょう。
○一人読みの時間を十分にとるようにする。
T　スーホや白馬の様子がよく表れている言葉を確認しましょう。
・まずしいひつじかいの少年
・よくはたらく
・とても歌がうまい
・心をこめて世話をした
・雪のように白い
・誰でも思わず見とれるほど

2 スーホの性格や気持ちを、叙述から想像する 〈15分〉

T　これらの言葉から、スーホはどのような少年だったと思いますか。
・心やさしい少年　・思いやりがある少年
T　これらの言葉から、スーホはどのような気持ちで白馬を育てたと思いますか。
・一人ぼっちでかわいそうな白馬。ぼくが大事に育ててあげるよ。

ICT 端末の活用ポイント

文書作成アプリを用いて、スーホがどのような少年だったのかを書かせ、学級全体で共有することで、より多くの子供の考えを、学級全体で共有することができる。

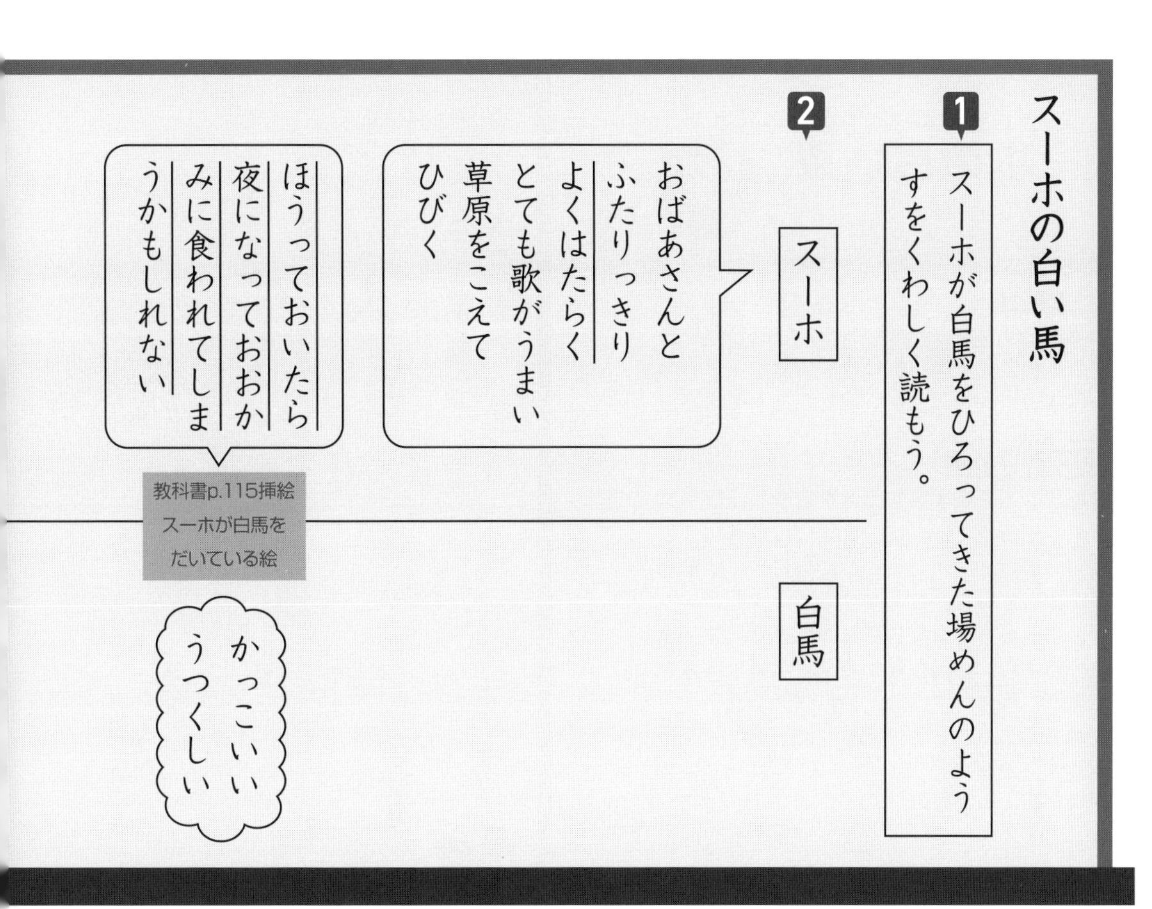

3 本時の学習を振り返る 〈15分〉

T　今日学習したことを振り返りながら、白馬を拾って育てたスーホにメッセージを書きましょう。

・地面にたおれてもがいていた白馬を助けるなんて、とてもやさしいね。

・だれもが思わず見とれるほどの馬になったなんて、スーホは本当に心をこめて世話をしたんだね。

○スーホや白馬の様子がよく表れている言葉を使いながらメッセージを書くとよいことを伝える。

○時間があれば、書いたことを発表させたり、読み合ったりする活動を取り入れるとなおよい。

よりよい授業へのステップアップ

テンポのよい授業の流れを！

1の活動では、教師は机間指導を十分に行い、子供一人一人の考えを把握しておく。2の活動で、一人読みで読み取ったことを確認する際は、意図的指名をしたり、ペアで確認する時間を入れたりと、テンポよく進めていくことが必要である。そして、スーホの性格や気持ちを想像させる発問に時間をかけるようにする。また、ICT 端末を使い、子供の考えを共有させる活動を取り入れるのもよい。

本時案

スーホの白い馬

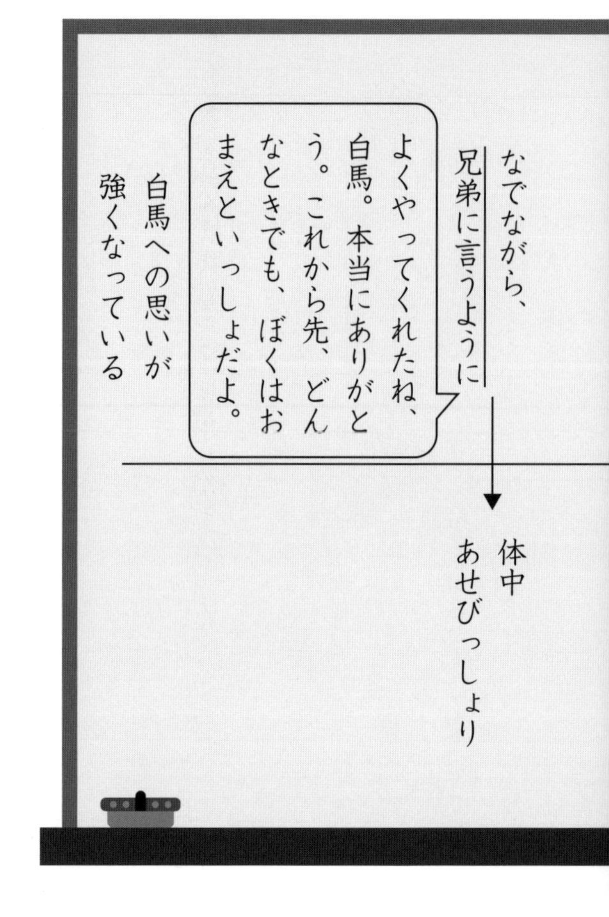

本時の目標

・白馬がおおかみから羊を守ったときの様子や、それを見たスーホの白馬に対する気持ちを具体的に想像しながら読むことができる。

本時の主な評価

❶身近なことを表す語句の量を増やし、話や文章の中で使うとともに、言葉には意味による語句のまとまりがあることに気付き、語彙を豊かにしている。【知・技】

❹おおかみから羊を守る白馬の様子や、スーホの行動から、白馬に対するスーホの気持ちを具体的に想像している。【思・判・表】

資料等の準備

・挿絵を拡大したもの

授業の流れ ▷▷▷

1 本時のめあてを確認し、登場人物の様子を読む 〈15分〉

○本時のめあてを板書する。

T　今日は、白馬がおおかみから羊を守った場面の様子をくわしく読んでいきましょう。スーホや白馬の様子がよく表れている言葉にサイドラインを引きながら、読みましょう。

○一人読みの時間を十分にとるようにする。

T　スーホや白馬の様子がよく表れている言葉を確認しましょう。

・けたたましい鳴き声
・ひっしにふせいでいる
・体中あせびっしょり
・はねおきて外にとび出す
・兄弟のように言った

2 白馬が羊を守ったときのスーホの気持ちを想像する 〈15分〉

T　白馬の様子から、白馬はどんな気持ちでおおかみと戦っていたと思いますか。

・スーホの羊を守らないと。
・今度はぼくがスーホを助けるぞ。

T　そんな白馬を見たスーホは、白馬に対してどのような気持ちだったでしょうか。

・本当に大切なぼくの白馬。どんなときもいっしょだよ。

ICT 端末の活用ポイント

前時同様、白馬の気持ちやそれを見たスーホの気持ちは、文書作成アプリで書かせ、学級全体で共有することで、より多くの子供の考えを、学級全体で知ることができる。

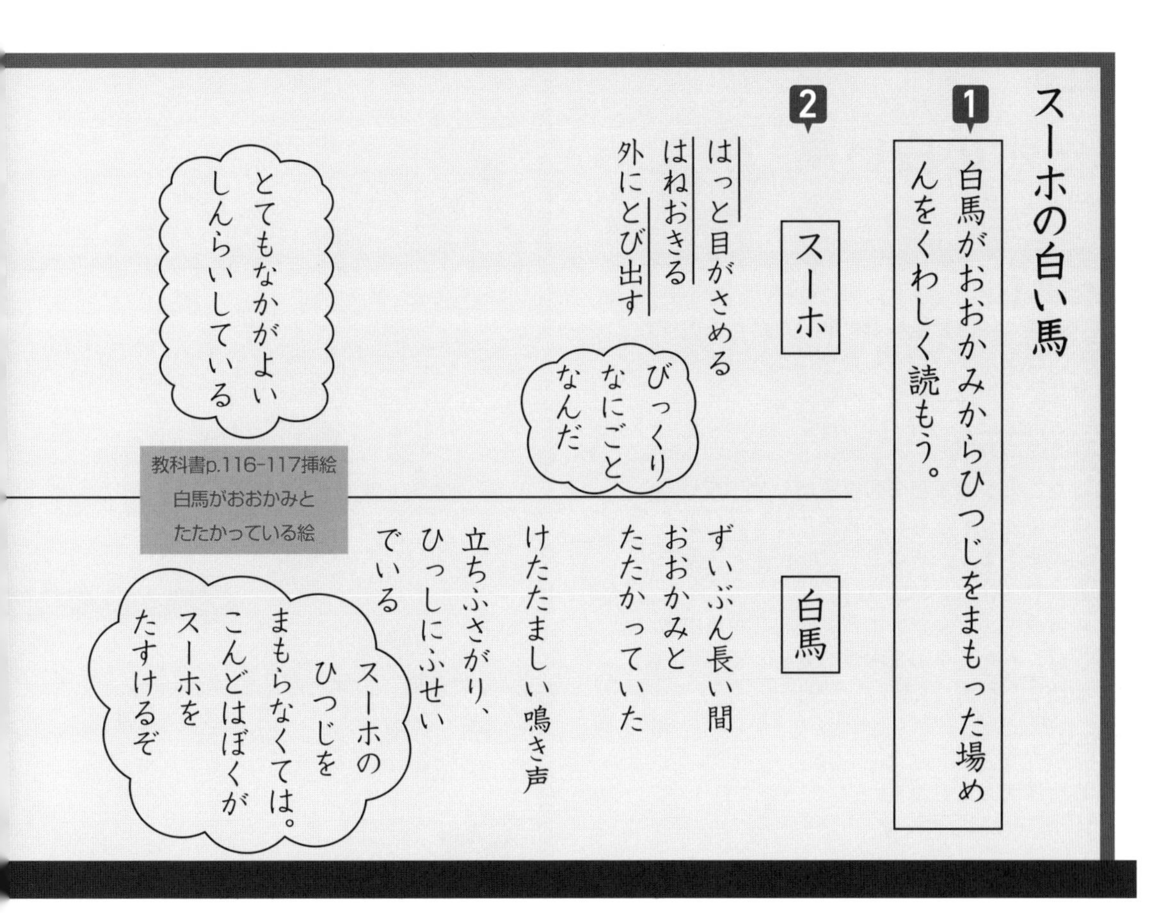

3 本時の学習を振り返る 〈15分〉

T　今日学習したことを振り返りながら、羊を守った白馬や、白馬をなでたスーホにメッセージを書きましょう。

・おおかみから羊を守ったことで、スーホと白馬はさらに仲がよくなったんだね。

・スーホが大切に育てた白馬だからこそ、羊を守ってくれたのだね。

○スーホや白馬の様子がよく表れている言葉を使いながらメッセージを書くとよいことを伝える。

○時間があれば、書いたことを発表させたり、読み合ったりする活動を取り入れるとなおよい。

よりよい授業へのステップアップ

前の場面とのつながりを！

スーホの羊を、白馬がおおかみから守った理由を辿ると、前時で扱ったスーホの「心をこめて世話をした」という叙述につながる。場面で区切りながら読むと、このようなことに子供自らが気付きにくい授業展開になってしまうので、教師が意図的に子供たちに投げ掛けるとよい。2の活動の最初の発問の補助として、「どうして白馬は、『今度はスーホを助けるぞ』という気持ちになったのだろう。」と投げ掛ければ、子供の頭の中で、場面のつながりが生まれる。

本時案

スーホの白い馬

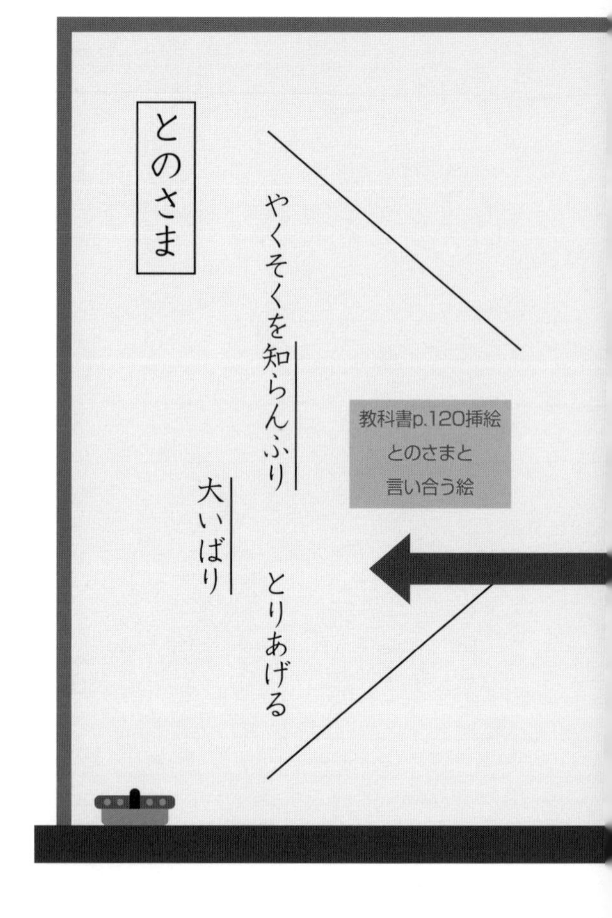

本時の目標

・スーホがとのさまに約束を破られたときの様子や、白馬をとられてしまったときの気持ちを具体的に想像しながら読むことができる。

本時の主な評価

❶身近なことを表す語句の量を増やし、話や文章の中で使うとともに、言葉には意味による語句のまとまりがあることに気付き、語彙を豊かにしている。【知・技】
❹スーホやとのさまたちの行動から、白馬を取り上げられたときのスーホの気持ちを具体的に想像している。【思・判・表】

資料等の準備

・挿絵を拡大したもの

授業の流れ ▷▷▷

1 本時のめあてを確認し、登場人物の様子を読む 〈20分〉

○本時のめあてを板書する。
T　今日は、スーホと白馬が競馬の大会に出る場面の様子をくわしく読んでいきましょう。この場面から、登場人物が一人加わります。だれでしょうか。
・とのさま
T　スーホや白馬に加えて、とのさまの様子がよく表れている言葉にもサイドラインを引きながら、読みましょう。
○一人読みの時間を十分にとるようにする。
T　とのさまとスーホの様子がよく表れている言葉を確認しましょう。
・やくそくを知らんふり　・大いばり
・気をうしなう　・きずやあざだらけ
・白馬をとられたかなしみはどうしてもきえない

2 白馬を取り上げられた時のスーホの気持ちを想像する 〈15分〉

T　とのさまは、どのような人物だと思いますか。
・ずるがしこい。
・びんぼうな人には興味がない。
T　白馬を取り上げられたスーホは、どんな気持ちだったでしょうか。
・ぼくの白馬。一体今は何をしているだろう。
・とのさまにらんぼうにされていないだろうか。とても心配だ。

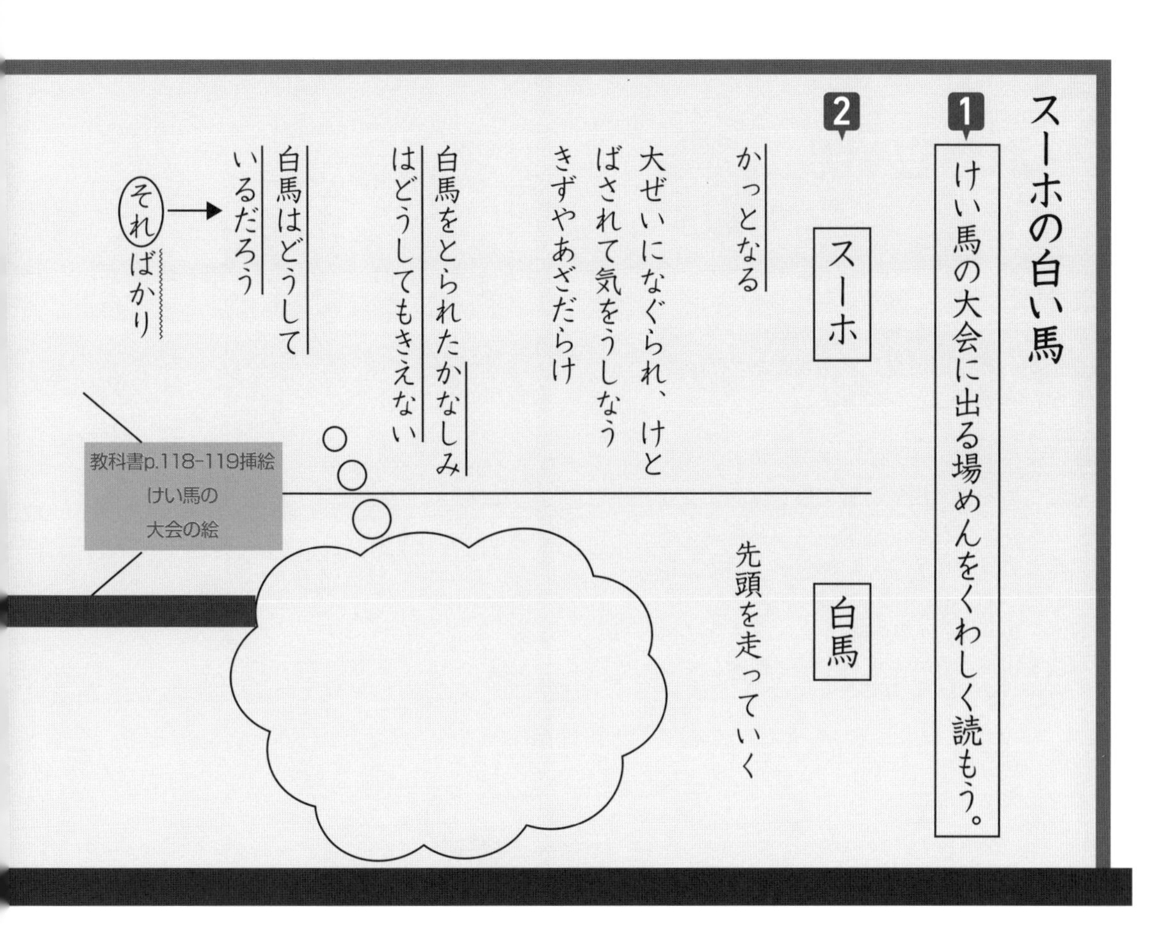

3 本時の学習を振り返る 〈10分〉

T　今日学習したことを振り返りながら、白馬を取り上げられたスーホにメッセージを書きましょう。

・うそをつかれ、白馬も取り上げられて、本当にかわいそうだね。

・私もスーホと同じように、取り上げられた白馬が心配でたまらないよ。

〇スーホの様子がよく表れている言葉を使いながらメッセージを書くとよいことを伝える。

〇時間があれば、書いたことを発表させたり、読み合ったりする活動を取り入れるとなおよい。

よりよい授業へのステップアップ

性格の違いを意識させた１時間に

本時で扱う場面から、白馬とスーホに加えてとのさまとその家来が登場する。スーホととのさまの性格の違いに着目させながら読ませたい。2の活動の最初の発問の際は、とのさまがどのような人物かを想像した後、「とのさまに対してスーホはどのような人物でしたか。」と子供に投げ掛ける。そうすることで、スーホの真面目で優しい性格との違いから、スーホの行動をより具体的に想像することができる。

本時案

スーホの白い馬

本時の目標

・白馬を追うとのさまや家来たちの様子や、とのさまから逃げる白馬の気持ちを具体的に想像しながら読むことができる。

本時の主な評価

❶身近なことを表す語句の量を増し、話や文章の中で使うとともに、言葉には意味による語句のまとまりがあることに気付き、語彙を豊かにしている。【知・技】

❹白馬やとのさまたちの行動から、スーホのもとへ戻る白馬の気持ちを具体的に想像している。【思・判・表】

資料等の準備

・挿絵を拡大したもの

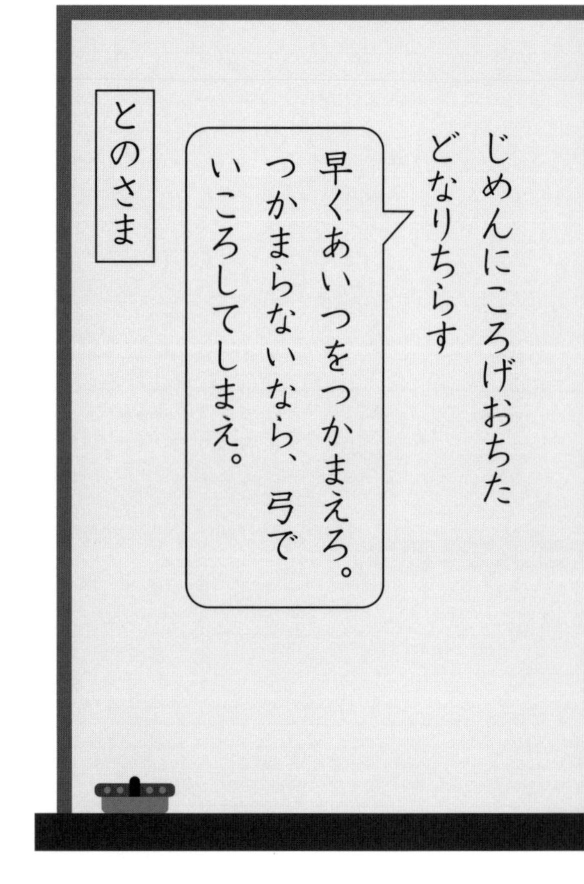

授業の流れ ▷▷▷

1 本時のめあてを確認し、登場人物の様子を読む 〈15分〉

○本時のめあてを板書する。

T 今日は、白馬がとのさまから逃げ出す場面の様子をくわしく読んでいきましょう。白馬やとのさまと家来の様子がよく表れている言葉にサイドラインを引きながら、読みましょう。

○一人読みの時間を十分にとるようにする。

T 白馬やとのさまと家来たちの様子がよく表れている言葉を確認しましょう。

・おそろしいいきおいではね上がる

・風のようにかけだした ・つぎつぎに矢がささった

・どなりちらす

2 スーホのもとへ戻る白馬の気持ちを想像する 〈15分〉

T スーホのもとへ戻る白馬はどんな気持ちだったでしょうか。

・あれだけ大切に育ててくれたスーホが大好きだから、スーホのもとへもどらなくちゃ。

・きっとスーホが心配しているだろうから、いそいでスーホに会いにいこう。

○本時で扱う場面に限らず、白馬が今までスーホに大切にされてきたことと、結び付けて想像させるようにする。

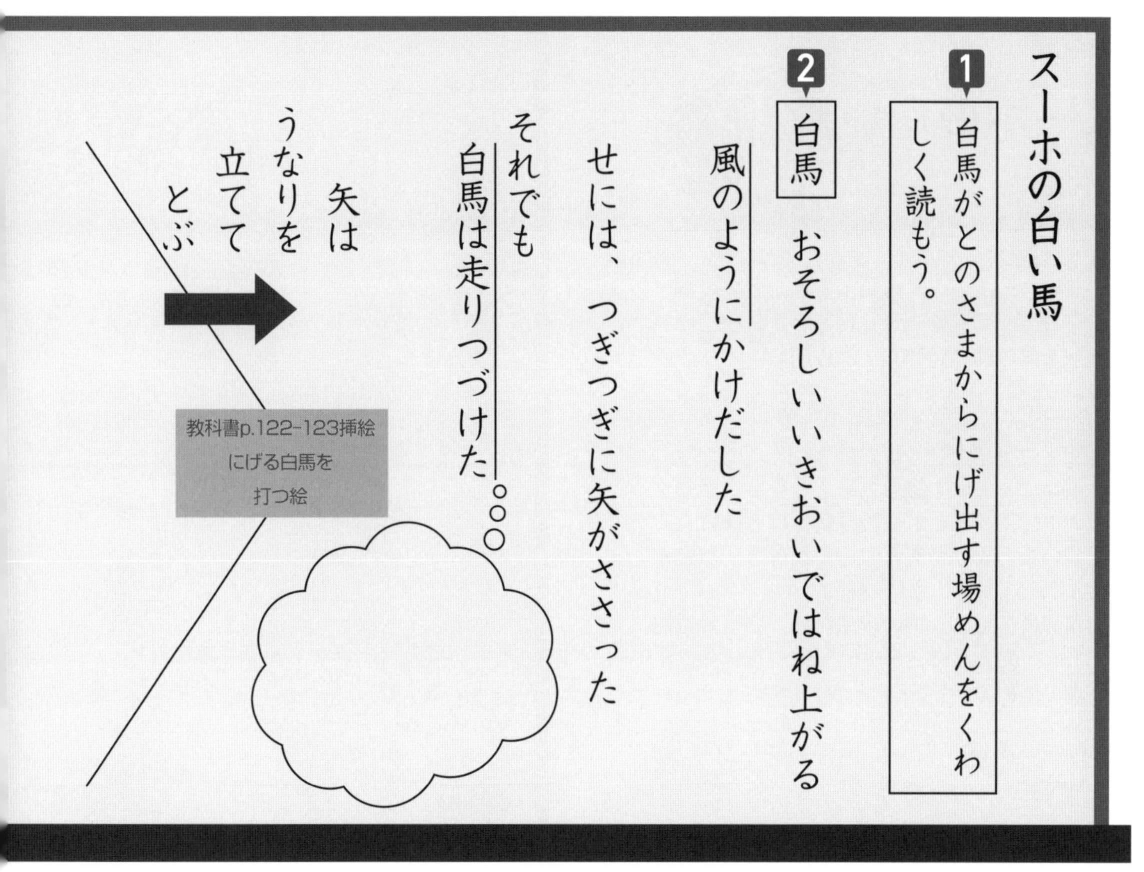

3 本時の学習を振り返る 〈15分〉

T　今日学習したことを振り返りながら、スーホのもとへ戻る白馬にメッセージを書きましょう。

・矢がせなかにささっても、スーホのもとへもどろうとするなんて、本当にスーホに会いたかったんだね。

・風のようにかけ出したのは、よほどはやくスーホに会いたかったんだね。

〇白馬の様子がよく表れている言葉を使いながらメッセージを書くとよいことを伝える。

〇時間があれば、書いたことを発表させたり、読み合ったりする活動を取り入れるとなおよい。

よりよい授業へのステップアップ

語彙に焦点を当てた指導を

　必死に走る白馬の動きや逃げる白馬を捉えようとするとのさまや家来の動きを表す言葉に着目させ、語彙を豊かにさせていきたい。例えば、白馬の動きを文章では「はね上がる」と表現している。「はねる」との違いを投げ掛け、子供に想像させたい。また、とのさまの「どなりちらす」という行動も、「どなる」との違いを想像させることで、よりこの場面の様子が想像できることだろう。

　また、「走りつづけた」を繰り返している表現にも注目させたい。

本時案

スーホの白い馬

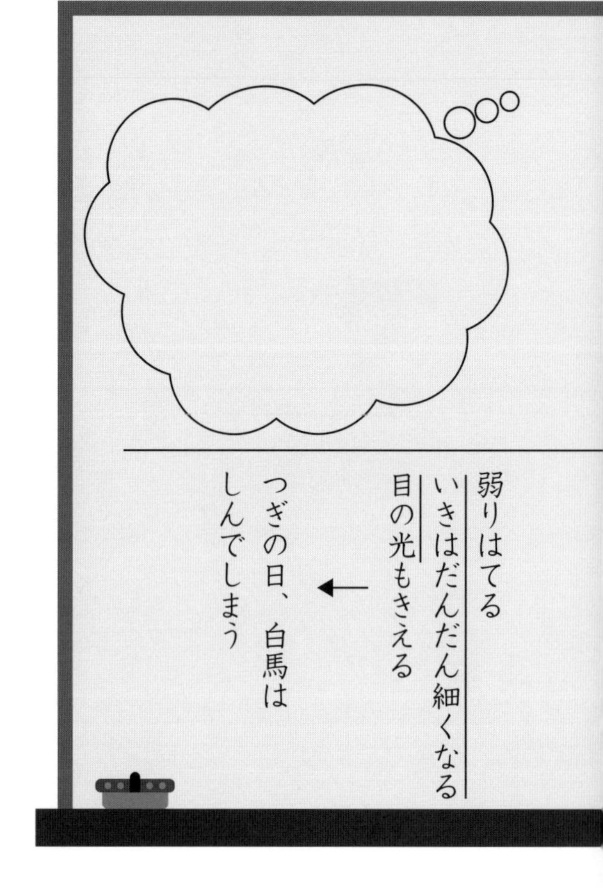

本時の目標

・白馬がスーホのもとへ戻ってきたときの様子や、白馬が死んでしまったときのスーホの気持ちを具体的に想像しながら読むことができる。

本時の主な評価

❶身近なことを表す語句の量を増やし、話や文章の中で使うとともに、言葉には意味による語句のまとまりがあることに気付き、語彙を豊かにしている。【知・技】

❹白馬の様子やスーホの行動から、白馬が死んでしまったときのスーホの気持ちを具体的に想像している。【思・判・表】

資料等の準備

・挿絵を拡大したもの

授業の流れ ▷▷▷

1 本時のめあてを確認し、登場人物の様子を読む 〈15分〉

○本時のめあてを板書する。

T　今日は、白馬がスーホのもとへたどりついた場面の様子をくわしく読んでいきましょう。スーホや白馬の様子がよく表れている言葉にサイドラインを引きながら、読みましょう。

○一人読みの時間を十分にとるようにする。

T　スーホや白馬の様子がよく表れている言葉を確認しましょう。

・はねおきてかけていく
・歯を食いしばってぬく
・あせがたきのようにながれおちる
・目の光も消える

2 白馬が死んでしまった時のスーホの気持ちを想像する 〈15分〉

○一つ一つの言葉の意味を押さえながら、白馬の様子を想像させるようにする。

T　白馬が死んでしまったときのスーホの気持ちを想像しましょう。

・こんなにきずを負っても、ぼくのもとにもどってきてくれたなんて。

○前時で想像した、スーホのもとへ戻ろうとする白馬の気持ちとのつながりも考えさせるとよい。

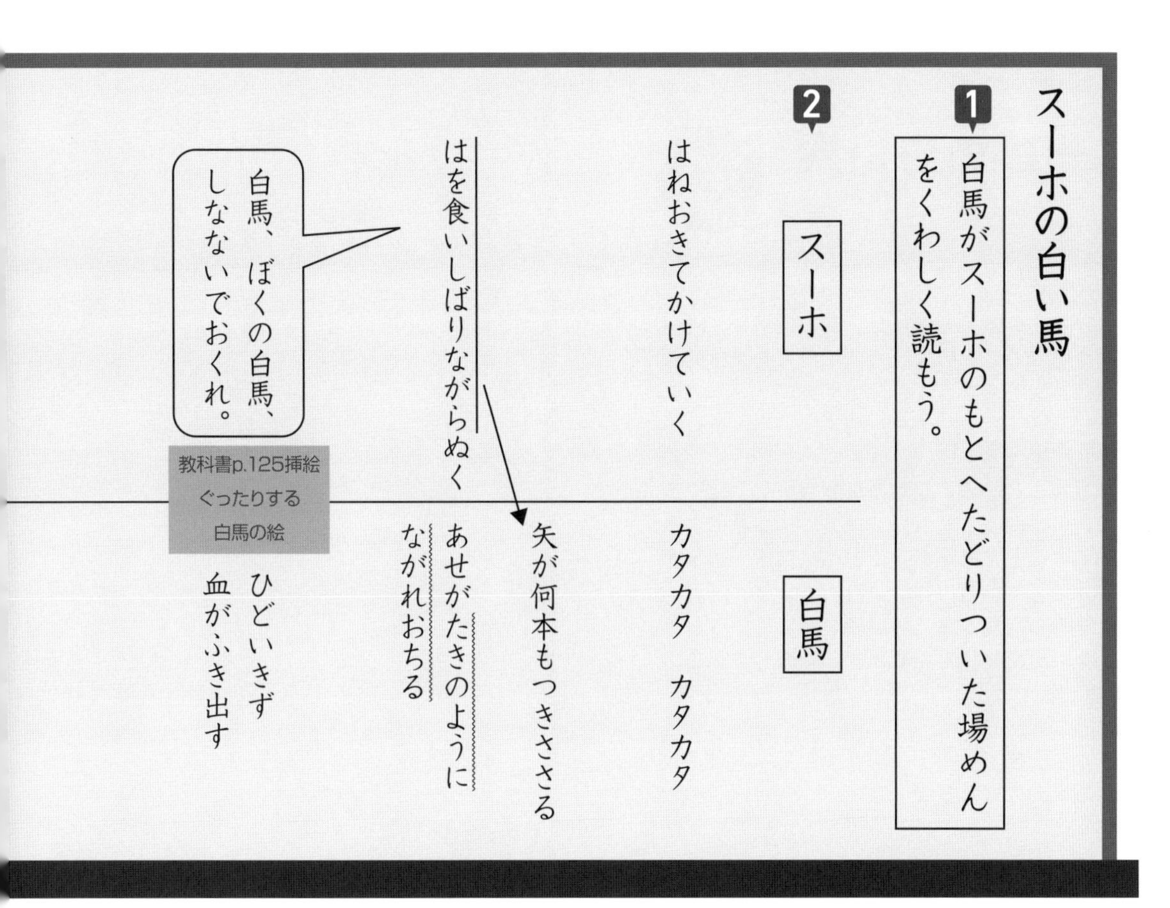

3 本時の学習を振り返る 〈15分〉

T　今日学習したことを振り返りながら、白馬を亡くしてしまったスーホにメッセージを書きましょう。

・大切に育てた兄弟のような白馬が死んでしまって、とても悲しかったよね。

・最後、スーホのもとで命を落として、白馬は幸せだったと思うよ。

・ひっしに矢をぬいているときは、スーホの気持ちが伝わってきたよ。

○スーホや白馬の様子がよく表れている言葉を使いながらメッセージを書くとよいことを伝える。

○時間があれば、書いたことを発表させたり、読み合ったりする活動を取り入れるとなおよい。

よりよい授業へのステップアップ

具体的に想像させることを！

本時で扱う場面は、スーホの気持ちを具体的に想像させたい。そのためには、2の活動で白馬の様子をしっかりと捉えさせる。血や汗の表現はもちろんのこと、「息がだんだん細くなる」「目の光も消える」といった言葉もしっかりと押さえる。また、今までの場面で学習した、スーホが心をこめて世話をしたこと、白馬がスーホの羊を守ったこと、白馬の背に矢がささっても風のように走り続けたこと等を振り返らせることで、場面のつながりも意識させる。

本時案

スーホの白い馬

本時の目標

・スーホが馬頭琴を作ったときの様子や、馬頭琴を奏でるときのスーホの気持ちを具体的に想像しながら読むことができる。

本時の主な評価

❶身近なことを表す語句の量を増やし、話や文章の中で使うとともに、言葉には意味による語句のまとまりがあることに気付き、語彙を豊かにしている。【知・技】

❹スーホの行動から、馬頭琴を奏でているときのスーホの気持ちを具体的に想像している。【思・判・表】

資料等の準備

・挿絵を拡大したもの

授業の流れ ▷▷▷

1 本時のめあてを確認し、登場人物の様子を読む 〈20分〉

T　今日は、スーホが馬頭琴を作った場面の様子をくわしく読んでいきましょう。スーホの様子がよく表れている言葉にサイドラインを引きながら、読みましょう。

○一人読みの時間を十分にとるようにする。

T　スーホの様子がよく表れている言葉を確認しましょう。

・かなしさとくやしさ
・いくばんもねむれない
・むちゅうで組み立てた
・どこへ行くときももっていた
・白馬がすぐわきにいるような気がする

2 馬頭琴を奏でるときのスーホの気持ちを想像する 〈25分〉

T　馬頭琴を奏でているときのスーホの気持ちを想像しましょう。

・この音を聞くと、白馬との楽しい思い出がよみがえってくるようだ。
・白馬はなぜ死ななければならなかったのだろう。悲しくて仕方がない。

○白馬との楽しさだけでなく、死んでしまったくやしさも思い出すことを押さえたい。

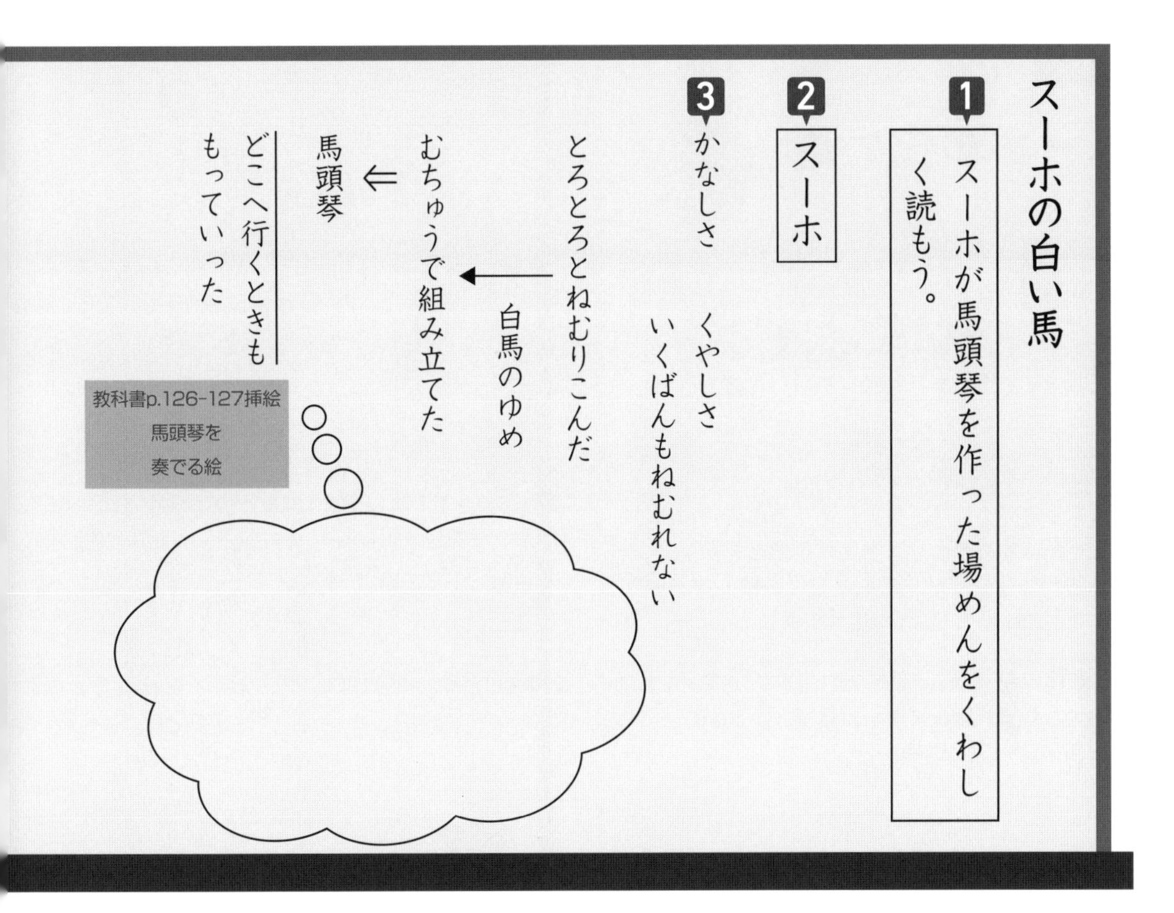

3 馬頭琴について、考えを出し合う 〈30分〉

T　どうして、馬頭琴の音が、聞く人の心を揺り動かすのか、考えを出し合いましょう。

・白馬といつでも一緒にいられるようになったから。

・これでずっと白馬のことをわすれないから。

T　その後馬頭琴はどうなりましたか。考えを出し合いましょう。

・モンゴルの草原中に広まった。

・ひつじかいたちが、音を聞いて、つかれをいやしていた。

○物語の冒頭部に戻り音読をさせ、つながりを確認するとよい。

4 本時の学習を振り返る 〈15分〉

T　今日学習したことを振り返りながら、メッセージを書きましょう。

・白馬といつでもいっしょにいられるようになってよかったね。

・これでずっと白馬のことをわすれないね。

・白馬のことを大切に思う気持ちが、聞いている人にも伝わると思うよ。

○スーホや白馬の様子がよく表れている言葉を使いながらメッセージを書くとよいことを伝える。

○時間があれば、書いたことを発表させたり、読み合ったりする活動を取り入れるとなおよい。

本時案

スーホの白い馬

本時の目標

・これまでの学習で読み取ったことや想像したことをもとに、自分が一番心を動かされたところとその理由を「お話レター」に書こうとする。

本時の主な評価

❺進んで場面の様子に着目して、登場人物の行動を具体的に想像し、学習の見通しをもって感じたことや分かったことを「お話レター」にまとめようとしている。【態度】

資料等の準備

・拡大した「お話レター」の見本 21-01
・お話レター 21-02

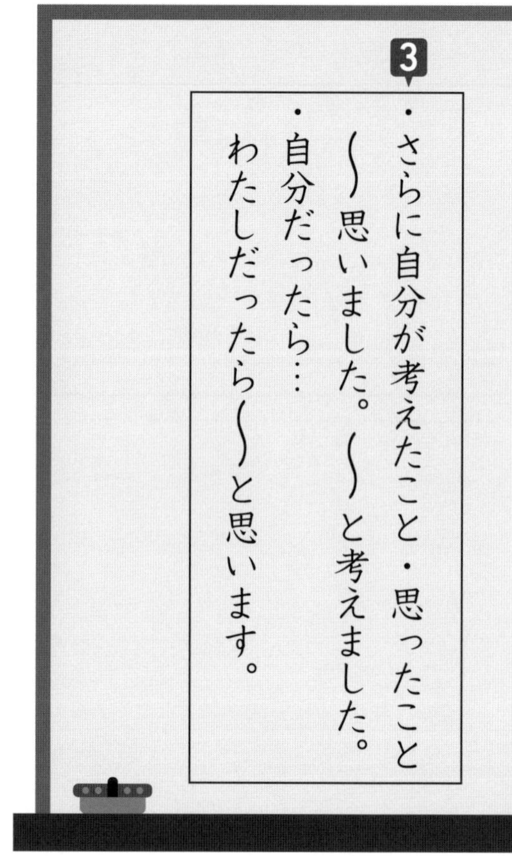

3
・さらに自分が考えたこと・思ったこと
〜思いました。〜と考えました。
・自分だったら…
わたしだったら〜と思います。

授業の流れ ▷▷▷

1 本時のめあてを確認し、お話レターの書き方を知る 〈10分〉

○本時のめあてを板書する。

T 今日は、今までの学習をもとに、「スーホの白い馬」を読んで感じたことを「お話レター」にまとめます。「お話レター」にはどのようなことを書くのでしょうか。

・右側には、一番心を動かされた場面がどこかを書きます。

・左側には、心を動かされた理由を書きます。

○理由を述べるときの文末表現や、理由の後に、さらに自分が考えたことや思ったこと等を書けるとよいことを伝える。

ICT 端末の活用ポイント

「お話レター」については、手書きで書いたものを写真で撮り、描画アプリに貼り付けるか、文書作成アプリに直接書き込ませてもよい。

2 お話レターを書く 〈60分〉

T それでは、自分が「スーホの白い馬」を読み、感じたことが友達に伝わるように、「お話レター」を書きましょう。

○子供が「お話レター」を書いている間は、学級の実態に応じて机間指導をし、支援を要する子供に支援を行う。

○特に書くことが苦手な子供に対しては、心を動かされた場面やその理由について質問をし、子供が話したことをある程度文章にしてあげるとよい。

○書き終えた子供に対しては、自分が書いた文章を何度も読み返し、誤字・脱字等がないかを確認させる。

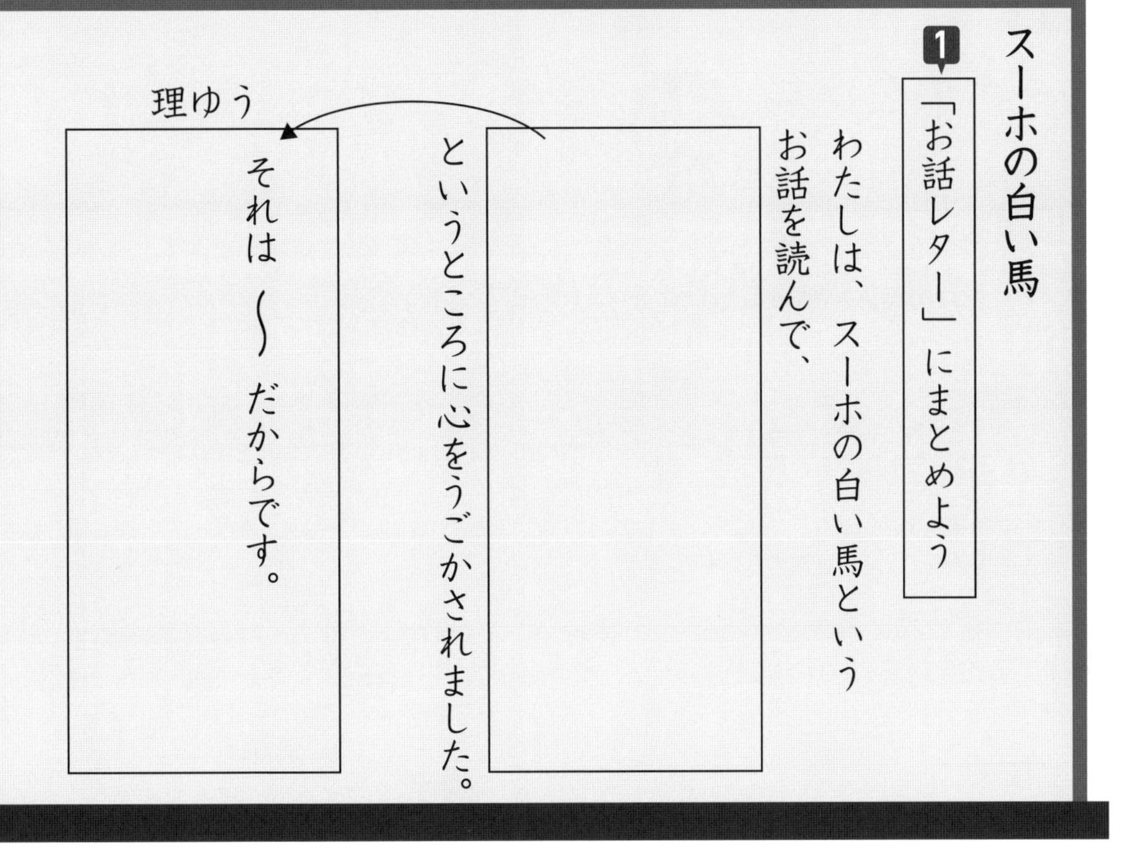

3 本時の学習を振り返る 〈20分〉

T　次回は、今日書いた「お話レター」を使って、自分が「スーホの白い馬」を読んで感じたことを友達と伝え合いましょう。
それでは、今日の学習を振り返りましょう。

○本時の学習に対して、どの程度できたかを振り返らせるようにする。また、次時の伝え合う活動に対する思いを書かせてもよい。

・友達に伝えられるような「お話レター」が書けました。
・理由の部分が難しかったけれど、頑張って書けました。
・次の時間に友達の感想を聞くのが楽しみです。

よりよい授業へのステップアップ

できる子供へ更なるステップアップを

感想をまとめる活動では、どうしても教師の目はなかなか取り組むことのできない子供にいってしまう。そのために、自力で取り組める子供には、まとめ終わった後の課題を与えておくとよい。特に低学年の子供は、頭の中で思い描いている文と、実際に紙に書かれる文が大きく異なる場合が多い。書き終えた後に、何度も微音読させながら、誤字・脱字を確認させると、更なる力につながる。

本時案

スーホの白い馬

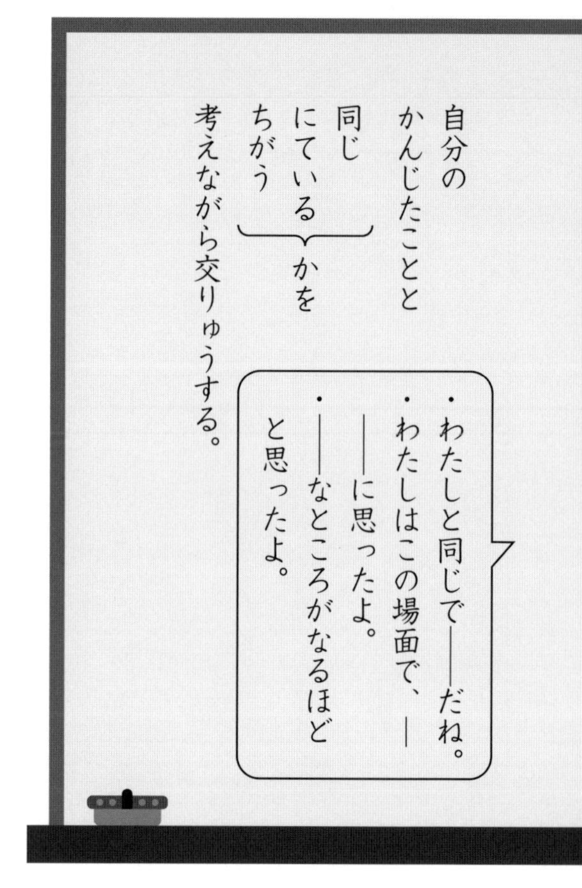

本時の目標

・「お話レター」に書いたことをもとに、友達と「スーホの白い馬」の感想を伝え合うことができる。

本時の主な評価

❸「スーホの白い馬」を読んで感じたことや分かったことを共有している。【思・判・表】

資料等の準備

・伝え合う様子のイラストを拡大したもの

授業の流れ ▷▷▷

1 学習のめあてを確認し、交流の仕方を確認する 〈10分〉

○本時の板書は、感想を伝え合う活動のやり方を説明するための板書なので、あらかじめ黒板に書いておくか、貼るだけで済むように摸造紙に書いておく（イラストは資料参照）。

T　今日は、「お話レター」を使って、友達と感想を伝え合いましょう。活動のやり方について説明するのでよく聞きましょう。

○伝える人のお話レターを、机と机の間に置くようにさせる。

○書いたことをただ音読するのではなく、友達に伝えることを意識させる。

○聞く側は、自分が感じたことと、同じか、似ているか、違うかを考えながら聞くことを意識させる。

2 お話レターを基に、友達同士で感想を伝え合う 〈25分〉

T　それでは、友達と「スーホの白い馬」を読んで感じたことを伝え合いましょう。

○伝え合う活動のペアのつくり方は、①隣の席の友達同士で行った後、班の中でペアを替えて行う、②同じ場面を選んだ友達と1回、違う場面を選んだ友達と1回行う、③自由に席を移動して行う、など学級の実態に応じて工夫をする。

○伝え合いが上手なペアを紹介し、どんなところが上手かを学級全体に共有してもよい。

スーホの白い馬

1 「お話レター」をもとに、友だちとかんそうを交りゅうしよう。

2 交りゅうのやり方

①二人のつくえのまん中にお話レターをおく。

②書いた人がお話レターを友だちにつたわるように読む。

③交たいして、①②をする。

④お話レターを交かんして、コメントを書く。

ぼくは～を読んで、――というところに心をうごかされました。それは…

3 本時の学習を振り返り、次時への見通しをもつ 〈10分〉

T　友達と伝え合ってみて、どうでしたか。

・〇〇さんは、私と同じ場面を選んでいて、同じようなことを書いていました。

・私と同じ場面を選んでいる友達がいたけれど、感じたことは少し違っていました。

T　次回は、学習全体のまとめと振り返りをしましょう。それでは、今日の学習を振り返りましょう。

・いろいろな友達の感想を知ることができて楽しかった。

・友達に自分の感想をしっかりと伝えることができた。

よりよい授業へのステップアップ

指導も評価も具体的に

本時は、本単元において一番育てたい資質・能力を扱う1時間である。どの子供も取り組めるよう、**1**の活動では、感想を伝え合うイラストを板書に用いて、子供がイメージしやすいように取り組み方を指導する。

2の活動では、座席型評価簿を用いて、一人一人の学習状況をしっかりと評価する。また、友達同士で伝え合う活動がうまくできていない子供に対しては、その場で支援をしていく。

本時案

スーホの白い馬

強く心にのこったところをさがしながら読む
友だちのかんそうとくらべてみる。

本時の目標

・「お話レター」を使って交流したことから、単元を通して学習できたことや、これからの学習に生かしていきたいことを考えることができる。

本時の主な評価

・単元を通して学習できたことや、これからの学習に生かしていきたいことを考えている。

資料等の準備

・教科書 p.130「この本、読もう」で紹介している本

授業の流れ ▷▷▷

1 前時の学習で、交流したことを確認する 〈15分〉

T 友達と伝え合ってみて、どうでしたか。
・同じ物語でも、こんなに感想が違うのだなと思いました。
・○○さんは、私と同じ場面を選んでいて、同じようなことを書いていました。
・私と同じ場面を選んでいる友達がいたけれど、感じたことは少し違っていました。
・私と同じ感想をもった人がいてうれしかったです。
・友達の強く心に残った場面が、どこなのかを知ることができました。

2 単元全体を通して学習できたことを考える 〈15分〉

T 「スーホの白い馬」を読むときに、どのようなことに気を付けながら読むことができましたか。また、どのようなことに頑張って取り組めましたか。
・登場人物の行動に気を付けて読むことができた。
・様子がよく表れている言葉に気を付けながら読むことができた。
・登場人物の行動から、気持ちを考えることができた。

スーホの白い馬

1

がくしゅうをふりかえろう。

☆「お話レター」で交りゅうしてみて・・・
・同じようなかんそうの友だちがいた。
・同じばめんをえらんでいた。

・かんそうはちがった。
・同じかんそうの人がいた。

2

☆がくしゅうでがんばったこと
・とう場人ぶつの行どう
・ようすが分かることば

・気持ちをそうぞうした

3

☆これからのがくしゅうにいかしたいこと
・お話を読むとき・・・
とう場人ぶつのしたこと・言ったこと

3 これからの学習に生かしたいことを考える 〈15分〉

T　これからの国語の学習や、他の教科の学習に生かしていきたいことを考えましょう。
・感想を伝え合うときに、友達と同じなのか違うのかをよく考えて聞きたい。
・物語を読むときは、登場人物のしたことや言ったことに気を付けながら読みたい。
・物語の中で、強く心に残ったところがどこなのかを考えながら読みたい。
T　いろいろな国に伝わる物語についても、お話レターを書いて、友達と交流してみましょう。
○実物を用意し、子供が興味をもつように、簡単なあらすじを紹介するとよい。

よりよい授業へのステップアップ

今後の学習に生きる1時間に

主体的に学習に取り組む態度については、粘り強い取組を行おうとする側面と、自らの学習を調整しようとする側面で評価をしていく。本時では、この両面について振り返る1時間とする。学級の子供の実態に応じて、ノートに書かせたり、子供が発言したことを板書したりしながら、子供一人一人がどのようにこの単元の学習に取り組んできたのかを把握できるようにする。

資料

1 第2・11時資料　お話レター（教師の見本） 21-01

小学校

二年一組のみなさん　へ

たんにん　田中ゆう一先生　より

さん　へ

わたしは、スイミー
というお話を読んで、スイミーはかん
がえた。いろいろかんがえた。うんと
かんがえた、
というところに心をうごかされました。

それは、どうやったら大きな魚に食
べられないか、スイミーがなかまのた
めにひっしに考えている気もちがとて
も出ているとかんじたからです。これ
だけたくさんスイミーが考えられた
のは、きっと海の中のおもしろい生き
ものたちに元気をもらったからだと
思います。

2 第11・12時資料　お話レター 21-02

「お話レター」全体イメージ

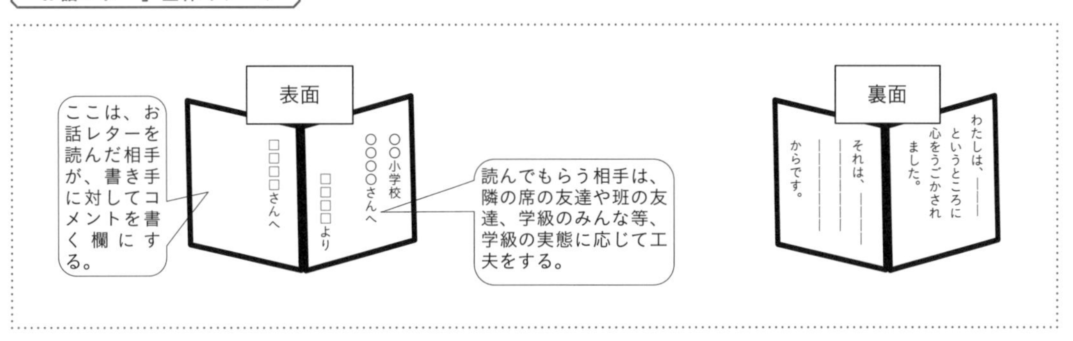

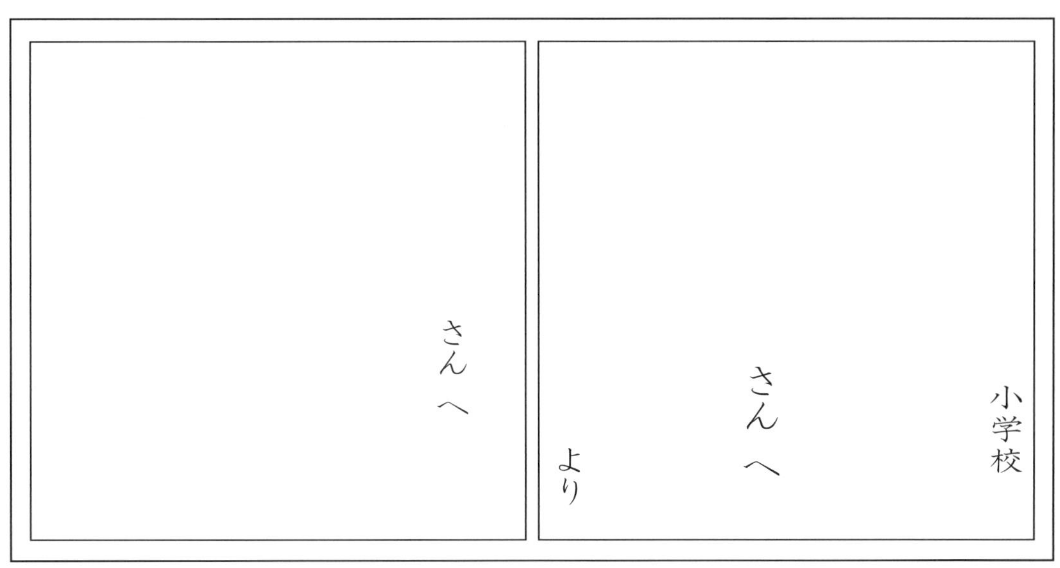

わたしは、

というお話を読んで、

というところに心をうごかされました。

1年生でならったかん字

かん字の広場⑤ （2時間扱い）

単元の目標

知識及び技能	・第1学年に配当されている漢字を書き、文や文章の中で使うことができる。((1)エ) ・文の中における主語と述語との関係に気付くことができる。((1)カ)
思考力、判断力、表現力等	・語と語との続き方に注意しながら、内容のまとまりが分かるように書き表し方を工夫することができる。(B ウ)
学びに向かう力、人間性等	・言葉がもつよさを感じるとともに、楽しんで読書をし、国語を大切にして、思いや考えを伝え合おうとする。

評価規準

知識・技能	❶第1学年に配当されている漢字を書き、文や文章の中で使っている。(〔知識及び技能〕(1)エ) ❷文の中における主語と述語との関係に気付いている。(〔知識及び技能〕(1)カ)
思考・判断・表現	❸「書くこと」において、語と語の続き方に注意しながら内容のまとまりが分かるように書き表し方を工夫している。(〔思考力、判断力、表現力等〕B ウ)
主体的に学習に取り組む態度	❹進んで第1学年に配当されている漢字を使い、これまでの学習をいかして絵を説明する文を書こうとしている。

単元の流れ

時	主な学習活動	評価
1	学習の見通しをもつ 1年生で習った漢字を復習する。 公園の様子をあらわす文を書こう。 例文を読み、文の書き方を理解する。 絵の言葉を使って文を書く。	❶❷
2	絵の中の様子を説明する文章を書く。 書いた文章を友達と読み合う。 学習を振り返る 主語・述語に気を付けて文が書けたか、様子を表すときに工夫したことは何か振り返る。	❸❹

授業づくりのポイント

〈単元で育てたい資質・能力〉

本単元では、1年生で学習した漢字を文や文章の中で書けるようにする力を身に付けさせたい。この時期の子供は漢字の学習に慣れてきて、既習の漢字を文や文章の中で使うことを面倒に感じたり、書き忘れてしまったりすることがある。そのため1年生のときには進んで文の中で漢字を使っていたのに、2年生になると、ひらがなばかりの文になってしまう子供も見られるようになる。既習の漢字を使って文を書く意味やよさ、楽しさに触れさせ、漢字を適切に使う力を育てたい。

[具体例]
○例文をひらがなのみで書いた文章と、漢字を用いて書いた文章とを比較する。また、送り仮名が誤っている文や、誤字がある文を用意し、比較する。正しく漢字を使うと読みやすい文章になることや、自分で書いた文を見直すことの大切さに気付かせる。

〈言語活動の工夫〉

挿絵に描かれた公園で起こる出来事を想像し、あらかじめ提示されている既習の言葉や漢字を用いて文を書く。経験を想起しながら十分に話し合い、公園での出来事や遊びなどイメージを膨らませて、提示された言葉や漢字を使い、楽しんで文章を書く中で、学習してきた漢字が文の中でも使えるという実感をもたせたい。身の回りで起こる出来事には漢字で表すことができるものがあると気が付くと、日常の作文やノートにおいても漢字を使って文や文章を書く意欲が高まるであろう。

[具体例]
○挿絵について話し合いながら想像し、公園での遊びや出来事を思い出させ、子供が挿絵と自分の経験とを結び付けながら、文章が書けるようにする。
○提示されていないが、「走る」「木」「道」など、絵から分かることを漢字で表すこともできる。気付いた子供は大いに褒め、「この言葉は漢字で書けるかな。」と想像することも意識付けたい。
○書いた文は友達と読み合うことで、同じ絵から想像し、同じ言葉を使って書いても、それぞれもっているイメージや経験が違うため違う文章になることに気付かせたい。

〈他の単元との関連〉

主語と述語の関係については、2年下巻「主語と述語に気をつけよう」で学習している。時間が経過しているため、人物の動作や物の様子を表すには「主語」と「述語」という2つの要素による情報が重要であるということを忘れてしまっている子供もいると推測される。

[具体例]
○教科書 p.29、30の「主語と述語に気をつけよう」の単元をノートや教科書で振り返る。例文を読み、「誰がどうした」「何がどんなだ」という文を復習する。本単元で文章を書く活動に取り組む際も、例文を繰り返し読んだり視写したりする、書いた文の主語、述語に線を引かせるなどして、主語と述語の関係に気を付けて書くことができるようにする。

〈ICT の効果的な活用〉

共有：ペアで文づくりをしたワークシートやノートを写真アプリで撮影し、電子黒板を使って全体に共有する。同じ漢字を使って文を書いていても、それぞれ違う文章になっていることに着目させる。同じ言葉を使って書いたり話したりしていても、それぞれもっているイメージや経験は違うことについて気付かせたい。

本時案

かん字の広場⑤

本時の目標

・1年生で習った漢字を使い、主語と述語のつながりに気を付けて文を書くことができる。

本時の主な評価

❶第1学年で配当されている漢字を文の中で使っている。【知・技】
❷文の中における主語と述語の関係に気付いている。【知・技】
❸語と語との続き方に注意しながら、内容のまとまりが分かるように書き表し方を工夫することができる。【思・判・表】
❹今までの学習を生かして、第1学年に配当されている漢字を使って進んで文を書こうとしている。【態度】

資料等の準備

・文を書く用紙　・教科書 p.131の拡大
・短冊 ⤓ 15-01

△しばふの上を、走っています。

☆主語と述語がはっきり分かる文を書こう。

主語がない
だれが？ 女の子が、

3 ○ペアできょう力して、文をたくさん書こう。
・一つの文を書いたらこうたいする。
・なるべく絵にあるすべてのかん字をつかう。
・主語には赤、述語には青でせんをひく。

授業の流れ ▷▷▷

1 1年生で習った漢字を復習し、学習の見通しをもつ 〈15分〉

T　教科書の絵を見ましょう。どんな様子ですか。1年生で習った漢字を読んだり、書いたりしてみましょう。
○教科書 p.131の挿絵を拡大し貼る。
○それぞれの漢字を読んだり、空書きしたりし、1年生で習った漢字を復習する。その際、画数や送り仮名も学級全体で確認する。
・「池」という字は習っているよ。
・「鳥」や「お父さん」「お母さん」も書けそうです。
○2年生で習った漢字も絵の中にあることに気付いた子供は大いに称賛する。本単元では1年生で習った漢字を使うことを目標としているが、知っている漢字を使おうとする態度を育てていきたい。

2 例文を声に出して読み、主語と述語について復習する 〈20分〉

T　例文を声に出して読みましょう。「主語」と「述語」に線を引いてみましょう。
○主語と述語について忘れてしまっている子供もいる。教科書「主語と述語に気をつけよう」の単元を活用し、復習する。
T　もう1つの例文をつくってみました。この文は何が足りないですか。
・「主語」がないので、誰が走っているのか分かりません。
○主語と述語が抜けている例文を読み、主語と述語に気を付けて文を書くと、様子が伝わることを確認する。
T　絵の中の漢字を使って「主語」と「述語」がはっきり分かる文を書きましょう。
○学習課題を板書する。

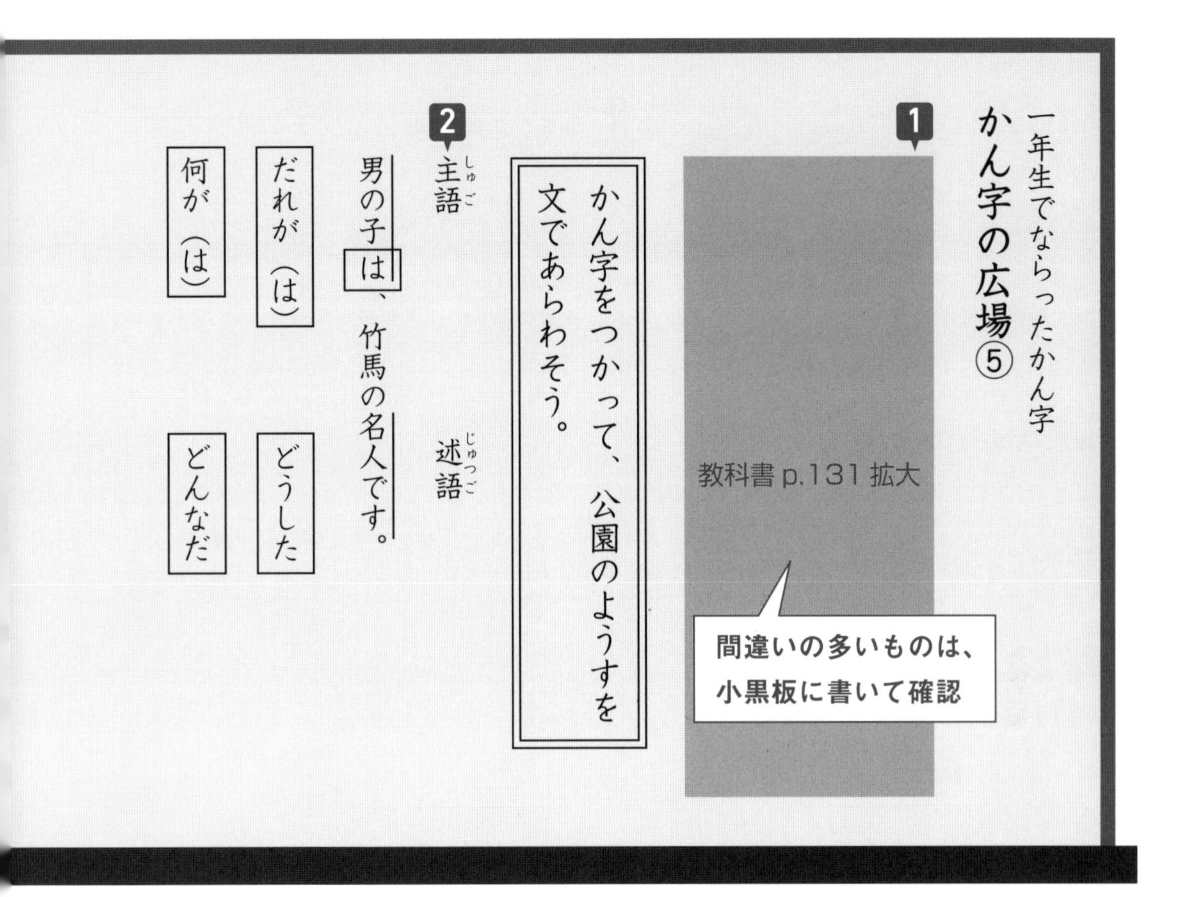

3 絵の様子を表す文を書く〈30分〉

T　絵の中の漢字を使って「主語」と「述語」に気を付けて、文を書きましょう。

○ペアをつくり、ワークシートを交換しながら交互に文を書いていく。

○使った漢字には挿絵に赤鉛筆で○を付けていく。ペアで協力して、なるべく提示された漢字をすべて使えるように助言する。

○文を書いたら、その都度「主語」には赤い線を、「述語」には青い線を引かせ、正しく書けているか見直すようにする。

○漢字を正しく書けているか確認しながら机間指導し、誤字や読みの間違いがある場合は、学級全体で確認する。文の中で適切に漢字が使えるように、子供にも意識させたい。

4 書いた文をグループで読み合い、学習を振り返る〈25分〉

T　書いた文の中から１人１つ選んで、短冊に書きましょう。

T　グループになって、１人ずつ文を声に出して読みましょう。全員読み終わったら、短冊を、黒板に貼ってある絵の様子に合わせて貼りましょう。

○書いた文を声に出して読むことで、正しく漢字を読むことができるか、文の中で漢字を正しく書くことができたか、確認する時間としたい。

○絵の様子に合わせてそれぞれが作成した文を集めていくことで、同じ様子を表す文でも、様々な書き方があることに気付かせたい。

組み立てを考えて、はっぴょうしよう

楽しかったよ、二年生　8時間扱い

単元の目標

知識及び技能	・姿勢や口形、発声や発音に注意して話すことができる。((1)イ) ・丁寧な言葉と普通の言葉との違いに気を付けて使うことができる。((1)キ)
思考力、判断力、表現力等	・相手に伝わるように、行動したことや経験したことに基づいて、話す事柄の順序を考えることができる。(A イ) ・伝えたい事柄や相手に応じて、声の大きさや速さなどを工夫することができる。(A ウ)
学びに向かう力、人間性等	・言葉がもつよさを感じるとともに、楽しんで読書をし、国語を大切にして、思いや考えを伝え合おうとする。

評価規準

知識・技能	❶姿勢や口形、発声や発音に注意して話している。(〔知識及び技能〕(1)イ) ❷丁寧な言葉と普通の言葉との違いに気を付けて使っている。(〔知識及び技能〕(1)キ)
思考・判断・表現	❸「話すこと・聞くこと」において、相手に伝わるように、行動したことや経験したことに基づいて、話す事柄の順序を考えている。(〔思考力、判断力、表現力等〕A イ) ❹「話すこと・聞くこと」において、伝えたい事柄や相手に応じて、声の大きさや速さなどを工夫している。(〔思考力、判断力、表現力等〕A ウ)
主体的に学習に取り組む態度	❺行動したことや経験したことに基づいて、話や事柄の順序を粘り強く考え、これまでの学習を生かして発表しようとしている。

単元の流れ

次	時	主な学習活動	評価
一	1	学習の見通しをもつ 学習課題を確かめ、学習の計画を立てる。 聞いている人に内容が分かりやすく伝わるように発表しよう。	
二	2 3	2年生の1年間を振り返ってスピーチの話題を決める。 p.133の下段を参考にスピーチメモを書く。	❸
	4 5	p.134のスピーチ原稿のモデルを基に、「はじめ」「中」「おわり」の話の組み立て方を学ぶ。 「はじめ」「中」「おわり」の組み立てを意識し、話す順序を考えながらスピーチ原稿を書く。	

	6	グループでスピーチをする。 発表の仕方を考えて、修正する。	❶ ❷
三	7 8	「楽しかったよ、二年生」発表会を開く。 学習を振り返る	❹ ❺

授業づくりのポイント

〈単元で育てたい資質・能力〉

本単元のねらいは、身近なことや経験したことなどから話題を決め、話す事柄の順序を考えて、声の大きさや速さを工夫してスピーチすることである。このねらいが授業ごとに細分化されるが、全てにおいて大切なことは、「聞き手」を意識して学習を進めることである。最終の発表の場を子供たちがイメージでき、見通しをもって学習に取り組めるように単元計画を立てていく。

〈「といをもとう」と「もくひょう」をつなげる〉

光村図書の教科書では、多くの単元で「といをもとう」と「もくひょう」が明示されている。この2つを分断させずにつなげることで主体的な学習を促すことができる。本単元では、「といをもとう」において、スピーチするときに大切なことを学習者から引き出そうとしている。既習事項として、聞き手によりよく伝えるための「順序」や「声の出し方」「話し方」について引き出したい。学習者からあまり意見が出ない場合は、話し手側の視点ではなく、聞き手側に立ったときのことを想起させて意見を引き出すとよい。提出された意見が、そのまま目標の「聞いている人に、内容が分かりやすく伝わるように発表しよう」の具体につながるので、子供たちは、具体的なイメージをもって本単元の目標を捉えることができる。

〈教材・題材の特徴〉

p.133のスピーチメモは、話題として「ドッジボール」を選択した学習者のスピーチメモが示されている。はじめに示されている「ドッジボールで、強いボールがとれるようになった。」が、この学習者のスピーチの話題であり、スピーチの中心となる一文である。2年生の楽しかった思い出であることが聞き手に伝わるようにするためには、この一文に対する「具体」が必要である。「具体」とは「エピソード」である。p.133の例には、エピソードのカテゴリーとして「したこと」「思ったこと」「友だちがしたこと、言ったこと」が示されている。

p.134にはスピーチ原稿の例が示されている。「はじめ」「中」「おわり」の話の組み立て方を学ぶことができる。また、p.133のスピーチメモを基に原稿が書かれており、スピーチメモからスピーチ原稿への移行を学習することができる。スピーチ原稿を書くことで話すことに苦手意識のある学習者は安心できるが、スピーチ原稿を書くことで最終の発表の場が原稿を「読む」活動にならないように気を付けなければいけない。大切なことは「聞き手」への意識である。

〈ICT の効果的な活用〉

記録：スピーチメモや原稿の作成に、付箋やホワイトボードアプリなどの ICT を活用することも効果的である。感覚的に操作が可能であり、話や事柄の順序を意識した学習を展開できる。また、グループでのスピーチの練習時に動画を撮り、自分が話す姿を見ることは2年生にとって有効であろう。

本時案

楽しかったよ、二年生

本時の目標

・２年生の１年間を振り返り、思い出をスピーチするという学習課題を確かめ、学習の計画を立てることができる。

本時の主な評価

・２年生の１年間を振り返り、思い出をスピーチするという学習課題を確かめ、学習の計画を立てている。

資料等の準備

・短冊カード（「みんなの前で話すときに大切なこと」「学習計画」の指導場面で必要であれば。）
・ワークシート①学習計画表 23-01

○がくしゅうけいかく
①がくしゅうけいかくを立てる。
②一年をふりかえって、つたえたい
「わだい」を一つきめる。
③スピーチメモを書く。
④⑤スピーチの組み立てを考えて、
スピーチげんこうを書く。
⑥はっぴょうのれんしゅうをする。
⑦⑧はっぴょう会をひらく。

授業の流れ ▷▷▷

1 担任のスピーチを聞く 〈５分〉

○担任として１年間を振り返り、学級での思い出を１つ決めてスピーチをする。

T　今からスピーチをします。もうすぐ２年生の１年間が終わります。この１年間を振り返って、みなさんとの一番の思い出は、△△動物園に行った生活科見学です。この写真を見てください。（電子黒板に写真を提示する）これは、各班が、次にどこに行くかを相談している写真です。この姿を見て、先生は、みなさんの成長を感じました。……

ICT 端末の活用ポイント

担任がスピーチのモデルとして、ICT を活用して写真を提示することで、学習者が写真の効果を感じ取り、自分もやってみたいと思えるようにする。

2 本単元の学習課題を確認する 〈５分〉

T　先生のスピーチを聞いて、先生がみなさんに何を伝えたかったのか分かりますか。
・２年生の思い出。
・２年生の大きな行事のこと。
・生活科での勉強のこと。
・私たちの成長を感じた場面。

T　これからみなさんにもスピーチをしてもらいます。２年生の１年間を振り返って、学校で取り組んだ学習や行事、みんなで遊んだことなどを思い出しましょう。その中からみんなに伝えたい思い出を１つ選んで、１年間同じ教室で生活をした友達に発表しましょう。

組み立てを考えて、はっぴょうしよう
楽しかったよ、二年生

2
○二年生の思い出を友だちにはっぴょうしよう。

3
○みんなの前で話すときに大切なこと
・何について話すかを、はじめに言う。
・話すじゅんじょを考え、大じなことは、くわしく言う。
・はっきりした声で話す。
・聞いている人に聞こえる声で話す。
・聞いている人を見て話す。
・聞きとりやすいはやさで話す。
・だいじなことは何かを考えて話す。

4
聞いている人に、内ようが分かりやすくつたわるように、はっぴょうしよう。

3 今までのスピーチの学習を振り返る 〈20分〉

T　1年生、2年生の国語の授業や朝の日直などでスピーチをたくさんしてきましたね。みんなの前で話すとき、どんなことが大切だと思いますか。
・何について話すかを、始めに言う。
・話す順序を考え、大事なことは、詳しく言う。
・はっきりした声で話す。
・聞いている人に聞こえる声で話す。
・聞いている人を見て話す。
・聞き取りやすい速さで話す。
・大事なことは何かを考えて話す。
○p. 8の「2年上までに学んだこと」を活用する。

4 単元の目標を確認し、学習計画を立てる 〈15分〉

T　みなさんが出してくれた「みんなの前で話すときに大切なこと」をまとめて、この学習では、「聞いている人に、内容が分かりやすく伝わる」スピーチをすることを目標にしましょう。
○単元の学習課題を板書する。
○今までのスピーチの学習を思い出しながら、子供たちと一緒に学習計画を立てる。
T　では、みんなで学習計画を立てていきます。ゴールは、黒板に書かれているように、2年生の一番の思い出を友達に発表することですが、そのゴールまでに何をしなければいけませんか。
・話すことを決める。
スピーチの原稿を書いて練習する。

本時案

楽しかったよ、二年生

本時の目標

・２年生の１年間を振り返り、スピーチの話題を決めることができる。

本時の主な評価

❸行動したことや経験したことに基づいて話すことを考えている。【思・判・表】
・身近なことや経験したことなどから話題を決めている。

資料等の準備

・短冊カード

・遠足
・秋まつり
・学げい会

あそび

・ドッジボール
・サッカー
・おにごっこ
・なわとび

授業の流れ ▷▷▷

 １年間を振り返る 〈15分〉

○本時のめあてを板書する。
○学級全体で２年生の１年間を振り返る。
T　スピーチの話題を決めるために、２年生の１年間をみんなで振り返ってみましょう。まず、どんな「学習」をしましたか。
・カンジーはかせと一緒に漢字の勉強をしました。
・「お手紙」をみんなで読みました。
・詩を作りました。
・自分で考えたお話を作りました。
T　次に、どんな「行事」があったかな。
・運動会がありました。
・△△動物園への生活科見学に行きました。
○時系列で確認していくのも１つの方法である。

2 スピーチしたい話題の候補に○印をつける 〈10分〉

○いくつかの話題に○印を付けることで、自分がスピーチしたい話題を絞る。いきなり１つに絞らずにスモールステップをとることでスピーチする内容を想像しながら話題を決めることができる。
T　１年間を振り返ると、たくさんの行事や学習がありましたね。この中から、自分がスピーチしたい、もしくはスピーチできそうだなと思う話題に赤鉛筆で○印をつけてみましょう。

ICT 端末の活用ポイント

付箋機能のアプリを使った ICT 活用が可能である。そのときは、付箋の色を変えることで候補の話題を視覚化する。

組み立てを考えて、はっぴょうしよう

楽しかったよ、二年生

1

二年生の一年間をふりかえり、つたえたい「わだい」を一つきめよう。

2

学しゅう

・かん字
・「お手紙」
・詩（し）
・お話をつくった
・てつぼう
・三角形
・かけざん九九
・むかしあそび
・おみせやさんごっこ

行じ

・うんどう会
・生活科見学（△△どうぶつ園）

3 スピーチする話題を決める 〈20分〉

○候補に挙げた話題について、友達と交流することで聞き手を意識させる。

T いくつかの話題に○印を付けることができましたか。今からスピーチの話題を決めますが、その前に、発表会で聞き手となる友達にどのスピーチを聞きたいか相談してみましょう。最終的には、自分で話題を決めてくださいね。

・私は「かけざん九九」のことを聞いてみたいな。

○決まった話題を学級全体で共有することで発表会に向けての意欲付けをさせたい。

ICT 端末の活用ポイント

課題提出・共有機能のアプリを使った ICT 活用が可能である。

よりよい授業へのステップアップ

話題になりそうなアイデアをたくさん出す

2年生の1年間を振り返る活動では、できるだけたくさんの話題を出したい。自分が使用しないアイデアが友達にとってよいヒントになることが多い。学級という集団で学ぶよさがここにある。このことを子供たちに実感させたい。

本時案では、カテゴリーを先に示してから子供たちに発言を促しているが、子供たちに自由に発言させて、指導者が分類しながら板書をし、その後にカテゴリーを確認する流れも可能である。

本時案

楽しかったよ、二年生

本時の目標

・自分が決めた話題に沿って、スピーチメモを書くことができる。

本時の主な評価

❸相手に伝わるように、行動したことや経験したことに基づいて、話す事柄の順序を考えている。【思・判・表】

資料等の準備

・短冊カード
・ワークシート②スピーチメモ 23-02

○友だちがしたこと、言ったこと

こうたさんが、「だきつくようにして、ボールをとるといいよ。」と教えてくれた。

授業の流れ ▷▷▷

1 教科書にあるスピーチを聞き、「伝えたいこと」を確認する 〈5分〉

○教科書 p.134のスピーチを、QR コードを活用して聞く。
○本時のめあてを板書する。

T　今日は、スピーチメモを書きますが、一足先に、スピーチメモ、そしてスピーチ原稿を完成させて、スピーチをする準備ができた人がいます。青木さん（教科書 p.134のスピーチ、QR コード）です。では、今から青木さんのスピーチを聞きます。青木さんが「伝えたいこと」は何か、考えながら聞きましょう。

【スピーチを視聴後】

T　青木さんが伝えたかったことは何でしょう。
・ドッジボールで強いボールを取れるようになったこと。

2 内容を分かりやすく伝えるための工夫を考える 〈10分〉

○もう一度、QR コードを活用してスピーチを聞く。このときに、「伝えたいこと」である「ドッジボールで、強いボールを取れるようになったこと」を、聞き手によりよく伝えるために、どのようなことを話しているのかを考えさせる。

T　では、もう一度、青木さんのスピーチを聞きます。今度は、青木さんが伝えたいことである「ドッジボールで、強いボールを取れるようになったこと」を、聞き手によりよく伝えるために、どのようなことを話しているか考えながら聞きましょう。
・こうたさんが「抱きつくようにして、ボールを取るといいよ」と教えてくれたこと。
・たくさん練習をしたこと。

組み立てを考えて、はっぴょうしよう
楽しかったよ、二年生

1
自分がきめたわだいにそって
スピーチメモを書こう。

青木さんのスピーチ

2
◎つたえたいこと
ドッジボールで、強いボールが
とれるようになった。

3
○したこと
休み時間にみんなであそんだ。
たくさんれんしゅうをした。

○思ったこと
ボールがとれなくて、くやしかった。
こうたさんがやさしかった。

3 スピーチメモのカテゴリーを確認し、スピーチメモを書く 〈30分〉

○青木さんのスピーチで、「伝えたいこと」をよりよく伝えるために話している内容について整理し、カテゴリー（「したこと」「思ったこと」「友だちがしたこと、言ったこと」）を確認する。

T 青木さんのスピーチメモ（教科書 p.133）を参考にして、自分のスピーチメモを書きましょう。

○必要に応じて、新しいカテゴリーを設ける。子供たちから出た新しいカテゴリー（「起こったこと」や「考えたこと」など）を学級全体に紹介する。

ICT 等活用アイデア

話や事柄の順序を入れ替える

スピーチメモの作成に、付箋やホワイトボードアプリなどの ICT を活用すると効果的である。

作成したスピーチメモの順序の入れ替えや追加・削除を気軽にできる。感覚的に操作し、気軽に「試す」ことができるのが ICT 活用のよさである。

1人1人が黙って作業するより、近くの席の子と互いのタブレットの画面を見せ合いながら相談して学習を進めるとよい。

本時案

楽しかったよ、二年生

本時の目標

・「はじめ」「中」「おわり」の話の組み立て方を考えて、スピーチ原稿を書くことができる。

本時の主な評価

・相手に伝わるように、行動したことや経験したことに基づいて、話す事柄の順序を考えている。

資料等の準備

・教科書 p.133のスピーチメモの拡大図
・教科書 p.134のスピーチ原稿の拡大図
・教科書 p.134のスピーチ原稿のノート貼付版
・ワークシート③スピーチ原稿 23-03

授業の流れ ▷▷▷

1 本時の学習を確認する 〈5分〉

○本時のめあてである「スピーチメモをもとに、スピーチの組み立てを考えてスピーチ原稿を書くこと」を確認する。

T 今日は、前回作ったスピーチメモを基にスピーチ原稿を作ります。青木さんから、スピーチメモとスピーチ原稿を借りてきましたので、スピーチメモからどのようにスピーチ原稿を書いたらよいのか、スピーチの組み立て方を青木さんから学びたいと思います。その後に、実際にみなさんもスピーチ原稿を書いていきましょう。

2 スピーチメモをもとにしたスピーチ原稿の書き方を学ぶ 〈15分〉

○青木さんのスピーチメモが、スピーチ原稿にどのように生かされているのかを個人⇒グループ⇒全体の流れで考える。

T 青木さんのスピーチメモがスピーチ原稿のどの部分につながっているのかを考えていきます。はじめに、「したこと」の「休み時間にみんなであそんだ。」「たくさんれんしゅうをした。」は、このスピーチ原稿のどの部分につながっているのか考えましょう。

○「したこと」は、このスピーチ原稿における行動の土台となっている。次に、「思ったこと」「友だちがしたこと、言ったこと」について問う。具体としてスピーチ原稿に書かれているのでサイドラインを引くなどして、メモと原稿のつながりを確認したい。

組み立てを考えて、はっぴょうしよう
楽しかったよ、二年生

1
スピーチメモをもとに、スピーチの組み立てを考えて、スピーチげんこうを書こう。

2
青木さんのスピーチ
◎つたえたいこと
ドッジボールで、強いボールがとれるようになった。
○したこと
休み時間にみんなであそんだ。
たくさんれんしゅうをした。
○思ったこと
ボールがとれなくて、くやしかった。
こうたさんがやさしかった。
○友だちがしたこと、言ったこと
こうたさんが、「だきつくようにして、ボールをとるといいよ。」と教えてくれた。

3 スピーチ原稿の組み立てを学ぶ 〈25分〉

○話の組み立てとして、「はじめ」「中」「おわり」の３つの枠組みがあることを確認する。そして、「はじめ」「中」「おわり」の内容と分量について確認する。

〈内容〉

「はじめ」…「伝えたいこと」を書く。

「中」…伝えたことに関わる「エピソード」を書く。時間的順序に沿って書く。

「おわり」…伝えたいことに関わる「心の動き」を書く。

〈分量〉

はじめ：中：おわり＝１：８：１の分量

○聞き手に分かりやすく伝わるスピーチをするためには「中」のエピソードが重要であることを理解できるようにする。

4 スピーチ原稿を書く 〈45分〉

○前時で作ったスピーチメモを基に、「はじめ」「中」「おわり」の枠組みを意識してスピーチ原稿を書く。

ICT 端末の活用ポイント

スピーチ原稿の作成に、文書作成アプリなどのICT を活用するのも効果的である。スピーチメモ作成時における ICT 活用と同様に、文章の入れ替えや追加・削除を気軽にでき、いろいろと「試す」ことができる。

本時案

楽しかったよ、二年生

本時の目標

・姿勢や口形、発声や発音に注意しながら話すことができる。
・丁寧な言葉遣いで話すことができる。

本時の主な評価

❶音節と文字との関係、アクセントによる語の意味の違いなどに気付くとともに、姿勢や口形、発声や発音に注意して話している。【知・技】
❷丁寧な言葉と普通の言葉との違いに気を付けて使うとともに、敬体で書かれた文章に慣れている。【知・技】

資料等の準備

・特になし

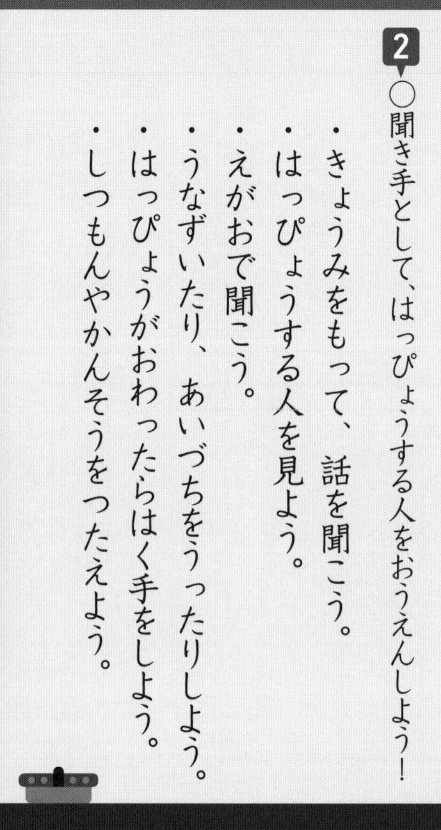

2
○聞き手として、はっぴょうする人をおうえんしよう！
・きょうみをもって、話を聞こう。
・はっぴょうする人を見よう。
・えがおで聞こう。
・うなずいたり、あいづちをうったりしよう。
・はっぴょうがおわったらはく手をしよう。
・しつもんやかんそうをつたえよう。

授業の流れ▷▷▷

1 スピーチするときに気を付けるポイントを確認する〈10分〉

○スピーチするときに気を付けるべきポイントを出し合う。
○本時のめあてを板書する。
T　今日はグループでスピーチの練習をします。話すときに、どのような点に気を付ければよいですか。
・はっきりとした声で話す。
T　はっきりとした声はどうすれば出るかな。
・口をしっかり開く。
T　いいですね。他にはどうですか。
・大きい声で話す。
T　いいですね。どれくらいの大きさがいいかな。
・聞いている人が聞き取りやすい声の大きさ。
T　聞き手を意識しているのが素敵ですね。

2 聞き手の役割を確認する〈10分〉

○発表会の場は、話し手と聞き手が協力して作る場である。話し手は常に１人であり、聞き手はその他、全員である。つまり、どのような状況でも聞き手のほうが多い場となる。場の雰囲気をつくるのは聞き手である。話し手が話しやすい雰囲気をつくることが聞き手に求められる。
〈聞き手のポイント〉
・相手の話に興味を示す。
・話し手を見る。
・笑顔で聞く。
・頷いたり相槌を打ったりする。
・話し終わったら、質問をしたり感想を述べたりする。

組み立てを考えて、はっぴょうしよう
楽しかったよ、二年生

1 はっぴょうのれんしゅうをしよう。

どんなことに気をつけて話せばいいかな？

・はっきりした声で話す。
　↓口をしっかりひらく
・聞きとりやすい声の大きさで話す。
・聞きとりやすい声のはやさで話す。
・聞いている人を見て話す。
・ていねいなことばづかいで話す。

3 グループで発表の練習をする〈25分〉

○グループごとに発表会場を作る。下記の図のように、外に向けて話し手が話す場を作ると話し手の声がかぶらない。

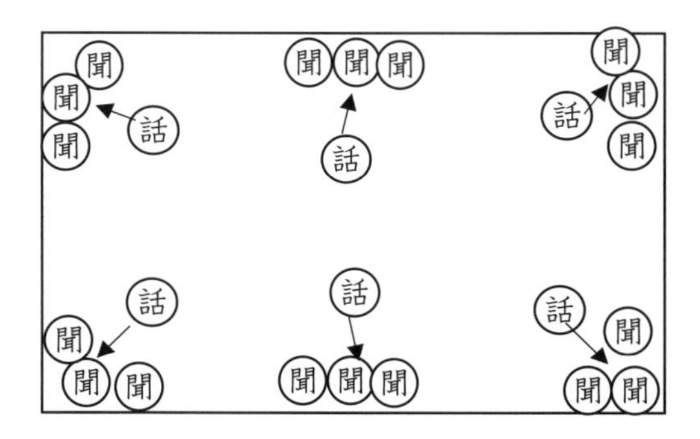

発表の練習が全員終わって、まだ時間があるようなら、もう一周行い、２回目の練習をするのもよい。

ICT 等活用アイデア

グループでの発表練習を動画に撮る

タブレットを使ってスピーチの動画を撮り、自分が話す姿を見ることは２年生にとっては有効であろう。声の大きさや速さ、目線、言葉づかいなど、自身のスピーチを振り返ることができる。

しかし、発達段階や個人によっては、撮影すること自体を嫌がったり、撮影した動画を見ることでネガティブに作用したりすることもあるので気を付けたい。

本時案

楽しかったよ、二年生

本時の目標

・これまでの学習を生かして、相手に伝わるように話や事柄の順序を考えて発表しようとする。
・声の大きさや速さなどを工夫することができる。

本時の主な評価

❹伝えたい事柄や相手に応じて、声の大きさや速さなどを工夫している。【思・判・表】
❺相手に伝わるように、行動したことや経験したことに基づいて、話や事柄の順序を粘り強く考え、これまでの学習を生かして発表しようとしている。【態度】

資料等の準備

・ワークシート④学習の振り返り 23-04

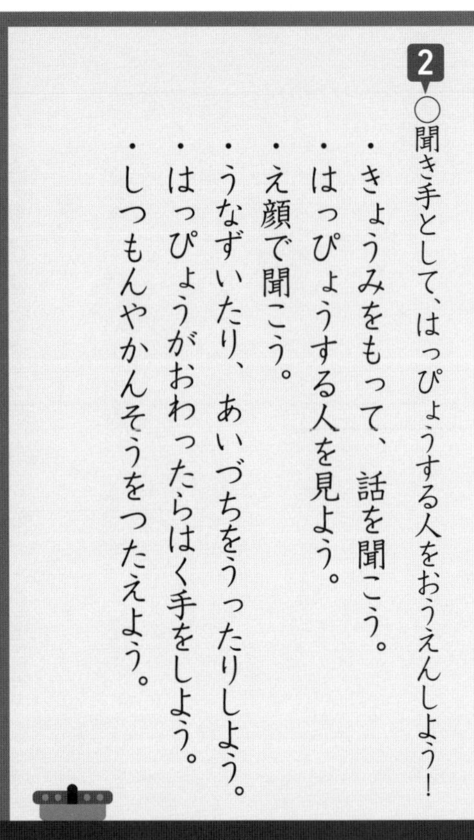

2
○聞き手として、はっぴょうする人をおうえんしよう！
・きょうみをもって、話を聞こう。
・はっぴょうする人を見よう。
・え顔で聞こう。
・うなずいたり、あいづちをうったりしよう。
・はっぴょうがおわったらはく手をしよう。
・しつもんやかんそうをつたえよう。

授業の流れ ▷▷▷

1 今までの学習を振り返り、本時のめあてを確認する〈10分〉

○今までの学習を振り返ることで、スピーチをするときの準備の流れを確認するとともに、本時での発表に自信と意欲をもてるようにする。
○本時のめあてを板書する。
T　いよいよ今日は発表会です。みなさんは今日の日のために一生懸命に準備してきましたね。どのように準備をしてきたか振り返ってみましょう。
・はじめにスピーチの話題を決めました。
・スピーチメモを書きました。
スピーチメモをもとにスピーチ原稿を書きました。
・グループで発表の練習をしました。

2 聞き手の役割を確認する〈10分〉

T　前回のグループでの発表練習のときよりも聞き手が何倍にも増えています。その中でも話し手は１人です。緊張しますね。みんなが準備してきた成果を発揮するためには聞き手の協力が必要です。聞き手みんなで話し手にとってよい環境をつくっていきましょう。
　ここで聞き手の態度をおさらいしていきましょう。
・興味をもって話を聞くことが大切です。
・ちゃんと発表している人を見ます。
・怖い顔ではなく、笑顔で聞きます。
・うなずいたり相槌を打ったりしながら聞きます。
・最後に、発表してくれた人に拍手をします。

組み立てを考えて、はっぴょうしよう
楽しかったよ、二年生

1

今までのがくしゅうを生かして、
はっぴょうしよう。

今までのがくしゅう

○伝えたいことをきめた。
○スピーチメモ
○スピーチげんこう
○はっぴょうのれんしゅう
・口をしっかりひらいて、
はっきりとした声で話す。
・聞きとりやすい声の大きさで話す。
・聞きとりやすい声のはやさで話す。
・聞いている人を見て話す。
・ていねいなことばづかいで話す。

3 発表会を行う 〈60分〉

○黒板に笑顔の顔を書き「この人に向かってスピーチしましょう。」と、呼びかける。全員が立って、一斉に、黒板に書かれた笑顔の顔の人に向けてスピーチする。一斉に行うことで声が重なるので子供たちは緊張せずに声を出す練習ができる。

○発表する順番をくじとする。黒板に貼るネームプレートを裏返して机の上に置く。１人目は、指導者が引き、それ以降はスピーチを終えた人がネームプレートを取っていく。また、友達の発表中は自分の発表の準備をしないことを約束してから発表会を始める。

4 振り返りをする 〈10分〉

○本時の発表会についてだけでなく、単元全体についての振り返りを書く。書いた振り返りは学級全体で交流したい。

学習の振り返り（例）

わたしは、かけ算九九を毎日れんしゅうして、すべてのだんを言えるようになったことをスピーチしました。○○さんと、ほうかごにいっしょにれんしゅうしたことをくわしく話すことができました。△△さんが、「○○さんとなかがいいんですね。すてきな親友で、うらやましいです。」とかんそうを言ってくれました。○○さんと九九のれんしゅうをしたことをくわしく話せてよかったなと思いました。これからは、日直のスピーチでも、くわしく話そうと思いました。

資料

1 第1時資料　ワークシート①学習計画表 23-01

組み立てを考えて、はっぴょうしよう
楽しかったよ、二年生

二年　組　名前（　　　）

がくしゅうけいかくひょう

二年生の思い出を友だちにはっぴょうしよう。

①	②	③	⑤④	⑥	⑧⑦
・今までのスピーチのがくしゅうをふりかえる。 ・がくしゅうけいかく表を作る。	・二年生の一年間をふりかえり、つたえたい「わだい」を一つきめる。	・自分がきめた「わだい」にそって、スピーチメモを書く。	・スピーチの組み立てを考えて、スピーチげんこうを書く。	・はっぴょうのれんしゅうをする。	・二年生の思い出はっぴょう会をひらく。

2 第3時資料　ワークシート②スピーチメモ 23-02

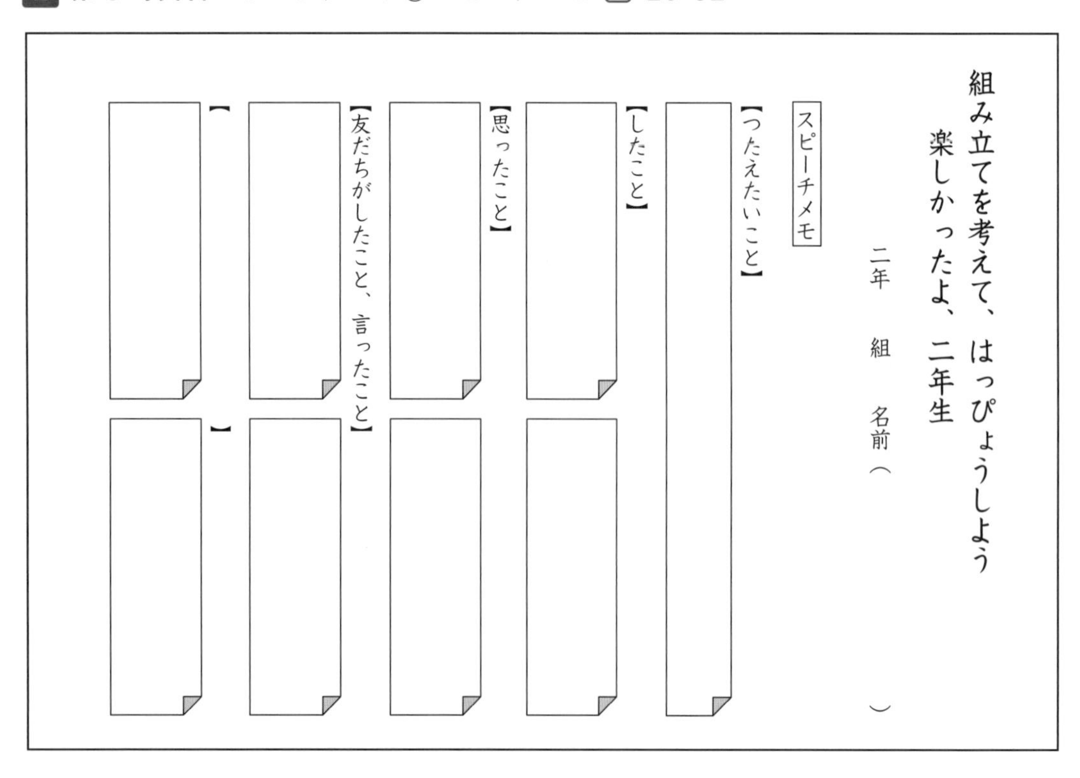

3 第5時資料　ワークシート③スピーチ原稿 23-03

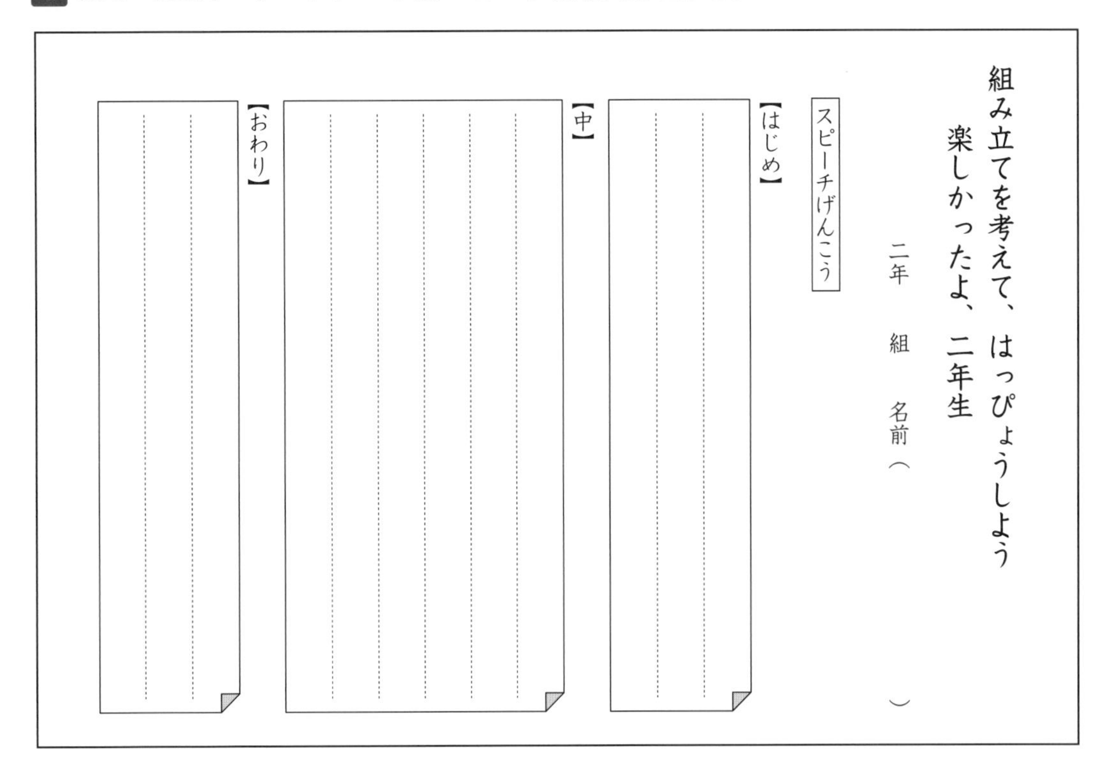

4 第8時資料　ワークシート④学習の振り返り 23-04

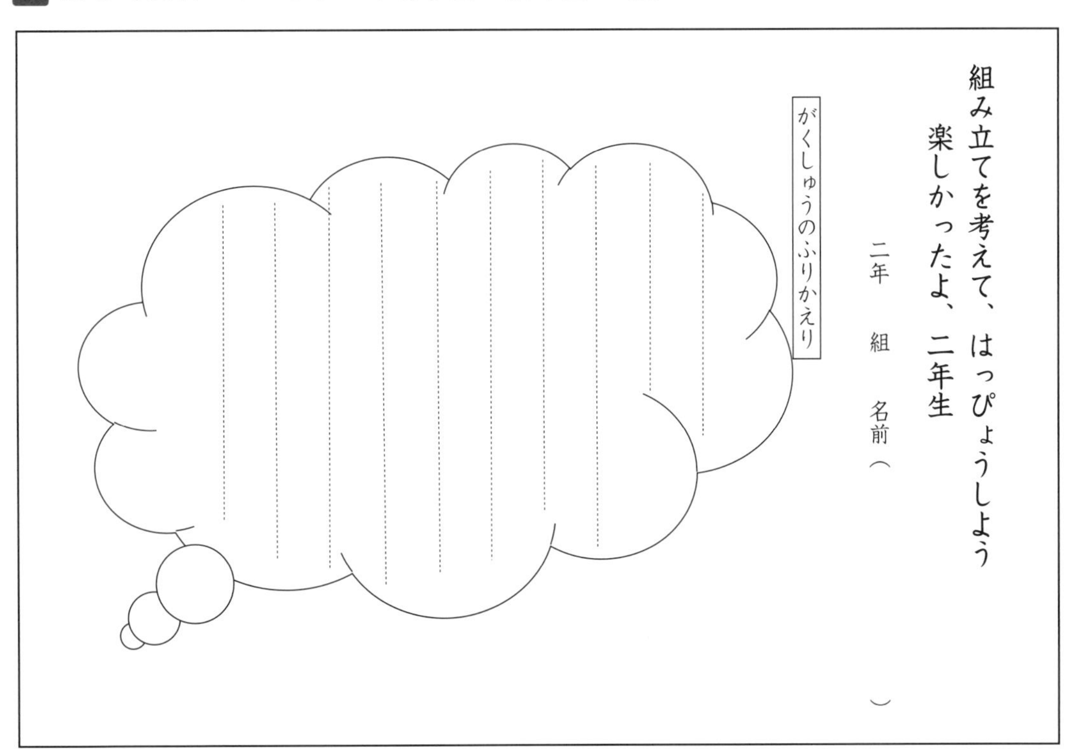

国語のがくしゅうをふりかえろう

二年生をふりかえって （1時間扱い）

単元の目標

知識及び技能	・言葉には、事物の内容を表す働きや、経験したことを伝える働きがあることに気付くことができる。((1)ア)
思考力、判断力、表現力等	・経験したことなどから書くことを見つけ、必要な事柄を集めたり確かめたりして伝えたいことを明確にすることができる。(B ア)
学びに向かう力、人間性等	・言葉がもつよさを感じるとともに、楽しんで読書をし、国語を大切にして、思いや考えを伝え合おうとする。

評価規準

知識・技能	❶言葉には、事物の内容を表す働きや、経験したことを伝える働きがあることに気付いている（〔知識及び技能〕(1)ア）
思考・判断・表現	❷「書くこと」において、経験したことなどから書くことを見つけ、必要な事柄を集めたり確かめたりして伝えたいことを明確にしている。（〔思考力、判断力、表現力等〕B ア）
主体的に学習に取り組む態度	❸進んで経験したことなどから書くことを見つけ、必要な事柄を集めたり確かめたりして、伝えたいことを明確にし、これまでの学習を生かして、1年間の振り返りを書こうとしている。

単元の流れ

次	時	主な学習活動	評価
一	1	学習の見通しをもつ 教科書や写真等を使って、1年間の国語の学習について簡単に振り返る。 学習課題を設定する。 2年生の国語の学習で、楽しかったことやがんばったことを書こう。 教科書 p.136や、教科書 p.138「『たいせつ』のまとめ」を読んで、2年生の国語の学習で楽しかったことやがんばったことをそれぞれ書く。 書いたことを友達と見せ合い、思ったことを伝え合う。 学習を振り返る	❶❷ ❸

授業づくりのポイント

〈単元で育てたい資質・能力〉

本単元の主なねらいは、経験したことなどから書くことを見つけ、必要な事柄を集めたり確かめたりして伝えたいことを明確にする力を育むことである。そのためには、どのようなことを経験してきたのか、振り返りやすい学習環境や、その中から必要な事柄を選ぶ学習活動が必要になるだろう。本単元では、2年生の国語の学習を振り返るという言語活動を設定し、学習経験の中から伝えたいことを明確にできることを目指す。

学習の振り返りは日々重ねてきているところであるが、学年の終わりに国語の学習全体について振り返りを行うことは、3年生に向けて「学びに向かう力、人間性等」を育む上でも効果的である。国語の学習は、学習指導要領に示された資質・能力をそのまま扱うことが難しいという特性がある。そこで言語活動に内包する形で指導事項を身に付けていくことを目指すわけだが、本単元では2年生なりに、この部分についても考えられるようにしたい。

〈教材・題材の特徴〉

本単元では教科書 p.136を主な教材として扱う。そこでは、2年生の国語の学習を「楽しかったこと」と「がんばったこと」の2つの視点で振り返ることが示されている。その例を読むと、「楽しかったこと」は活動についての振り返り、「がんばったこと」は資質・能力についての振り返りが示されている。

〈単元で育てたい資質・能力〉で記したように、国語の学習はこの2つの内容を混合的に扱うため、振り返る際にはうまく分けて思考できるようにさせたい。本教材は「楽しかったこと」と「がんばったこと」という言語表現があることで、この2つを分けて捉えやすくなっていると言える。この教材としての特性をうまく生かしていくようにしたい。

〈言語活動の工夫〉

本単元では、経験したことなどから書くことを見つけ、必要な事柄を集めたり確かめたりして伝えたいことを明確にする力を目指して、「2年生の国語の学習を振り返る」という言語活動を設定する。この言語活動では、1年間の学習経験から、前述した「楽しかったこと」や「がんばったこと」を書くのに必要な事柄を選択し、明確にしていくことになる。

本言語活動をよりよく展開するためのポイントが2つある。

1つめは、経験を振り返りやすい学習環境に整備することである。これには教科書を使って、1年間の学習を振り返ることが効果的であろう。それぞれの単元で、どのような言語活動を行ったのか、成果物や授業の様子を撮影した写真等とともに振り返ることができるとよい。また、資質・能力についてどのような学びがあったのかについては、学習に関する掲示物や、教科書 p.138「『たいせつ』のまとめ」を活用するとよい。

2つめは、経験の中から必要なことを選択する活動を行うことである。具体的な活動を伴うことで、子供の思考は働きやすくなるからである。「楽しかったこと」に関する場合は、教科書の目次の中から選んで○をつける、「がんばったこと」に関する場合は、教科書 p.138「『たいせつ』のまとめ」の中から、選んで○をつける、という具合である。複数ある場合は、3つまで、のような制限を加える形で複数○をつけることを許容してもよいだろう。

1年間で学習したことの中から、「楽しかったこと」や「がんばったこと」を焦点化して振り返ることで、3年生の国語の学習への意欲を高めていけるようにしたい。

〈ICT の効果的な活用〉

共有：Microsoft forms 等のアプリを活用して、「楽しかったこと」や「がんばったこと」を共有する活動が考えられる。言語活動や、資質・能力を選択肢で一覧にすれば、書くのに必要な事柄を選択する支援にもつながるだろう。この場合、選択肢以外のことも書けるように「その他」の欄を設けるようにする。

本時案

二年生をふりかえって

本時の目標

・１年間の国語の学習の中から、楽しかったことや頑張ったことを考え、伝えたいことを明確にすることができる。

本時の主な評価

❶言葉には、事物の内容を表す働きや、経験したことを伝える働きがあることに気付いている。【知・技】
❷経験したことなどから書くことを見つけ、必要な事柄を集めたり確かめたりして伝えたいことを明確にしている。【思・判・表】
❸進んで経験したことなどから書くことを見つけ、必要な事柄を集めたり確かめたりして、伝えたいことを明確にし、これまでの学習を生かして、１年間の振り返りを書こうとしている。【態度】

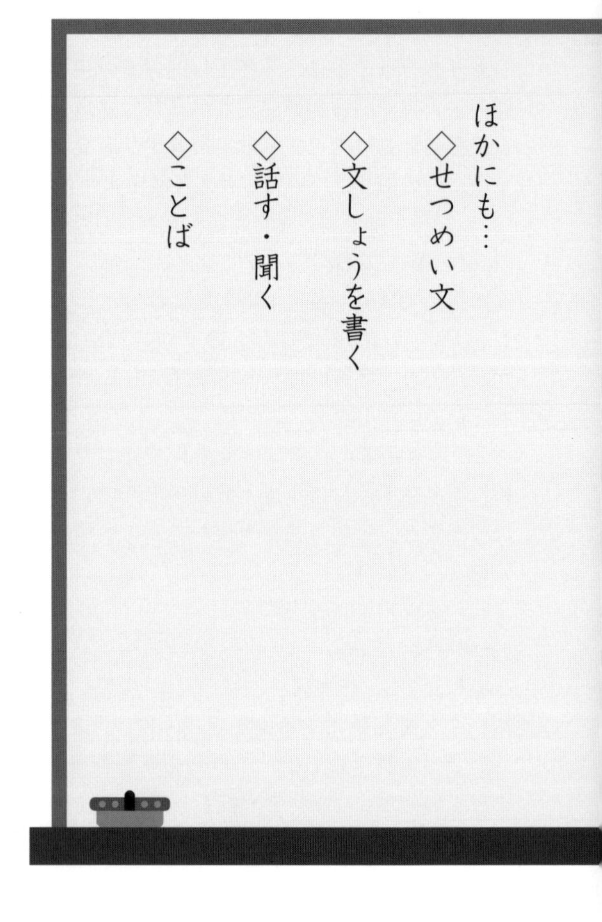

授業の流れ ▷▷▷

1 学習課題を設定する 〈５分〉

○教科書や学習成果物、授業写真等を使って、１年間の学習を振り返り、楽しかったことや頑張ったことを振り返る活動を行うことを伝える。
T　１年間、いろいろな学習をしましたね。今日は楽しかったことや頑張ったことを振り返りましょう。
○学習課題を板書する。

ICT 端末の活用ポイント

アンケートフォームアプリを活用して、「楽しかったこと」や「頑張ったこと」を共有する活動が考えられる。選択肢を作れれば、その場で楽しかったことや頑張ったことの傾向を可視化することができる。

2 伝えたいことを明確にして書く 〈15分〉

○ p.136の人物のセリフを確認し、「楽しかったこと」には学習活動について、「がんばったこと」には資質・能力について振り返ることを確かめる。
T　楽しかったことには、どんなことをしたのか、振り返って書きましょう。頑張ったことには、考えたことや学んだことについて振り返って書きましょう。
・ぼくは、音読劇をしたのが楽しかったな。
・私は作文を書くときに、順番に気を付けて書くことを頑張ったよ。
・友達の話を聞くときに、知りたいことをちゃんと聞けるように頑張ったよ。
・自分が体験したことと結び付けながら文章を読めるように頑張ったよ。

国語のがくしゅうをふりかえろう

二年生をふりかえって

☆二年生の国語のがくしゅうで、
楽しかったこと　や　がんばったこと
を書こう

わたしは、お話を書くのが楽しかった。友だちが、「おもしろいね。」と言ってくれたんだ。

ぼくは、音読をがんばった。とうじょうじんぶつのようすを考えながら読んだよ。

◇ものがたり
スイミー：すきな場めんとそのわけをしょうかい

とうじょう人ぶつの行どうをそうぞう

自分とくらべて読み、かんそうをもつ

3 楽しかったことやがんばったことを共有し振り返る　〈25分〉

○書いたことを発表して共有する。「楽しかった」ことで挙げられた活動に関連付ける形で「がんばったこと」を発言させるとよい。

T　「楽しかったこと」を発表しましょう。

・「スイミー」でみんなの好きな場面とそのわけを紹介したのが楽しかったです。

T　みんなで好きな場面を紹介しましたね。物語を読むとき「がんばったこと」はありますか？

・登場人物の行動をよく考えたり、想像したりすることをがんばりました。

・自分とくらべながら読んで、感想を書くことをがんばりました。

○学習を振り返り、３年生の国語の学習に向けての意欲を高めて終われるようにする。

よりよい授業へのステップアップ

領域ごとに振り返る

１年間でたくさんの学習を行っているため、子供によっては書くことを選べないことも考えられる。その場合、教師が領域ごとに振り返る視点をもたせていくとよいだろう。**3**では物語の学習について振り返る例を挙げたが、同様に、話すこと・聞くこと、書くこと、説明文、言語領域、という具合に視点をつくってあげると、それぞれの視点で振り返りやすくなる。また、楽しかった活動において、何を頑張ったか、と考えさせると、活動と資質・能力それぞれについて振り返りやすくなるだろう。

監修者・編著者・執筆者紹介

＊所属は令和６年６月現在

[監修者]

中村　和弘（なかむら　かずひろ）　　東京学芸大学教授

[編著者]

大村　幸子（おおむら　さちこ）　　お茶の水女子大学附属小学校教諭

土屋　晴裕（つちや　はるひろ）　　東京学芸大学附属大泉小学校教諭

[執筆者]　＊執筆順

氏名	所属	[執筆箇所]
中村　和弘	（前出）	●まえがき　●第１章―「主体的・対話的で深い学び」を目指す授業づくりのポイント　●「言葉による見方・考え方」を働かせる授業づくりのポイント　●学習評価のポイント　●板書づくりのポイント　● ICT 活用のポイント
土屋　晴裕	（前出）	●第１章－第２学年の学習指導の工夫
大村　幸子	（前出）	●第１章－第２学年の学習内容
小野田　雄介	東京学芸大学附属小金井小学校教諭	●お手紙　●二年生をふりかえって
小澤　珠里	東京都・新宿区立牛込仲之小学校主任教諭	●主語と述語に気をつけよう　●お話のさくしゃになろう
井倉　亜美	東京都・中野区立中野第一小学校主任教諭	●かん字の読み方　●秋がいっぱい　●かん字の広場④　●冬がいっぱい　●かん字の広場⑤
渡邉　成啓	東京都・江戸川区立篠崎小学校主幹教諭	●そうだんにのってください
今村　行	東京学芸大学附属大泉小学校教諭	●紙コップ花火の作り方／おもちゃの作り方をせつめいしよう　●かたかなで書くことば
阿木　智華	東京都・杉並区立荻窪小学校主任教諭	●にたいみのことば、はんたいのいみのことば　●ねこのこ／おとのはなびら／はんたいことば
市川　裕佳子	東京都・日野市立日野第七小学校指導教諭	●せかい一の話　●みきのたからもの
永井　佑樹	東京都・新宿区立落合第五小学校主幹教諭	●ことばを楽しもう　●スーホの白い馬
石井　桃子	千葉県・千葉市立花園小学校教諭	●ロボット
岩佐　沙恵子	東京都・練馬区立向山小学校主任教諭	●ようすをあらわすことば
神永　裕昭	岐阜聖徳学園大学教育学部准教授	●見たこと、かんじたこと　●楽しかったよ、二年生
吉野　竜一	上尾市教育委員会指導主事	●カンジーはかせの大はつめい　●すてきなところをつたえよう

『板書で見る全単元の授業のすべて 国語 小学校2年下～令和6年版教科書対応～』付録資料について

本書の付録資料は、東洋館出版社オンラインショップ内にある「付録コンテンツページ」からダウンロードすることができます。

【付録コンテンツページ】

URL https://toyokan-publishing.jp/download/

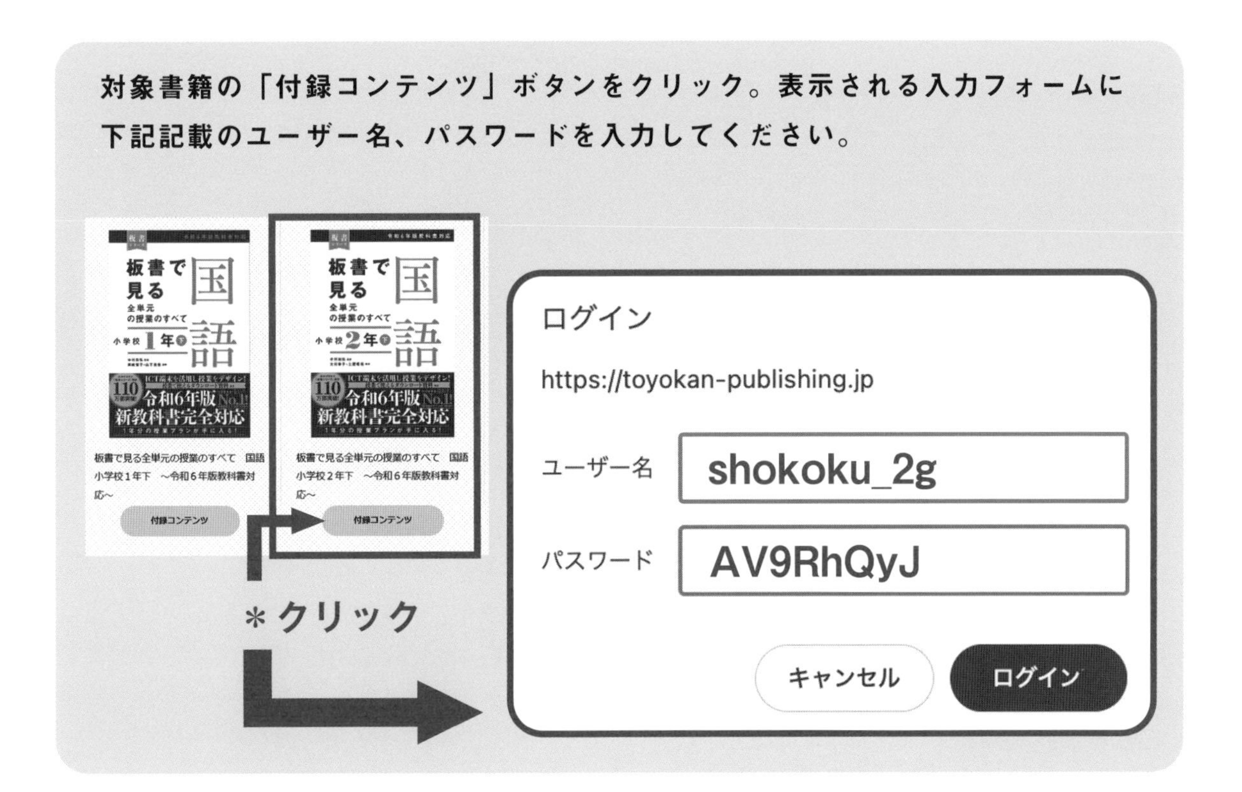

【使用上の注意点および著作権について】

・リンク先にはパソコンからアクセスしてください。スマートフォンではファイルが開けないおそれがあります。
・PDFファイルを開くためには、Adobe Readerなどのビューアーがインストールされている必要があります。
・収録されているファイルは、著作権法によって守られています。
・著作権法での例外規定を除き、無断で複製することは法律で禁じられています。
・収録されているファイルは、営利目的であるか否かにかかわらず、第三者への譲渡、貸与、販売、頒布、インターネット上での公開等を禁じます。
・ただし、購入者が学校での授業において、必要枚数を生徒に配付する場合は、この限りではありません。ご使用の際、クレジットの表示や個別の使用許諾申請、使用料のお支払い等の必要はありません。

【免責事項・お問い合わせについて】

・ファイル使用で生じた損害、障害、被害、その他いかなる事態についても弊社は一切の責任を負いかねます。
・お問い合わせは、次のメールアドレスでのみ受け付けます。tyk@toyokan.co.jp
・パソコンやアプリケーションソフトの操作方法については、各製造元にお問い合わせください。

板書で見る全単元の授業のすべて
国語 小学校２年下
～令和６年版教科書対応～

2024(令和６)年８月20日　初版第１刷発行

監 修 者：中村　和弘
編 著 者：大村　幸子・土屋　晴裕
発 行 者：錦織　圭之介
発 行 所：株式会社東洋館出版社
〒101-0054　東京都千代田区神田錦町２丁目９番１号
コンフォール安田ビル２階
代　表 TEL：03-6778-4343　FAX：03-5281-8091
営業部 TEL：03-6778-7278　FAX：03-5281-8092
振　替 00180-7-96823
U R L https://www.toyokan.co.jp

印刷・製本：藤原印刷株式会社

装丁デザイン：小口翔平＋村上佑佳（tobufune）
本文デザイン：藤原印刷株式会社
イラスト：赤川ちかこ（株式会社オセロ）

ISBN978-4-491-05401-8　　Printed in Japan